어려운 금융 공부 좀 재밌게 해볼까?
선형 파생상품: '스왑'을 중심으로

개정판

A Fun Introduction to
Linear Derivatives with Focus on Swaps

Second

KB075525

Dr. HikiEconomist

어려운 금융 공부 좀 재밌게 해볼까? 선형 파생상품: '스왑'을 중심으로 (개정판)

발 행 | 2024년 6월 4일
저 자 | Dr. HikiEconomist
펴낸이 | 한건희
펴낸곳 | 주식회사 부크크
출판사등록 | 2014.07.15.(제2014-16호)
주 소 | 서울특별시 금천구 가산디지털1로 119 SK트윈타워 A동 305호
전 화 | 1670-8316
이메일 | info@bookk.co.kr

ISBN | 979-11-410-8817-0

www.bookk.co.kr

어려운 금융 공부 좀 재밌게 해볼까?
선형 파생상품: '스왑'을 중심으로
개정판

A Fun Introduction to
Linear Derivatives with Focus on Swaps
Second Edition

Dr. HikiEconomist

Table of Contents

통화스왑(CCS)

외환스왑(FX Swap)

알쓸 금융 상식

신용부도스왑(CDS)

부록(Appendix)

Preface

이 책은 채권(Bond)과 선형 파생상품(Linear Derivative) 관련해 필자가 집필한 총 두 권의 책 중 후편 격이다. 금융 입문자들은 전편 격인 「어려운 금융 공부 좀 재밌게 해볼까? '채권'과 '금리스왑'」(이하 「'채권'과 '금리스왑'」)을 먼저 공부한 후 이 책을 읽기 바란다. 기초적인 '금리' 상품들에 대한 이해가 선행되어야만 외환스왑 (FX Swap)이나 통화스왑(Cross Currency Swap) 같은 타 스왑 상품들을 좀 더 수월히 이해할 수 있기 때문이다.

지난 「'채권'과 '금리스왑'」 편을 통해 이미 금리스왑에 대한 매우 상세한 설명을 한 바 있으나, 찾아볼 시간이 없거나 혹은 귀차니즘에 지배당한 이들을 위해 첫 번째 섹션에서 그 엑기스만 다시 커버해주며 이 책을 시작하려 한다. 아무런 기초 지식이 없는 금융 초보자들에겐 매우 어렵게 다가올 각종 스왑 상품들 – 금리스왑 (IRS), 총수익스왑(TRS)/주식스왑(Equity Swap), 통화스왑(CCS or CRS), 외환스왑(FX Swap), 신용부도스왑(CDS) – 에 관한 쉽고 재미진 방식의 설명을 담고 있는 이 책은 그야말로 요즘 세대를 위한 금융 교재라 할 수 있다. 글쓴이 본인만 알아먹을 수 있게 써진 시중의 수많은 구시대적 책들과 차별화시키기 위해 나름 많은 노력을 기울였음을 강조하고 싶다. 이제 2020년대의 새로운 시대가 아니던가...

오랜 기간을 금융업에 종사하면서도 본인들이 다루는 각종 금융상품들의 기초 중의 기초조차 이해 못 하는 소위 '마바라'들을 필자는 살면서 너무나 많이 봐왔다. 아무런 깊은 지식을 가지고 있지 못함에도 이들 중 많은 수가 본인이 '금융 전문가'라 며 정신승리까지 해대더라... *'Sell Side'와 'Buy Side' 모두 마찬가지...* 적어도 필자의 책으로 공부한 젊은이들은 향후 금융계에 입문하게 되면 이런 틀딱마바라들의 전철을 밟아나가지 않을 수 있을 거라 믿는다. "무식하면 용감하다"라는 말이 있지 않나... 지식을 기초부터 차근차근 쌓아나가는 사람일수록 '정말 한 분야를 완벽하게 알려면 알아야 할 게 끝이 없구나'라는 점을 깨닫게 되고, 많이 알아 가면 갈수록 저절로 겸손해 질 수밖에 없다. 반대로 아무런 지식도 없고 노력도 안 하는 이들이 본인이 자칭 '전문가'라고 착각하며 거만을 떨어 대는 경향이 강하다. 이 책을 읽는 젊은이들은 일찍 정신 차리고 절대 그런 마바라들을 닮아가지 않기를 바라는 바이다. *참으로 '안습'인 금융판이 아닐 수 없다... (그러니 당신네들이 열심히 공부해서 판을 바꿔라!)*

ㅎㅎㅎ 각설하고, 암튼 '스왑'이라는, 대부분의 금융 초보자들에게는 낯설게 다가올 이 상품군에 대한 이해를 이 책을 통해 그 어디서보다 더욱 쉽고 알차게 얻을 수 있기를 기대해 본다. Best Wishes! *시작부터 참 재미진 책이다~*

2022년 8월 14일
Dr. HikiEconomist

저자 소개: 美 아이비리그(Ivy League)와 英 옥스브리지(Oxbridge)에 속한 대학들에서 경제학 학사, 석사, 그리고 박사 학위를 취득하였다. 한 연구 기관에서 수여하는 논문 경진대회 대상을 수상하기도 했다. 학계에 남거나 국제기구 혹은 각국의 중앙은행으로 향한 동기들과는 달리 투자은행 업계로 진출하여 글로벌 금융기관의 다양한 프런트 오피스(Front Office) 포지션들에서 자본 시장의 거의 모든 금융상품들을 직접 다룬, 매우 유니크(unique)한 커리어의 금융·경제 분야 전문가이다. 현재 「MZ세대를 위한 경제학 원론」(가제)을 집필 중에 있다.

Preface to the Second Edition

얼마 전 「'채권'과 '금리스왑'」 편의 개정판 출간에 이어 이번에 「선형 파생상품: '스왑'을 중심으로」 편의 개정판까지 내게 되어 감회가 새롭다. 국제 금융 시장의 매우 큰 변혁이라 할 수 있는 LIBOR 금리 고시 중단 및 대체 인덱스 SOFR로의 시장 컨벤션 전환과 관련된 설명이 「'채권'과 '금리스왑'」 개정판에 추가된 주요 내용이었다면, 본 「선형 파생상품: '스왑'을 중심으로」 개정판에는 각 스왑 상품별로 대체금리로의 전환과 관련되어 필요하다고 생각되는 부가 설명들에 더해서 스왑 베이시스와 CDS 베이시스에 내포된 의미 같은 연관된 주요 파생 개념들에 관한 설명들 또한 추가되었음을 알린다. *물론 책 중반부의 '알쓸 금융 상식' 부분에 '마진 (Margin)'에 관한 재밌는(?) 설명도 새롭게 삽입되었으니, 해당 용어가 주는 극도의 헷갈림에서 많은 이들이 벗어날 수 있기를 기대해 본다.*

금융공학(Financial Engineering) 쪽 지식이 필수적인, 한층 더 테크니컬한 세부 분야로 진출하고픈 이공계 출신이 아니라면, 본 책에 담겨진 각종 개념들만 이해해도 대다수는 글로벌 투자은행을 비롯한 금융기관 업무에 필요한 기초를 충분히 다질 수 있을 거라 필자는 생각한다. 본 책의 주요 내용을 마스터한다면 '금융 중급자' 정도는 될 수 있을 거란 얘기다. 다만 본 책은 국내외 금융 시장에서 선형 파생상품과 함께 활발히 거래되고 있는 비선형(non-linear) 금융상품인 Vanilla 및 Exotic 옵션이나 복합 구조화상품(structured product)들에 대한 소개는 담고 있지 않기에, 해당 분야 종사자라면 이에 대한 이해를 위한 추가적인 노력을 기울일 필요가 있을 것이다. *각 상품별 정확한 구조 및 리스크 프로필뿐 아니라 수반되는 'legal documentation' 쪽 공부 또한 같이 병행한다면 향후 진정한 금융 전문가로 거듭나리라 믿어 의심치 않는다.*

이미 「'채권'과 '금리스왑'」편의 Preface에서도 언급했지만, 책 전반적으로 비속어적인 표현들과 구어체적 표현들이 자주 등장할 예정이니, 미리 경고하는 바이다. *Again, 그런 말투를 싫어하는 점잖은 이들한텐 미안타. (-_-;)* 시중에 널린 구시대적 교재들처럼 독자들 하품이나 나오게 만드는 형식의 책이 아니라, 어렵고 지루한 내용을 좀 더 재미지게 공부할 수 있는 새로운 형식의 책을 쓰고 싶었기에 그러한 선택을 하게 되었다. 특히나 문과적인 마인드를 가진 이들에게 어마무시하게 다가올 '파생상품'에 대한 공부를 나름 재밌게 만들어줄 수 있는 유익한 책이었으면 한다. 필자가 젊을 적 각종 기본 개념들을 쉽게 풀어서 가르쳐 주는 일부 경제학자들에게 받았던 친절한 느낌을 이 책의 독자들도 *아주* 조금은 받을 수 있길 바라면서, 말 많은 필자 이만 닥치고 본문으로 넘어 가련다. *I shall shut up now and begin the first chapter!*

2024년 3월 31일
Dr. HikiEconomist

금리스왑(IRS)

제1편 금리스왑의 기초 복습

선형 파생상품(Linear Derivative)으로 간주되는 '스왑(Swap)'의 종류에는 여러 가지가 있으며, 기초자산에 따라 아래와 같이 분류되는 것이 일반적이다:

〈Table 1: 스왑의 종류〉

상품명	영문명	분류
금리스왑	Interest Rate Swap ("IRS")	금리파생상품
총수익스왑	Total Return Swap ("TRS")	기초자산에 따라 분류
주식스왑	Equity Swap	주식파생상품
통화스왑	Cross Currency Swap ("CCS" or "CRS")	금리파생상품
외환스왑	Foreign Exchange Swap ("FX Swap")	외환파생상품
신용부도스왑	Credit Default Swap ("CDS")	신용파생상품

이 중에서 보통 앞에 아무것도 안 붙이고 그냥 '스왑'이라고만 하면 매우 높은 확률로 금리스왑(Interest Rate Swap; IRS)을 의미한다고 할 수 있다. 그만큼 스왑 중의 대표주자가 바로 금리스왑이란 얘기다. 또한 금리스왑은 그 특성상 채권(Bond)이라는 'Cash 상품'과 많은 면에서 매우 밀접하게 연관되어 있다. 따라서

본 책의 전편 격인 「'채권'과 '금리스왑'」에서 필자는 이 두 상품들만 떼어내 매우 자세하게 소개한 바 있다. 이번 편과 다음 편에서는 「'채권'과 '금리스왑'」에 담긴 내용 중 스왑 관련 엑기스만 뽑아 복습하는 시간을 가져볼까 한다.

먼저, 금리스왑은 명칭처럼 '금리(= 이자율)'를 양자 간에 서로 교환하는 거래이다. 근데 어떤 금리를? 바로 변동금리(Floating Rate)와 고정금리(Fixed Rate)를, 혹은 변동금리끼리, 서로 교환하는 거래이다. 여기서 어떠한 지표금리(Benchmark Rate)를 스왑의 '변동금리'로 사용하는지는 각 통화마다 다 다르지만, 전 세계에서 가장 거래 규모가 큰 미국 달러화 스왑 시장의 경우, 태동 이후 2021년도까지 줄곧 'LIBOR(= 라이보)' 금리를 변동금리로 사용하는 것이 마켓 스탠더드였다. 따라서 지난 수십 년간 'USD 스왑'이라 하면 대표적으로 '고정금리'와 '3개월 LIBOR' 금리를 맞교환하는 거래를 의미했었다고 할 수 있다.

〈Figure 1: 금리스왑의 예〉

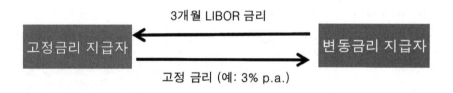

예제의 심플함을 위해서 변동금리(Floating Rate)와 고정금리(Fixed Rate) 다리 (leg)들의 지급 주기가 매 분기(quarterly)로 동일하고, 만기는 1년, 스왑 금리는 3%, 명목금액(Notional Amount)은 딱 사딸라1,000달러라는 가정들을 해보자. 이 경우 거래 시점부터 만기까지 발생하는 현금 흐름과 변동금리 픽싱(Fixing; 관찰해

서 정함) 스케줄은 다음과 같을 것이다:

"고정금리 지급자" 관점의 현금 흐름과 변동금리 픽싱 스케줄

거래 시점:

첫 번째 LIBOR 금리 픽싱 (= LIBOR1)

거래 3개월 후:

두 번째 LIBOR 금리 픽싱 (= LIBOR2)

지급 금액: $7.5 (= $1,000 × 3% × 1/4)

& 수취 금액: $A (= $1,000 × LIBOR1 × 1/4)

거래 6개월 후:

세 번째 LIBOR 금리 픽싱 (= LIBOR3)

지급 금액: $7.5 (= $1,000 × 3% × 1/4)

& 수취 금액: $B (= $1,000 × LIBOR2 × 1/4)

거래 9개월 후:

네 번째 LIBOR 금리 픽싱 (= LIBOR4)

지급 금액: $7.5 (= $1,000 × 3% × 1/4)

& 수취 금액: $C (= $1,000 × LIBOR3 × 1/4)

거래 12개월 후(만기):

LIBOR 금리 픽싱 없음

지급 금액: $7.5 (=$ 1,000 × 3% × 1/4)

& 수취 금액: $D (= $1,000 × LIBOR4 × 1/4)

위의 가상의 스케줄을 곰곰이 들여다보면 변동금리(= 3개월 LIBOR) 픽싱이 사실상 미리 된다는 사실을 알 수 있을 것이다. 즉, 거래 시점에 시장에서 관찰해서 정하는(= 픽싱하는) LIBOR 금리는 그로부터 3개월 뒤에 지급되는 변동금리 이자 금액 계산에 사용되고, 3개월 뒤에 픽싱하는 LIBOR 금리는 6개월 뒤에 지급되는 이자 금액 계산에, 6개월 뒤에 픽싱하는 LIBOR 금리는 9개월 뒤에 지급되는 이자 금액 계산에 사용되는 식이다. 이를 업계에서는 'Fixing in Advance' 방식이라 부르며, 지난 수십 년간 이것이 LIBOR 연계 스왑의 픽싱 스탠더드였다 할 수 있다. *(물론 정말 정확히 말하자면 매 이자 계산 시작일의 '이틀 전'에 고시되는 값을 쓰는 게 마켓 스탠더드였다...)*

위와 같은 픽싱 메커니즘하에서는 스왑 계약이 이루어지는 시점에 알지 못하는 미지수들이 총 3개가 될 거다. 어떤 것들이냐고??? 다시 들여다보면 눈에 바로 보일 거다. *ㅎㅎㅎ 안 보여도 자학하지는 말자... No big deal...* 바로 LIBOR2, LIBOR3, LIBOR4 값들 되겠다. 고정금리 지급자는 1년간 4번에 걸쳐 총 $30을 거래상대방에게 지급한다. 그런데 수취하는 금액은 총 얼만지 알 수가 없다. 다만 이러한 거래가 시장에서 이루어지고 있다면, 이는 시장참여자들이 스왑의 변동금리 다리(leg)로부터 수취하는 금액들의 총 합(= $A+$B+$C+$D)이 $30과 대등할 것으로 예상하기 때문이라 해석할 수 있겠다. *Don't you think?* 만약 그보다 못할 것으로 예상된다면 고정금리 지급자가 굳이 상기의 스왑 거래를 할 요인이 없을 것이다. 이는 금리스왑의 가격결정에 있어 필요한 핵심 전제이기도 하다; 즉, 고정금리 다리의 현재가치(Present Value; PV)와 변동금리 다리의 현재가치가 거래 당시 서로 동일해야 한다는 가정 말이다:

$$NPV = PV_{fixed} - PV_{floating} = 0 \tag{1}$$

그리고 스왑의 각 다리의 현재가치는 아래의 일반화된 수식으로 간단히 표현 가능하다:

$$PV_{fixed} = \sum_{i=1}^{n} FixedRate\,CashFlow_i \times DiscountFactor_i \qquad (2)$$

$$PV_{floating} = \sum_{j=1}^{m} FloatingRate\,CashFlow_j \times DiscountFactor_j$$

$where$

$PV_{fixed} = Fixed\,Leg$의 현재가치
$PV_{floating} = Floating\,Leg$의 현재가치
$FixedRate\,CashFlow_i = Fixed\,Leg$의 i번째 현금 흐름
$FloatingRate\,CashFlow_j = Floating\,Leg$의 j번째 현금 흐름
$DiscountFactor_i = Fixed\,Leg$의 i번째 현금 흐름에 대한 할인인자
$DiscountFactor_j = Floating\,Leg$의 j번째 현금 흐름에 대한 할인인자
$n = Fixed\,Leg$의 현금 흐름 지급 총 횟수
$m = Floating\,Leg$의 현금 흐름 지급 총 횟수

안 간단해 보인다꼬? ㅋㅋㅋ *저 정도면 간단한 겨...* 결국 거래상대방 어느 한 쪽이 '바보'가 아니라면 '서로 주고받는 것들의 가치는 동일하다'는 가정하에 금융 시장에서 스왑 거래가 이루어지고 있다고 보는 것이다. *어느 한쪽이 손해 보는 장사라면 저런 거래가 이루어질 수 없기에...* 그럼 아직 정해지지 않은, 미래 LIBOR 금리 움직임의 예상 경로를 [시장에서 거래되는] 현재의 스왑 금리들로부터 유추할 수도 있을까? 신발끈'부트스트래핑(Bootstrapping)' 과정을 통하면 충분히 가능하다! How? 궁금하제? *궁금하면 500원... 쿨럭.* 다음 편으로 이어진다... *ㅎㅎㅎ*

금리스왑(IRS)

제2편 스왑 커브 부트스트래핑 복습

이번 편에서는 「'채권'과 '금리스왑'」에서 이미 한 번 보여줬었던 부트스트래핑 (Bootstrapping) 과정을 통해 LIBOR 스왑 커브로부터 현물이자율(Spot Rate) 및 선도이자율(Forward Rate)들을 추출하는 방법을 복습해 볼까 한다.

시장에서 거래되는 6개월 만기 스왑 금리가 1%, 9개월 만기 스왑 금리가 2%, 1년 만기 스왑 금리가 3%라는 단순한 가정을 해보자. 또한 고정금리 다리와 변동금리 다리의 이자 지급 빈도가 '매 분기'로 서로 동일하고,*(하지만 실제 3개월 LIBOR 연계 스왑의 마켓 컨벤션은 이와는 살짝 달랐다...)* 복리의 주기 또한 이자 지급 빈도와 동일한 '매 분기'라는 편리한 가정들을 추가적으로 해보자. 참고로 아래 테이블 마지막 열의 L_6, L_9, L_{12}는 각각 6개월 후, 9개월 후, 12개월 후에 픽싱되는 LIBOR 값들이 아니라, 각각 3개월 후, 6개월 후, 9개월 후에 픽싱되는 값들을 의미한다.(= Fixing in Advance)

스왑 만기	지급 주기	스왑 금리	현물이자율	할인인자	라이보 선도이자율
6개월	분기	1%	R_6	D_6	L_6
9개월	분기	2%	R_9	D_9	L_9
12개월	분기	3%	R_{12}	D_{12}	L_{12}

마지막으로, 심플함을 좀 더 추구하기 위해 현재 시점의 3개월 LIBOR를 0%라 가정하자. 금리스왑을 사실상 '변동금리부채권'과 '고정금리부채권'의 컴비네이션으로 간주할 수 있다는 해석하에서, 각 만기별 현물이자율은 Par 가격을 가정한 채권의 경우와 동일한 방식의 '부트스트래핑' 과정을 통해 다음과 같이 산출해 나갈 수 있다:

$$\frac{\left(\dfrac{\$1}{4}\right)}{\left(1+\dfrac{0\%}{4}\right)}+\frac{\left(\dfrac{\$1}{4}\right)}{\left(1+\dfrac{R_6}{4}\right)^2}+\frac{\$100}{\left(1+\dfrac{R_6}{4}\right)^2}=\$100$$

$$\Rightarrow R_6 \approx 1.0013\%$$

$$\frac{\left(\dfrac{\$2}{4}\right)}{\left(1+\dfrac{0\%}{4}\right)}+\frac{\left(\dfrac{\$2}{4}\right)}{\left(1+\dfrac{R_6}{4}\right)^2}+\frac{\left(\dfrac{\$2}{4}\right)}{\left(1+\dfrac{R_9}{4}\right)^3}+\frac{\$100}{\left(1+\dfrac{R_9}{4}\right)^3}=\$100$$

$$\Rightarrow R_9 \approx 2.0067\%$$

$$\frac{\left(\dfrac{\$3}{4}\right)}{\left(1+\dfrac{0\%}{4}\right)}+\frac{\left(\dfrac{\$3}{4}\right)}{\left(1+\dfrac{R_6}{4}\right)^2}+\frac{\left(\dfrac{\$3}{4}\right)}{\left(1+\dfrac{R_9}{4}\right)^3}+\frac{\left(\dfrac{\$3}{4}\right)}{\left(1+\dfrac{R_{12}}{4}\right)^4}+\frac{\$100}{\left(1+\dfrac{R_{12}}{4}\right)^4}=\$100$$

$$\Rightarrow R_{12} \approx 3.0190\%$$

할인인자(Discount Factor; 할인요소 or 할인계수)는 단순히 위의 현물이자율(Spot Rate)들을 다음과 같이 변환한 값들이다:

$$D_6 = \frac{1}{\left(1 + \dfrac{R_6}{4}\right)^2} \approx 99.5012\%$$

$$D_9 = \frac{1}{\left(1 + \dfrac{R_9}{4}\right)^3} \approx 98.5099\%$$

$$D_{12} = \frac{1}{\left(1 + \dfrac{R_{12}}{4}\right)^4} \approx 97.0371\%$$

이제 남은 일은 3개월 LIBOR의 선도이자율들을 추출하는 일이다. 「'채권'과 '금리스왑'」에서 보여줬던 채권과 같은 방식과는 다르게 이번에는 1편의 수식 (1)과 (2)를 사용해서 스왑의 NPV를 '0'으로 만드는 값을 찾아내는 방식으로 계산해 보자:

$$\$0 + \left(\frac{\$100 \times L_6}{4}\right) \times D_6 = \frac{\$1}{4} D_3 + \frac{\$1}{4} D_6$$

$$\Rightarrow L_6 \approx 2.0050\%$$

$$\$0 + \left(\frac{\$100 \times L_6}{4}\right) \times D_6 + \left(\frac{\$100 \times L_9}{4}\right) \times D_9 = \frac{\$2}{4} D_3 + \frac{\$2}{4} D_6 + \frac{\$2}{4} D_9$$

$$\Rightarrow L_9 \approx 4.0252\%$$

$$\$0 + \left(\frac{\$100 \times L_6}{4}\right) \times D_6 + \left(\frac{\$100 \times L_9}{4}\right) \times D_9 + \left(\frac{\$100 \times L_{12}}{4}\right) \times D_{12}$$

$$= \frac{\$3}{4} D_3 + \frac{\$3}{4} D_6 + \frac{\$3}{4} D_9 + \frac{\$3}{4} D_{12}$$

$$\Rightarrow L_{12} \approx 6.0711\%$$

Yay! 이제 필요한 계산은 다 했으니 처음에 등장한 테이블을 지금까지 구한 값들로 꽉 채워보자:

스왑 만기	지급 주기	스왑 금리	현물이자율	할인인자	라이보 선도이자율
6개월	분기	1%	1.0013%	99.5012%	2.0050%
9개월	분기	2%	2.0067%	98.5099%	4.0252%
12개월	분기	3%	3.0190%	97.0371%	6.0711%

정리하자면, 시장은 현재 0%인 LIBOR 금리가 9개월 후에는 무려 6.07% 수준으로 점프한다는, 시장 금리의 엄청난 급등을 예상하고 있는 셈이다! ㅎㄷㄷ... ㅎㄷㄷ... 어째 전 세계적으로 중앙은행들이 인플레이션 컨트롤을 하는데 실패한 오늘날의 암울한 상황을 보는 듯하다... *(그래도 좀 많이 extreme 한 예제였다... (-_-;))*

참고로 위의 예시 값들은 매우 단순한 가정들하에서 산출되었지만, 실제의 'Curve Building' 작업에는 이와는 달리 추가적인 금융공학적 기법들이 사용되어 더 복잡한 과정을 거친다는 점을 알린다. 관찰 인덱스 또한 스왑 금리만 쓰지 않고, 커브의 단기 쪽은 금리 선물/선도 시장에서 추출하는 경우가 일반적이다. 다만 퀀트(Quant)·마켓리스크(Market Risk) 쪽 전문 인력이 아닌 이상 금융업에 종사한다고 하더라도 실제로 본인이 커브를 건드리게 될 가능성은 제로에 가깝기에, 초보자들은 위의 부트스트래핑 작업을 직접 발손으로 한번 해봤다는 데 의의를 두면 되겠다. 한 번 해본 사람과 안 해본 사람의 이해도 차이는 엄청나니깐~ *초보자들 수고 많았다!*

금리스왑(IRS)

제3편 LIBOR의 몰락과 SOFR OIS

LIBOR (London Interbank Offered Rate): 런던 자금 시장에서 우량 은행들 간 자금을 빌릴 때 적용되는 이자율 호가(quote)들의 평균값

사실 지난 50여 년간 금융 시장에서 독보적인 위치를 누리며 '세상에서 가장 중요한 숫자'라는 애칭까지 얻었던 벤치마크 금리인 LIBOR는 지난 2017년 7월, 영국의 금융행위감독청(FCA)이 패널 은행들의 LIBOR 금리 호가 제출 의무를 2021년 말까지만 유지시키기로 발표하면서 시장에서의 '퇴출'이 가시화가 되었다. 다만 가장 많이 쓰이는 벤치마크인 주요 만기 달러(USD)물의 최종 고시는 시장의 혼란을 방지하기 위해 2023년 6월 말까지로 추가적인 연장이 이루어진 바 있다. *참고로 주요 만기(= 1, 3, 6개월) 달러물들은 2024년 3월 말 현재에도 '합성된(synthetic)' 형태로서 존재하며 적어도 2024년 9월 말까지는 계속해서 고시될 예정이다. (참으로 엄청난 생명력(?)이다...)*

달러 금리스왑(Swap) 커브는 국고채(Treasury) 커브와는 달리 은행 간 차입 금리인 LIBOR에 기반하기에 글로벌 은행들의 '신용도'를 반영하는 커브라고 학교에서

나 업계에서나 주구장창 가르쳐왔는데, 현재에는 'SOFR'라는 '무위험 금리(Risk Free Rate; RFR)'에 기반한 스왑 거래들로 시장의 컨벤션이 완전히 전환된 상태이다. 스왑시장에서 2022년경부터 본격적으로 달러 LIBOR 대신 사용되기 시작한 새로운 벤치마크 금리인 'SOFR(Secured Overnight Financing Rate; 소퍼)'는 실제 미국 국채 레포(Repo; 환매조건부채권) 거래들에 기초해 산출되는 '익일물 담보부 금리'라 할 수 있으며, 오늘날에는 스왑 같은 파생상품뿐만 아니라 많은 달러물 변동금리부채권과 대출 상품 등이 SOFR에 연계되어 자연스레 거래되는 중에 있다.

※ 필자에게는 뭔가 스왑과 관련된 흥미진진한 전제(= 이야깃거리)가 이제 없어져 버렸다는 사실이 매우 안타깝게 다가온다... SOFR는 LIBOR처럼 은행들의 다이내믹한 신용 리스크를 내포하지도 않고 또한 3개월이나 6개월 만기처럼 기간물도 아닌, 매우 '무미건조한' 초단기 담보부 금리일 뿐이니깐... 한 시대를 풍미했던 LIBOR와 곧 완전히 작별하려니 틀딱 필자는 벌써부터 센티멘털해진다... (-_-;)

그럼 요새 새롭게 대세로 자리 잡은 SOFR 연계 금리스왑은 그 구조가 LIBOR 스왑과 어떻게 다를까? 뭐, 기술적으로 파보면 다소 복잡하긴 하지만, 큰 틀에서 보면 '변동금리' vs. '고정금리'를 맞교환 한다는 면에서 기존의 LIBOR 연계 스왑과 크게 다를 바는 없다. 물론 두 개의 스왑 사이에는 여러 자잘한 차이점들이 존재하는데, 그 중 가장 중요한 것 하나가 바로 변동금리 픽싱(Fixing) 방법의 차이 되겠다.

LIBOR 스왑의 경우엔 변동금리가 매 분기 픽싱되고(= 대표적인 3개월 LIBOR의 경우), 각 이자 계산기간 직전에 미리 정해졌다. *계산기간 시작 '이틀 전'에 픽싱.* 그러나 SOFR 스왑의 경우엔 이자 계산기간(= 통상 1년) 동안 매일매일 고시되는 일일 SOFR 값들을 가지고 다소 복잡한 일복리(daily compounding) 공식(= 수식 (1))에 기초, 해당 기간의 말미에 가서야 산출된다. 참고로 이러한 산출 방식을 업계에서는 'Compounded in Arrears'라 칭하고 있다.

$$Annualized\ Compound\ Rate = \left[\prod_{i=1}^{d_0}\left(1+\frac{SOFR_i \times n_i}{360}\right)-1\right]\times\frac{360}{d} \qquad (1)$$

SOFR 스왑 거래의 변동금리 지급 주기는 보통 1년이므로, 1년 치의 일일 SOFR 픽싱 값들을(= 정확히는 '(1+r/360)'을) 계속 곱해나가는 방식이 현재의 마켓 스탠더드이다. 재차 강조하자면, 변동금리 다리의 이자금액은 따라서 계산기간 말미에서야 산출될 수 있으며, 이는 3개월마다 미리 정해지는 LIBOR 금리 픽싱의 경우와 대조적이라 할 수 있다. (In Arrears vs. In Advance)

다소 복잡해 보일 수 있는 위의 수식 (1)을 한 문장으로 풀어서 얘기하자면, 이자 계산기간 동안 매 영업일마다 '일복리'를 적용시킨 후 이를 다시 '연환산 (annualize)' 시키는 과정이라 할 수 있겠다. 참고로 위에서 SOFR 옆에 곱해주는 'n'은 해당 SOFR 금리의 적용 일수를 나타내며, 일반적인 경우에는 'n=1'이라 아무런 영향이 없지만, 토·일요일을 앞둔 금요일 값의 경우에는 'n=3'이 되어 총 3일 치가 적용된다.*(⇒ 공휴일 껴는 고시가 안 되니깐 직전 날의 금리로 다 갈음해 버리고 그 기간만큼은 복리(compounding)를 적용하지는 않는다는 뜻이다.)*

물론 변동금리 픽싱 방식 외에도 다른 차이점들이 존재한다. 대표적으로, ① LIBOR 스왑의 고정금리 지급 주기는 6개월, 변동금리 지급 주기는 3개월(= 대표적인 3개월 LIBOR의 경우)로 서로 간에 미스매치가 있었으나 SOFR 스왑의 경우엔 고정금리와 변동금리 다리 둘 다 모두 1년으로 동일하며, ② 변동금리 다리의 정확한 이자 금액을 [3개월 전에] 미리 알 수 있는 LIBOR 스왑의 경우엔 이자 지급일을 뒤로 미룰 이유가 없었으나, 금액이 계산기간의 말미에야 정해지는 SOFR 스왑의 경우 결제 작업에 과부하가 걸릴 수 있기에 지급일을 억지로 이틀 뒤로 미루는 '2 Day Payment Delay' 방식이 적용되어 거래되고 있다는 차이점들을 들 수 있겠다.

두 거래 컨벤션 간 차이점들에 관해 조금 더 상세하게 알고 싶은 이들은 「'채권'과 '금리스왑'」을 참조 바란다. 참고로 SOFR는 익일물(overnight) 금리이기에 SOFR 연계 스왑은 IRS 중에서도 'OIS(= Overnight Index Swap)'로 분류되며, 따라서 'SOFR OIS'라는 이름으로도 불리고 있다. 또 다른 익일물 금리인 연방기금금리(Effective Federal Funds Rate; EFFR)에 연계된 'EFFR OIS'도 시장에 존재하니 이 또한 헷갈리지 말자. *추가적으로, SOFR 스왑과 EFFR 스왑은 모두 IRS이면서 OIS이기도 하지만 LIBOR 스왑은 성격상 절대 OIS라 부를 수는 없다는 너무도 당연한(?) 사실 또한 초보자들은 꼭 숙지하고 넘어가도록 하자.*

아마도 호기심 많은 독자들은 이쯤에서 "그럼 LIBOR의 종말(?) 이후 기존의 수많은 LIBOR 연계 거래들은 어찌되는 겨?"란 의문이 들 수 있겠다. 사실 LIBOR는 현재 합성된(synthetic) 형태로 존재하긴 하지만 '은행 간 시장' 금리에 대한 대표성(representativeness)은 잃은 상태이며, 지난 2023년 6월 말로 패널 은행들의 '정상적인' 호가 산출 및 고시가 중단된 바 있다. 따라서 그 후 시점부터는 기체결된 LIBOR 스왑들의 변동금리 픽싱이 국제파생상품협회(ISDA)가 공표한 방법론에 따라 산출된 값들에 기초해 이뤄지고 있다.

이 ISDA의 방법론에 관해 쪼께만 알려주자면, 더 이상 호가가 제시되지 않는 LIBOR의 대체금리(Fallback Rate)는 이제 「SOFR + 스프레드」의 수식으로 산출된다. 3개월 LIBOR를 예로 들어 보자. 수식에서 앞의 SOFR 값은 해당 이자 계산 기간(= 3개월) 동안 관찰되는 일일 SOFR 값들을 가지고 앞에서 보여줬던 '일복리'

공식(= 수식 (1))에 기초해 계산기간의 말미에 산출 및 확정된다. 단, 언급했던 것처럼 이자 지급일 당일에 가서야 필요한 모든 입력 값들을 알 수 있다면 당일 결제 작업에 과부하가 걸릴 리스크가 크므로, 이를 피하기 위해 ISDA는 이자 계산기간의 시작과 종료일을 원래보다 약 이틀 앞으로 강제로 땡기는(?) 조정을 가한다. 이러한 조정은 '2 Day Backward Shift'라고 불리며, 적어도 이자 지급일의 '2 영업일 전'에는 대체금리를 고시할 수 있게 만드는 데 그 목적이 있다.

또한 LIBOR는 은행의 '신용 리스크'가 녹아있는 '기간물' 금리인데 반해 SOFR는 '익일물' 국채 '담보부' 금리인 관계로, 태생적으로 LIBOR가 SOFR보다 더 높아야 함은 당연하다. 따라서 SOFR의 억지 LIBOR化(?)를 위해 각 만기별로 일정한 값을 'SOFR(compounded in arrears)'에 더해주는 과정을 거치는데, 지난 2021년 공표된 이 값들은 'ARRC Spread' 혹은 'ISDA Spread' 등의 이름으로 불리고 있다. 아래의 Table 1에 주요 만기별 ARRC/ISDA 스프레드 값들을 정리해 보았다:

〈Table 1: 주요 만기별 ISDA Spread〉

인덱스 만기	Spread Adjustment (%)
1개월	0.11448
3개월	0.26161
6개월	0.42826
12개월	0.71513

Source: Bloomberg (2021)

물론 스왑 같은 파생상품뿐만 아니라 채권이나 기업 대출 같은 [기체결된] LIBOR 연계 'Cash 상품'들 또한 전 세계적으로 엄청난 수가 존재하는데, 이들은 파생상품 시장과는 달리 대부분 「Term SOFR + α」 방식으로 전환되었음을 알린다. 참고로 'Term SOFR'란, 시카고상업거래소인 CME社에서 출시한 SOFR의 (억지) '기간물' 버전으로, SOFR의 '선도이자율' 개념이라 생각하면 쉽다. 예를 들어 '3개월 Term

SOFR'는 시장에서 거래되는 금리선물들에 반영된 향후 3개월간 '예상되는' SOFR 금리의 움직임에 기초해 산출되는 값이라 할 수 있다. 어찌 보면 마치 프랑켄슈타인(?) 같은 Term SOFR의 산출 방식에 대한 자세한 설명은 「'채권'과 '금리스왑」의 개정판에 삽입되어 있으니 궁금한 이들은 참고 바란다.

본 편에서는 비록 언급 안 하고 지나가지만, 이 외에도 과거 시장을 흔들었던 LIBOR 스캔들 및 EFFR-OIS로의 할인 커브 전환, 라이보 법(LIBOR Act) 제정과 Synthetic LIBOR의 출시, 레버리지론(Leveraged Loan) 시장에서의 대주와 차주 간의 다툼, Term SOFR 연계 파생상품에 대한 대체지표금리위원회(ARRC)의 스탠스 등, 시장의 컨벤션 변화에 대한 조금은 더 자세한 내용들이 「'채권'과 '금리스왑」의 개정판에 담겨져 있으니, 이에 대해 더 알고 싶은 초보자들은 전편을 꼭 읽어보길 바란다.

마지막으로, 한국도 현재 원화 파생상품 시장의 벤치마크 금리를 은행들이 발행하는 3개월 CD(Certificate of Deposit; 양도성예금증서) 금리에서 새로운 무위험 금리(RFR)로 전환하려는 노력 중에 있음을 알려주고 싶다. 최근의 언론 보도들에 의하면, 익일물 국채·통안증권 레포(Repo) 금리에 기반한 'KOFR' 금리라는 것이 원화 IRS 변동금리인 CD 금리의 위치를 조만간 대체하리라 예상해 볼 수 있다. 그야말로 변혁의 시대이다.

<h1 style="text-align:center">〈3편 부록〉</h1>

이대로 끝내기가 조금은 아쉬워 특별히 마련한 본 부록 섹션에서는 '부트스트래핑
(Bootstrapping)'을 통해 SOFR OIS 커브로부터 각 시점의 할인인자(Discount
Factor; DF)들을 추출하는 방법을 초보자들의 눈높이에 맞춰 [조금은 더 신선한(?)
방식으로] 소개해 볼까 한다. 물론 실제 Curve Building 작업은 상당히 복잡다단
한 과정을 거치치만, 본 부록에서는 교과서적인 Self-discounting 방식의 단순한
부트스트래핑 방법론만을 다룸을 알린다. *사실 이는 지난 2편에서 보여줬던 LIBOR
IRS 커브의 경우와 별반 다를 바 없다.*

먼저, 시장에서 n년 만기(e.g. 1년 만기, 2년 만기, 3년 만기...)의 SOFR OIS 스
왑 금리(= 고정금리)들이 관찰되고, 스왑 각 다리(leg)의 지급 주기 또한 마켓 스탠
더드인 '연간(annual)'이라 가정해 보자. 만약 n년 만기 SOFR 스왑 금리(단위: %)를
'OIS$_n$'이라 표현한다면, [지난 2편에서 이미 보여준 바와 같이] 커브의 부트스트래
핑 작업은 Par 채권의 경우와 마찬가지로 모든 'n'에 대하여 다음의 등식이 성립한
다는 가정에 기초한다:

$$\sum_{i=1}^{n} OIS_n \times T_i \times DF_i + 100 \times DF_n = 100 \qquad (1)$$

where

$OIS_n = n$년 만기 *SOFR* 스왑 금리 (단위 : %)
$T_i = i$번째 현금 흐름에 대한 *Day Count Fraction*
$DF_i = i$번째 현금 흐름에 대한 할인인자
$DF_n =$ 만기 현금 흐름에 대한 할인인자
$n =$ 스왑 만기; 현금 흐름 지급 총 횟수

2편의 예제에서처럼 가장 짧은 만기부터 하나씩 풀어나갈 수도 있지만, 각 시점별 할인인자(DF$_i$)들을 찾는 과정은 행렬(matrix) 형태의 연립방정식으로 한 번에 표현 가능하다. 예를 들어 시장으로부터 1년, 2년, 그리고 3년 만기까지의 OIS 스왑 금리들이 관찰될 경우, 수식 (1)은 다음과 같이 재표현할 수 있을 것이다:

$$\begin{bmatrix} OIS_1 \times T_1 + 100 & & \\ OIS_2 \times T_1 & OIS_2 \times T_2 + 100 & \\ OIS_3 \times T_1 & OIS_3 \times T_2 & OIS_3 \times T_3 + 100 \end{bmatrix} \begin{bmatrix} DF_1 \\ DF_2 \\ DF_3 \end{bmatrix} = \begin{bmatrix} 100 \\ 100 \\ 100 \end{bmatrix} \quad (2)$$

여기서 미지수인 각 시점별 DF$_i$ 값들은 다음과 같이 역행렬(inverse matrix)을 사용해 한꺼번에 구할 수 있다:

$$\begin{bmatrix} DF_1 \\ DF_2 \\ DF_3 \end{bmatrix} = \begin{bmatrix} OIS_1 \times T_1 + 100 & & \\ OIS_2 \times T_1 & OIS_2 \times T_2 + 100 & \\ OIS_3 \times T_1 & OIS_3 \times T_2 & OIS_3 \times T_3 + 100 \end{bmatrix}^{-1} \begin{bmatrix} 100 \\ 100 \\ 100 \end{bmatrix} \quad (3)$$

References

ARRC. 2021. "An Updated User's Guide to SOFR." The Alternative Reference Rates Committee. February.

Bloomberg. 2021. "IBOR Fallbacks: Technical Notice – Spread Fixing

Event for LIBOR." Bloomberg Professional Services. BISL. 5 March.

Clarke, Justin. 2010. "Constructing the OIS Curve." Edu-Risk International.

ISDA. 2006. *2006 ISDA Definitions*. International Swaps and Derivatives Association, Inc.

ISDA. 2018. "Supplement number 57 to the 2006 ISDA Definitions." International Swaps and Derivatives Association, Inc. 16 May.

ISDA. 2020. "ISDA 2020 IBOR Fallbacks Protocol (IBOR Fallbacks Protocol) FAQs." International Swaps and Derivatives Association, Inc.

ISDA. 2022. "Bloomberg published Fallback Rates: Interaction between RFR publications, IBOR Fallback publications and the ISDA Definitions." International Swaps and Derivatives Association, Inc. 8 September.

금리스왑(IRS)

제4편 에셋스왑 스프레드가 뭐꼬?

지금까지 복습이 꽤나 길었다. 본 책의 전편 격인 「'채권'과 '금리스왑'」을 미리 읽고 오지 않은 초보자들에게는 매우 어렵게 느껴졌을 거다... 다시 한번 강조하지만, 금리스왑을 수월히 이해하려면 먼저 채권이라는 'Cash 상품'에 대한 이해가 선행되어야 하고, [겉으론 연관되지 않은 것처럼 보이는] 타 스왑 상품들 또한 '금리스왑'에 대한 이해의 선행이 거의 필수적이라 본다. 그러니 초보자들은 서두르지 말고 처음부터 차근차근 공부해 나가자. *Hint, hint! 전편도 구입 추천! 필자 사실은 책 팔이... 쿨럭...*

이번에는 금리스왑과 밀접하게 연관된 개념인 '에셋스왑 스프레드(Asset Swap Spread)'란 개념에 대해 알아보도록 하자. '에셋스왑'은 한글로 번역하면 '자산스왑'이라는 이름으로 부를 수 있다. 보통 투자자가 매입하거나 보유하는 '자산(asset)'에 '스왑'을 엮는(?) 행위를 '에셋스왑' 혹은 '자산스왑'이라 표현하곤 하는데, 여기서 '스왑'은 '금리스왑'을 의미할 수도, 타 스왑 상품을 의미할 수도 있다. 다만 이번 편에서는 '금리스왑'의 경우에 한정해서 설명해보려 한다.

투자자가 고정금리부채권에 투자한 후 쿠폰을 변동금리로 바꾸려는 목적의 금리스왑을 체결하는 경우, 그리고 이와는 반대로 변동금리부채권에 투자한 후 쿠폰을 고정금리로 바꾸려는 목적의 금리스왑을 체결하는 행위 모두 '에셋스왑'이라 부를 수 있긴 하다. 그런데도 불구하고 채권은 고정금리 현금 흐름을 지니는 것이 일반적이기에 '에셋스왑'이라고 하면 보통의 경우 「고정금리 → 변동금리」 전환 목적의 금리스왑을 의미한다고 보면 된다. 물론 변동금리부채권들도 시장에 존재하긴 하지만 이들은 업계에서 FRN(Floating Rate Note)이라는 이름으로 조금은 다르게 불리는 등 채권 시장의 스탠더드라고는 말할 수 없기 때문이다.*(이와는 대조적으로 기업 대출(loan)의 경우엔 변동금리(Floating Rate) 연계 대출이 마켓 스탠더드라 할 수 있다)* 또한 '부채스왑(Liability Swap)'의 경우도 100% 그렇다고 말할 순 없겠지만, 기업이 고정금리로 '발행'한 채권(= 부채)의 현금 흐름을 다시 변동금리로 바꾸는 스왑을 의미하는 것이 일반적이다.

위에서 설명한 에셋스왑은 종종 투자 대상인 채권과 함께 '패키지(package)'로 거래되곤 한다. 즉, 이 경우 사기꾼투자은행이 호구기관투자자에게 채권을 넘겨줌과(= 매도함과) 동시에 해당 채권의 현금 흐름을 고정금리에서 변동금리로 전환하는 스왑 거래를 같이 체결해 주는 형식이 된다. 이때 채권의 실제 거래 가격(Price)과 'Par Value(= 원금)' 간의 차이는 금리스왑의 가격에 녹이게 될 거고... *이게 뭔 소리인지 몰겠다고??? 쫄지 말기를... '친절한' 필자가 아래에 찬찬히 설명해 주겠다. Just follow, follow me...*

초보자들의 이해를 돕기 위해 먼저 아래와 같은 가정들을 해볼까나?

Asset Swap Seller: 사기꾼 은행

Asset Swap Buyer: 호구 기관

채권 가격: $90

채권 원금: $100

채권 이표율: 5% p.a.

채권 이표 지급 주기: 6개월

채권 만기: 1년

자~ 호구 기관이 위에서 예를 든 채권에 투자하려 한다고 가정해 보자. 여기서 사기꾼 은행은 채권 딜러(dealer)이기도 하면서 스왑 딜러이기도 하다. 그리고 호구 기관은 해당 채권에 투자할 의향은 있지만 금리 위험(interest rate risk)에는 노출되고 싶지 않은 상황이다. 이 경우 어케 좋게 해결할 방법이 없을까? ㅎㅎㅎ 사실 해답은 너무도 간단하다. 이런 니즈(needs)를 충족시키기 위해 금리스왑(IRS) 시장이 존재하지 않나? 채권을 매입함과 동시에 현금 흐름을 금리스왑의 그것과 매치시키면 된다. 조금 더 자세히 그 'Flow'를 설명하자면 아래와 같다:

① 사기꾼 은행이 해당 채권을 Par(= $100) 가격에 호구 기관에게 매도한다.

② 호구 기관은 채권의 5% 쿠폰을 6개월마다 받아서 사기꾼 은행에게 그대로 넘긴다.

③ 대신에 호구 기관은 「3개월 LIBOR + α」 상당의 변동금리를 만기까지 수취한다.

눈썰미가 좋은 사람들은 이미 눈치 챘겠지만, 위의 예에서는 거래 초기에 채권의 실제 가격이 아닌 'Par 가격(= $100)'에 채권이 넘어갔다. 이러한 형식의 에셋스왑을 보통 'Par Asset Swap'이라 칭하는데, 이는 고정금리(= 쿠폰) 다리와 변동금리(= LIBOR + α) 다리의 명목금액(Notional)을 $100으로 똑같이 맞춰서 양다리(?)의 일관성(consistency)을 유지시키기 위함이다.

그럼 이 경우 사기꾼 은행이 이익을 보는 거냐고? $90짜리를 $100에 넘겨쓴께??? ㅎㅎㅎ ㅎㅎㅎ *호구 기관을 진짜 '호구' 만든 거여???* ㅋㅋㅋ ㅋㅋㅋ 당연히 $10이라는 이익이 생기니깐, 공정한 거래라면 사기꾼 은행은 앞으로 지급할 변동금리에 이 이익분을 얹어서 줄 거다. 즉, 「LIBOR + α」의 'α'를 높여서 초기에 이익 보는 부분만큼을 돌려주는 거다. *(물론 이 사기꾼 은행이 '사기꾼 짓' 안 한다는 가정하에서다. 호구 기관은 '호구 짓' 안 한다는 가정하에서고... ㅋㅋㅋ ㅋㅋㅋ)*

그럼 'Asset Swap Seller'인 사기꾼 은행의 입장에서 이 거래의 경제성(economics)을 한번 살펴볼까? 어디 보자,,, 먼저 처음에 $90짜리 채권을 던져주고 $100을 받아왔으니깐, 채권 거래와 관련해서 경제성은 다음과 같다:

$$N(\text{Notional}) - P(\text{Bond Price})$$
$$= \$100 - \$90 = \$10$$

그리고 이번에는 금리스왑의 경제성을 살펴볼까? 채권 쿠폰을 고대로 받아오고(+) 대신 변동금리를 주니깐(-) 대충 다음과 같이 표현해 볼 수 있겠다:

$$PV\ [\$2.5_{(6\text{개월 후})} + \$2.5_{(1\text{년 후})}] - PV\ \{[LIBOR1 + \alpha_{(3\text{개월 후})} + LIBOR2 + \alpha_{(6\text{개월 후})} +$$
$$LIBOR3 + \alpha_{(9\text{개월 후})} + LIBOR4 + \alpha_{(1\text{년 후})}] \times \$100 \times (1/4)\}$$

위에서 PV는 현재가치(Present Value)를 의미한다. 위의 다소 복잡하게 보이는 수식을 좀 더 간단하게 말로 표현하자면 아래와 같다:

고정금리(= 쿠폰) 다리의 현재가치 - 변동금리 다리의 현재가치

따라서 'Asset Swap Seller'에게 채권과 스왑을 모두 합친 이 에셋스왑 패키지의
경제성은 다음과 같다:

N(Notional) - P(Bond Price) + 고정금리 다리 현재가치 - 변동금리 다리 현재가치

주고받는 것의 가치가 서로 동일해야 한다는, 즉 위 패키지 딜의 총 NPV(= Net
Present Value)가 '0'이 돼야 한다는 가정하에서 에셋스왑의 가격 결정식은 아래
의 수식으로 일반화해서 나타낼 수 있다:

$$
\begin{aligned}
NPV \quad &\hspace{6cm} (1)\\
&= N - P + \left[N \times \sum_{i=1}^{I} C \times \triangle_i \times DF_i \right] - \left[N \times \sum_{j=1}^{J} (L_j + \alpha) \times \triangle_j \times DF_j \right]\\
&= 0
\end{aligned}
$$

$where$

$N = $ 명목금액 $(Par\,Value)$
$P = $ 채권 가격 $(Bond\,Price)$
$C = $ 채권 이표율 $(Coupon\,Rate)$
$DF_i = i$ 번째 고정금리 현금 흐름에 대한 할인인자
$DF_j = j$ 번째 변동금리 현금 흐름에 대한 할인인자
$\triangle_i = (i-1, i)$ 기간의 $Day\,Count\,Fraction$
$\triangle_j = (j-1, j)$ 기간의 $Day\,Count\,Fraction$
$L_j = j-1$ 시점에 픽싱되는 3개월 $LIBOR$ 금리
$I = $ 고정금리(쿠폰)지급 총 횟수
$J = $ 변동금리 지급 총 횟수

위의 수식에서 서로 주고받는 현금 흐름들의 NPV를 0으로 만드는 'α'값을 바로
'에셋스왑 스프레드(Asset Swap Spread; ASW Spread)'라는 이름으로 부른다. 즉,

채권의 수익률을 'LIBOR + α' 형식으로 전환해서 나타낼 때 이 LIBOR 금리에 얹어주는 '가산금리'인 'α'를 '에셋스왑 스프레드'라 부른다는 얘기다. 3개월 만기 우량 은행 간 차입금리 대비 해당 채권이 얼마나 더 높은 수익률을 얹어 주느냐를 나타내므로 이는 채권의 수익성 지표임과 동시에 신용위험 지표이기도 하다.

물론 스왑 시장의 변동금리 컨벤션이 SOFR로 완전히 전환된 이후 시점부터는 '에셋스왑 스프레드'라고 하면 채권의 고정금리를 'SOFR + α' 형식으로 바꿀 때의 'α' 값으로 이해해야 하겠다. 참고로 SOFR OIS 커브에 기초해서 계산되는 에셋스왑 스프레드는 과거 LIBOR IRS 커브에 기초한 값보다 [다른 조건들이 동일하다는 전제하에] 조금 더 '높게' 산출되어야 정상이다. 이는 SOFR 금리가 LIBOR 금리보다 태생적으로 더 '낮은' 금리이기 때문이다.

마지막으로, 친절한 필자의 Extra Comments:

Comment 1: 위의 예에서처럼 '채권+IRS' 패키지 형식의 에셋스왑 거래의 경우 'Par Asset Swap'이 일반적이나, 양쪽 다리의 명목금액(Notional)을 다르게 가져가는 'Market Value Asset Swap'의 형식도 물론 가능하다. 파생거래는 양자 간에 협의만 하면 무한정으로 '테일러 메이킹(tailor-making; *맞춤식으로 조정*)'이 가능하니깐...

Comment 2: 지난 3편에서도 잠깐 언급했지만, 달러 LIBOR 연계 IRS의 고정금리 다리 지급 주기는 위의 예에서 가정한 것처럼 6개월(반기)이었다. 이는 변동금리 다리가 3개월 LIBOR에 연계되어 분기별 지급인데 반해 고정금리 다리는 6개월 주기로 설정되는 미스매칭이 사실상 시장 스탠더드였단 얘기다. 다만 SOFR OIS의 경우엔 변동금리 다리와 고정금리 다리의 지급 주기의 스탠더드가 1년으로 서로 동일하다. *물론 Asset Swap을 체결할 때 채권의 쿠폰 지급 주기에 맞게 각 다리의 주기를 다시 '테일러 메이킹' 할 수 있다.*

Comment 3: 수식 (1)을 들여다보면 바로 보이겠지만, 만약 채권의 실제 가격이 Par일 경우, N-P는 서로 캔슬돼서 없어지고 남는 건 정말 심플한 IRS뿐이다. 따라서 심플 IRS 프라이싱과 다를 바 없어진다.

Comment 4: 채권과 IRS를 패키지로 거래하는 에셋스왑을 일각에서는 신용파생상품 (Credit Derivative)으로 분류하기도 한다. 그런데 이것은 또한 금리파생상품으로도 간주할 수 있기 때문에 분류법에 살짝 애매한 면이 존재한다. 대부분의 경우와 마찬가지로 여기에 대한 정답은 없다.

금리스왑(IRS)

제5편 외전: 막투막(MtM)에 관하여

금융 분야 전반적으로 상당히 자주 쓰이지만, 비(非)금융인들에게는 매우 생소할 수 있는 용어 중 하나로 '막투마켓(Mark to Market)'을 꼽을 수 있다. 줄여서 'MtM'이라 많이들 쓰고, 또한 반 정도 줄여서 '막투막'으로 발음하기도 한다. 어떤 때는 명사로, 어떤 때는 'Marked to Market', 'Marking to Market'처럼 동사 형태로도 쓰이는 이 용어, 과연 그 의미와 용법이 뭘까? 금융 분야 초보자들은 아마 어디선가 들어는 봤어도 그 용법은 잘 모를 것이다. 개중에는 이 용어가 좀 '멋있다'는 *간지좔좔?* 느낌이 드는 이들도 있을 거라 생각한다. ㅎㅎㅎ 그래서 필자가 이번 편에서 완벽하게 정리해 주고 넘어가려 한다. 이 단어가 멋있어서 궁금한(?) 초보자들은 함 따라와 보시라...

'Mark to Market'이란, 간단히 말해서 금융상품을 '시장가'로 평가한다는 뜻이다. 여기서 'mark'라는 단어는 종이나 장부에 '적다', '기입하다'라는 의미 정도로 해석할 수 있는데, 그럼 뭐를 적거나 기입한다는 뜻일까? 금융 분야에서 'mark' 혹은 'marking'이라 하면 보통 금융상품의 '가치(value)'를 적거나 기입하는 행위를 뜻한다. 여기서 뒷부분의 'to market'이라는 표현은 그 가치를 평가할 때 '시장(market)'에다 대고 한다는 의미를 가진다.

뭐, 별 어려운 거 아니라고? 맞다... 별 어려운 건 없다. 그냥 그 용법이 비전문가에게는 다소 헷갈릴 수 있게 다가올 뿐이다. 매우 기초적인 금융상품들에 있어 MtM이란, 그냥 그 상품들의 시장가를 뜻한다고 간단히 생각하면 된다. 예를 들어 특정 채권을 $100에 매입했는데, 한 달 있다가 내가 산 채권이 시장에서 얼마에 거래되는지 궁금해져서 채권 딜러에게 물어보면 딜러는 현재 시점에서 거래 가능한 가격(= 시장가)을 바로 알려줄 거다. *(비드-오퍼 스프레드 이런 거까지 생각하면 복잡하니 그냥 무시하자... 비드(bid)와 오퍼(offer)는 이 책의 뒷부분(= 21편)에서 따로 자세히 설명해주련다.)* 만약 딜러가 알려주는 가격이 $95라고 하면, 채권의 현재 MtM이 $95란 뜻이고, 내가 이 상품에 투자함으로 해서 $5의 'MtM 손실'을 보는 중이라 할 수 있겠다.

주식의 경우도 마찬가지다. 내가 산 주식이 살 때는 50,000원이었는데, 현재는 80,000원으로 올라 있다면 '내 MtM 이익이 30,000원이다'라고 표현할 수 있겠다. MtM은 [매수 방향이든 매도 방향이든] 현재 내 포지션(position)이 아직 유효하다는 전제하에 얘기하는 것이라 뭔가 '실현된(realized) 이익'과 대비되는 개념으로도 쓰이곤 한다.

즉, 주식을 아직 안 팔고 계속 들고 있는 중이라는 전제하에*(= 매수 포지션이 '아직 살아있다'는 전제하에)* MtM이란 용어를 쓴다는 얘기다. 만약 80,000원에 포지션을 꺾고(unwind) 나왔다면 30,000원은 그냥 '실현 이익(realized profit)'이 되는 거고 말이다. 어떤가, 대충 이해가나? 크게 어렵지 않다... *곁다리로 앞에서 나온 '언와인드(unwind)'라는 표현도 금융에서는 꽤나 자주 쓰인다고 알려주고 싶다. 반대매매를 통해 현재의 포지션을 꺾고 나오는(exit) 행위를 뜻한다...*

이렇게 시장가가 쉽게 보이는 금융상품들은 MtM을 그냥 시장에서 관찰해서 가져오면 된다. 여기에는 거래소에서 대규모로 거래되는 주식, ETF, 각종 선물, 워런트 등등 파생상품들도 다 포함될 거다. 만약 장외(over the counter; OTC)에서 거래

된다 하더라도 유동성 있게 거래되는 것들이라면 채권이 됐든, 외환 상품이 됐든, 뭐시기가 됐든지 해당 상품의 가격을 쿼트(quote)하는 딜러들이 시장에 많이 존재하기에 꽤 신뢰성 있는 MtM을 얻기가 수월할 것이다. 단, 문제는 단순한 상품이더라도 유동성이 현저히 떨어지는 금융상품이거나(예: 부실 채권(distressed debt) 같은 것들), 혹은 좀 복잡한(exotic) 파생상품의 경우 MtM을 시장으로부터 유추하기 어려운 상황에 직면할 수도 있다는 점이다.

그럼 이런 경우에는 어떻게 MtM을 구하냐고? 뭐, 여러 가지 방법을 쓸 수 있겠지만, 한 가지 예로는 전자의 경우(= 유동성이 떨어지는 단순한 채권)엔 같은 업종의 신용등급과 만기가 비슷한 채권들의 시장가를 평균 내어 그 값을 근사치로 사용할 수도 있을 거고, 또 후자의 경우엔 시장가가 굳이 존재하지 않더라도 금융공학적 모형(model)으로부터 추정되는 해당 상품의 가치를 MtM으로 사용할 수도 있을 거다. 후자의 경우는 정확히 하자면 'Mark to Market'이 아니라 'Mark to Model'로 표현해야 맞을 거다. 실제로 많은 파생상품들의 MtM 값이 딜러 기관이 사용하는 가격결정 모형에 기초한 'Mark to Model'로 계산되고 있다.

파생상품을 서로 거래하는 기관끼리는 MtM 리포트를 주기적으로 주고받는데, 이 경우 규모가 큰 대형 투자은행(investment bank)이 상품별 MtM을 본인의 자체 모델을 사용해서 좀 덜 전문적인 거래상대방(counterparty) 대신 계산해 주는 것이 일반적이다. 이 MtM 리포트는 조금 더 고상하게 'Valuation Report'라는 용어로 표현하곤 한다. *단지 좀 더 멋지게 들린다는 이유로... 쿨럭...* 마지막으로 알려주고 싶은 점은 금융공학적 모형으로부터 인위적으로 산출해낸 계산 값들도 그냥 싸그리 'Mark to Market'이라 일컫는 경우가 많다는 점이다. 굳이 공정하지 않은 뉘앙스의 'Mark to Model'이란 표현을 쓰기 싫어하는 투자은행들의 꼼수로 볼 수 있겠다. *ㅎㅎㅎ 필자 농담 아님 ㅎㅎㅎ*

정리하자면, 누군가가 본인 "포트폴리오의 막투막을 알고 싶다!"라고 얘기한다면 그 사람이 해당 금융기관과 거래한 모든 금융상품의 현재 시가를 알려달라는 뜻으로 이해하면 되겠다.*(아직까지 그 상품들을 들고 있다는 전제하에 말이다; 이미 포지션을 꺾고 (unwind) 나왔으면 알려줄 MtM이 없다.)* 여기서 시가는 시장에서 관찰하는 것이 일반적이지만 그렇게 하지 못할 경우엔 딜러가 임의의 '모형'을 만들어 계산하게 된다. MtM은 보통 Mid 가격(= Bid와 Offer 가격의 중간)으로 산출되기 때문에 포지션을 실제 언와인딩(unwinding)할 때 적용되는 가격과 똑같지 않을 가능성이 높다. 일반적으로 유동성이 높은 상품은 MtM과 언와인딩 가격이 거의 차이가 없지만, 반대의 경우엔 비드-오퍼 스프레드가 많이 벌어져 있어 차이가 꽤 클 수 있다고 예상해야 한다.

휴우... 짧게 쓰려고 했는데 생각보다 길어졌다... 그래도 초보자들이 여기까지 읽었다면 막투마켓, 아니 막투막, 아니 MtM... *헉헉...* 이란 개념에 대한 충분한 이해를 득했을 거라 본다. 다음의 부록 섹션에서는 보너스로 '금리스왑'의 경우 MtM이 어떻게 산출되는지를 간단한 예를 들어 보여주려고 한다. 만약 이 부분까지 이해한다면 본인이 금리스왑에 대해 '쫌 안다'고 다른 초보자들에게 자랑해도 될 듯하다. Yay! *물론 '찐' 전문가들이 아는 것에 비하면 여전히 '새 발의 피'겠지만서도... (-_-;)*

〈5편 부록〉

다른 상품들과는 달리 금리스왑의 경우엔 MtM이 어떻게 산출되는지 궁금해 할 초보자들을 위해 이렇게 부록 섹션을 따로 한번 만들어 봤다. 왜냐하면 주식, 채권 같은 심플한 금융상품들은 MtM 이익이나 MtM 손실을 바로 계산할 수 있지만, 스왑의 경우 이 계산이 절대 바로 되지 않기 때문이다. 그렇다고 뭐 크게 어려울 건 없다. *쫄 필요 없다! ㅎㅎㅎ* 필자가 아래의 간단한 예를 통해 알려주련다.

먼저, as always, 예시의 심플함을 위해 현재 스왑 시장이 지난 '2편: 스왑 커브 부트스트래핑 복습'에서의 예와 동일하게 형성되었다는 가정을 해보자. 해당 편에서는 12개월 만기 스왑 금리가 현재 3%에 형성돼있다고 가정했고, 또한 각 시점별 현물이자율(Spot Rate)과 할인인자(Discount Factor)들을 아래와 같이 산출했었다: *벌써 까먹은 건 아니겠제???*

스왑 만기	지급 주기	스왑 금리	현물이자율	할인인자	라이보 선도이자율
6개월	분기	1%	1.0013%	99.5012%	2.0050%
9개월	분기	2%	2.0067%	98.5099%	4.0252%
12개월	분기	3%	3.0190%	97.0371%	6.0711%

자, 그럼 당신에게 현재 만기가 12개월 남은 스왑 거래가 있는데(= 아직 유효한데), 3개월 LIBOR를 지급하고 대신 고정금리 4%를 수취하는 조건이라고 가정해보자. (이 거래는 사실 몇 년 전에 더 긴 만기로 체결한 건이지만 시간이 흘러 이제 만기까지 딱 1년(= 12개월) 남은 거래라고 생각하자!)

여기서 간단한 질문 하나 던져보겠다. 당신이 몇 년 전에 체결한 '고정금리 수취' 방향의 이 스왑 거래는 오늘의 관점에서 당신에게 이익(profit)이 되는 거래일까,

아님 손해(loss)가 되는 거래일까? 어디 보자, 만약 오늘 자로 이와 똑같은 만기(= 12개월)의 금리스왑 거래를 체결한다면 LIBOR를 지급하고 3%의 고정금리밖에 받아오지 못할 거다. 근데 지금 당신이 가지고 있는 이 포지션은 LIBOR를 주고 무려 4%나 가져오는 거래인 것이다!!! 따라서 당신의 현재 포지션은 '오늘의 관점'에서 시장 대비 당연히 캐꿀이익이 되는 포지션이라 할 수 있겠다!! 어떤가? 쉽지 않나? 만약 오늘 자로 지금 포지션과 '반대 방향'의 거래(= Pay Fixed)를 들어가게 된다면 당신의 관점에서 본 두 스왑들의 미래 현금 흐름은 만기까지 각각 다음과 같을 거다:

기체결한 잔존만기 1년의 '고정금리 수취' 스왑 거래:

명목금액: $1,000; 고정금리: 연 4%

수취 금액: 10_{(3개월\ 후)}$ + 10_{(6개월\ 후)}$ + 10_{(9개월\ 후)}$ + 10_{(1년\ 후)}$
& 지급 금액: [LIBOR1$_{(3개월\ 후)}$ + LIBOR2$_{(6개월\ 후)}$ + LIBOR3$_{(9개월\ 후)}$ + LIBOR4$_{(1년\ 후)}$]
× $1,000 × (1/4)

새롭게 체결할 1년 만기의 (반대 방향) '고정금리 지급' 스왑 거래:

명목금액: $1,000; **고정금리: 연 3%**

지급 금액: 7.5_{(3개월\ 후)}$ + 7.5_{(6개월\ 후)}$ + 7.5_{(9개월\ 후)}$ + 7.5_{(1년\ 후)}$
& 수취 금액: [LIBOR1$_{(3개월\ 후)}$ + LIBOR2$_{(6개월\ 후)}$ + LIBOR3$_{(9개월\ 후)}$ + LIBOR4$_{(1년\ 후)}$]
× $1,000 × (1/4)

잘 살펴보면 바로 보이겠지만, 오늘 자로 당신이 가진 스왑 포지션과 반대 거래를 실행하면 변동금리 다리의 현금 흐름들은 서로 완벽하게 캔슬돼서 없어지고, 고정 금리 다리에만 각 시점에 $2.5씩 남게 된다. 즉, 당신 관점에서 이 두 스왑을 합친 미래의 '순 현금 흐름(net cash flow)'은 단순히 다음과 같다:

<u>잔존하는 순 현금 흐름:</u>

수취 금액: $2.5_(3개월 후) + $2.5_(6개월 후) + $2.5_(9개월 후) + $2.5_(1년 후)

그럼 당신의 MtM이 심플하게 「$2.5 × 4 = +$10」인 거냐고? 거의 비슷하다. ㅎ ㅎㅎ 인제 거의 다 왔다, 다 왔어. 언제나 그렇듯이 이 값들은 미래에 받게 될 금 액들이라 이를 다시 할인해서 현재가치(Present Value)화 해야 완벽하다. 이에 필 요한 각 시점의 할인인자들은 이미 지난 2편에서 구해놨었다.(앞의 테이블 참조) 이 를 이용해 정확한 MtM을 다음과 같이 계산할 수 있겠다:

$$MtM = \$2.5 + \$2.5 \times 99.5012\% + \$2.5 \times 98.5099\% + \$2.5 \times 97.0371\%$$
$$\approx \$9.88$$

참고로 3개월 후 시점의 첫 번째 현금 흐름은 3개월 만기 현물이자율 0%의 단순 가정으로 인해 '할인인자=1'을 적용하였다. 이처럼 MtM을 계산할 때는 기존 포지 션을 반대거래를 통해 시장가에 언와인딩(unwinding)하는 상상을 하면 직관적으로 이해하기도 쉽고 계산 또한 좀 더 용이하다고 알려주고 싶다. MtM은 따라서 기체결된 거래의 '이론적인' 언와인딩 가격으로 볼 수 있다.*(다만 실제로 언와인딩하려면 소정의 비드-오퍼 스프레드를 감안해야 할 거다.)*

물론 MtM은 조금 더 지루한 방식으로도 계산 가능하다. 굳이 반대거래를 가정하지 않고 기체결된 포지션 각 다리의 현금 흐름들을 일일이 할인해서 서로의 현재가치 (PV)를 빼주는 방식으로 말이다.(MtM = PV$_{고정금리}$ - PV$_{변동금리}$) 물론 변동금리 다리의 경우는 현재 시장으로부터 유추한 미래에 기대되는 LIBOR 금리들(= 선도금리들)을 대입해서 계산해야 할 거다. 이 값들은 지난 2편에서 스왑 커브의 부트스트래핑 과정을 통해 이미 다 구해놨었고, 앞의 테이블에 기입돼있다. 따라서 이를 이용하면 연 4%를 수취하는 기체결된 1년 (잔존) 만기 스왑의 MtM을 다음의 식으로 계산할 수 있다:

$$PV_{fixed} = \$10 + \$10 \times 99.5012\% + \$10 \times 98.5099\% + \$10 \times 97.0371\%$$

$$\approx \$39.50$$

$$PV_{floating} = \$0 + \$1000 \times \frac{1}{4} \times 2.0050\% \times 99.5012\%$$

$$+ \$1000 \times \frac{1}{4} \times 4.0252\% \times 98.5099\%$$

$$+ \$1000 \times \frac{1}{4} \times 6.0711\% \times 97.0371\%$$

$$\approx \$29.62$$

$$\therefore MtM = PV_{fixed} - PV_{floating} \approx \$9.88$$

앞에서의 경우와 MtM 값이 똑같이 계산됨을 볼 수 있다. 독특한 뇌구조로 인해 쓸데없이 헷갈릴 수 있는 일부 초보자를 위해 너무나 당연한 소리를 해주자면 'NPV = 0'이란 조건은 '거래 시점'에서만 성립된다. 즉, 이미 거래하고 시간이 지난 기체결된 거래들에는 더 이상 'NPV = 0'이 성립된다는 전제를 하지 않는 것이다. *만약 성립된다면 MtM(= NPV)은 항상 0이란 말도 안 되는 소리겠다.* 이거 헷갈리는 초보자들이 있으니 주의하자...

자, 이제 "내 스왑 막투막이 뭐니?"라는 질문을 던진다면 거래상대방인 딜러로부터 "니 막투막은 너한테 플러스 9.88달러다!"라는 대답을 듣게 될 거라 미리 예상해 볼 수 있겠다. *ㅎㅎㅎ 물론 딜러가 당신을 등쳐 먹으려(rip off) 하지 않는다는 전제하에서 다! ㅎㅎㅎ*

넣을까 말까 고민하다가 초보자들의 이해 제고를 위해 결국 넣기로 결정한 본 '부록 II' 섹션에서는 지난 3편의 부록에서 보여줬던 방식으로 SOFR OIS 커브로부터 각 시점별 할인인자(DF_i)들을 행렬(matrix)을 써서 편리하게(?) 구해보고, 이에 기초해 기체결된 OIS의 MtM을 계산하는 과정까지 예제를 통해 직접 보여줄까 한다. 실제 숫자들을 가지고 문제 풀이를 해보지 않는 이상 개념의 소화가 어려울 '문과적 마인드'를 가진 독자들을 위한 섹션으로 이해해주길 바란다. *물론 이에 더해서 현재의 SOFR OIS 컨벤션에 기초해 새롭게 문제를 풀어본다는 의의 또한 있을 수 있겠다.*

그럼,,, 오늘의 SOFR 스왑 금리들이 1년물부터 3년물까지 아래와 같이 형성되어 있다는 매우 단순한 가정으로 함 시작해볼까나?:

스왑 만기	지급 주기	스왑 금리
1년	연간	4%
2년	연간	5%
3년	연간	6%

지난 3편의 부록에서 1년, 2년, 그리고 3년 만기까지의 SOFR 스왑 금리들이 시장에서 관찰될 경우, 각 시점의 할인인자를 구하는 방정식을 다음과 같은 행렬 형식으로 표현할 수 있다고 설명했었다:

$$\begin{bmatrix} OIS_1 \times T_1 + 100 & & \\ OIS_2 \times T_1 & OIS_2 \times T_2 + 100 & \\ OIS_3 \times T_1 & OIS_3 \times T_2 & OIS_3 \times T_3 + 100 \end{bmatrix} \begin{bmatrix} DF_1 \\ DF_2 \\ DF_3 \end{bmatrix} = \begin{bmatrix} 100 \\ 100 \\ 100 \end{bmatrix} \quad (1)$$

SOFR 스왑 양다리의 지급 주기가 연간이므로 'T₁= T₂= T₃= 1'이라는 단순한 가정을 추가한다면, 수식 (1)은 다음과 같이 매우 심플한 형태로 나타낼 수 있다. *(실제로는 'Act/360' Day Count Convention을 쓰지만, 뭐, 그런 자잘한 것들은 무시해도 대세에 별 지장은 없다고 본다.)*

$$\begin{bmatrix} 104 & & \\ 5 & 105 & \\ 6 & 6 & 106 \end{bmatrix} \begin{bmatrix} DF_1 \\ DF_2 \\ DF_3 \end{bmatrix} = \begin{bmatrix} 100 \\ 100 \\ 100 \end{bmatrix} \qquad (2)$$

각 시점별 할인인자를 나타내는 DF_i 값들은 다음과 같이 역행렬을 이용해 한 번에 구할 수 있다:

$$\begin{bmatrix} DF_1 \\ DF_2 \\ DF_3 \end{bmatrix} = \begin{bmatrix} 104 & & \\ 5 & 105 & \\ 6 & 6 & 106 \end{bmatrix}^{-1} \begin{bmatrix} 100 \\ 100 \\ 100 \end{bmatrix} \qquad (3)$$

$$\approx \begin{bmatrix} 96.1538\% \\ 90.6593\% \\ 83.7653\% \end{bmatrix}$$

공부하는 차원에서 손으로 풀어볼 수도 있겠지만, '역행렬'은 사실 마소의 엑셀 (Excel) 프로그램에서 'MINVERSE(.)' 함수를 사용하면 클릭(+ Enter) 한 번에 구할 수 있으며, 행렬 연산 또한 매우 간편하게 실행 가능하니 초보자들은 엑셀을 켜 놓고 직접 함 구해보는 수고를 해보도록 하자. *참으로 편리한 세상이 아닐 수 없다. 뭐라꼬? 싫다꼬? 이제는 AI한테 그냥 물어보면 된다꼬라?? 클릭. (-_-;)*

자, 여기서 문제 나간다~~~ 만약 당신이 과거에 체결한 8%짜리 고정금리 수취 (Receive Fixed) 방향의 SOFR OIS 스왑 포지션이 아직까지 살아있고(?), 이것의 잔존만기가 정확히 3년이라고 가정해 보자. (원래는 5년짜리였는데, 2년이 지나 만기까지 딱 3년 남았다고 생각해 보자.) 그리고 스왑의 명목금액이 $100이라 해보자. 자,,, 오늘 시점에서 바라본 이 스왑 포지션의 막투막은 어떻게 산출할 수 있을까?

정답!) 이전 LIBOR 스왑의 예에서와 동일한 방식으로 풀어나갈 수 있다. 먼저 해당 스왑 포지션과 반대 방향의 거래를 통해 포지션을 꺾어버리는(= unwind) 상상을 해보면 가장 쉽다. 만약 지금 당장 시장에 나가서 고정금리 지급(Pay Fixed) 방향의 3년 만기 OIS 거래를 체결한다고 가정하면, 기존 거래와 새로운 거래들을 합한 변동금리 다리의 현금 흐름들은 다 완벽히 퉁쳐지고(= cancel out), 고정금리 다리의 현금 흐름만 일부 남게 될 거다. 다음과 같이 말이다:

<u>잔존하는 순 현금 흐름:</u>

수취 금액: 2(1년 후)$ + 2(2년 후)$ + 2(3년 후)$

지금 가지고 있는 포지션은 매년 $8을 수취하는 계약이고, 방금 전 시장에 나가 (상상으로) 체결한 계약은 매년 $6을 지급하는 계약이기에 서로 퉁쳐지고 나면 매년 $2를 수취하는 순 현금 흐름만 결국엔 남게 된다. 이것의 현재가치(PV)를 구하기 위해 필요한 DF_1, DF_2, DF_3 값들은 이미 앞에서 부트스트래핑 과정을 통해 다 구해 놓았다:

$$MtM = \$2 \times 96.1538\% + \$2 \times 90.6593\% + \$2 \times 83.7653\%$$
$$\approx \$5.41$$

따라서 3년 만기 8% 고정금리 수취(& SOFR 지급) 방향 스왑 포지션의 MtM은 오늘 당신의 입장에서 대략 +$5.41 정도라 결론지을 수 있겠다. *(Again. MtM은 이론가일 뿐이고, 실제 언와인딩 가격은 Bid-Offer Cost를 포함해 딜러 입장에서 수반되는 비용이 차감돼서 쿼트될 거다; 어떤 양아치 House한테 물어보면 당신이 오히려 돈을 내야 한다고 삥 뜯으려 할지도... ㅋㅋㅋ ㅋㅋㅋ 농담 아님... 눈 감으면 코 베어 가는 세상이래니... (-_-;))* 이는 또한 스왑의 각 다리에 매년 $1만큼 더해지는 3년 만기 Annuity 현금 흐름의 PV가 대략 2.71 상당임을 시사한다. (= 5.41÷2)

물론 이런 방식뿐만 아니라 반대 방향의 거래를 통해 포지션을 꺾는다는 가정 없이도 시장에서 거래되는 스왑 각 다리의 PV를 서로 같게 만드는, i.e. NPV = 0으로 만드는, 변동금리의 포워드(forward; 선도) 값들을 하나씩 구한 후, 이를 기체결된 스왑의 (예상) 현금 흐름에 다시 대입해 계산해도 산출되는 MtM은 동일할 거다. 참고로 2년째와 3년째의 변동금리(= compounded SOFR) 포워드 값은 이 심플한 예제에서 각각 6.06061%, 8.23020% 상당으로 산출된다고 필자가 알려준다. *호기심 많은 초보자들은 엑셀을 켜놓고 꼭 직접 계산해 보도록 하자!*

「'채권'과 '금리스왑」 개정판을 꼼꼼히 공부했고 또한 본 편 부록 섹션들의 문제 풀이까지 모두 해본 독자들은 금리스왑에 관해 이제 더 이상 초보자가 아니라 '중급자' 정도는 된다고 본다. 나름 자부심을 가져도 되겠다... 다들 정말 수고 많았다. *물론 세상은 넓고 프로가 되려면 아직도 배울 건 산더미니 교만은 금물이다... 교만 떨다간 금세 '마바라'로... 쿨럭.*

총수익스왑(TRS)/주식스왑

제6편 빌 황과 아케고스 펀드 사태

한국계 '빌 황'의 아케고스 34조 블록딜 쇼크 '일파만파'

'LTCM 이후 최대 펀드 소동극 되나'...아케고스 사태 전말

"아케고스 사태 손실 더 크다...투자은행들 11.3조원"

월가 뒤흔든 아케고스 사태...한국계 빌 황 '공공의 적' 된 이유

"아케고스發 불안에 금리까지 치솟으면 금융위기"

위는 2021년 3월 말경에 쏟아져 나온 충격적인 기사 제목들이다... 1998년도에 발생한 월가의 초대형 헤지펀드 LTCM(Long Term Capital Management) 몰락 사태에 견줄만한 급이라는 이 아케고스(Archegos) 펀드의 파산 사건은 '빌 황(Bill Hwang)'이라는 이름의 한국계 미국인이 관여됐다는 소식이 전해지며 우리나라에서도 엄청난 관심을 끌었다.

사태가 심각해지기 시작한 건 2021년 3월 26일, 뉴욕 증시 개장 전 골드만삭스를 통해 '바이두', '텐센트뮤직', '웨이핀후이' 등 중국 IT 기업 주식들에 규모 66억 달러 상당의 블록딜 거래(대량의 주식을 최근 주가보다 할인해 기관투자가들에게 넘기는 형

식의 거래)가 이루어지면서였다. 정규장이 열리고 난 후에도 골드만삭스와 모건스탠리의 블록딜 물량들이 쏟아지며 앞에서 열거한 중국기업들뿐만 아니라 '디스커버리', '쇼피파이', '비아콤CBS' 등 미국기업들에게까지 그 대상이 확대됐다. 이날 하루에만 골드만삭스는 100억 달러 이상의 주식들을 매도했으며, 당시 로이터 통신 보도에 따르면 모건스탠리와 도이체방크 또한 각각 80억 달러, 40억 달러 상당의 아케고스 펀드 관련 주식들을 매도한 것으로 알려졌다. 이로 인해 디스커버리와 비아콤CBS의 경우엔 주가가 무려 27% 상당이나 폭락하였고, 아케고스 사태 관련 기업들의 시총 수백억 달러가 단 하루 만에 증발해 버렸을 정도로 그 충격은 가히 '어마무시'한 것이었다... ㅎㄷㄷ... ㅎㄷㄷ...

참 무서운 세상이다... 근데 왜 글로벌 투자은행들이 뜬금없이 주식들을 저렇게 급작스럽게 대규모로 처분해야만 했을까? 이유는 바로 빌 황의 아케고스 펀드에게 제공한 '레버리지(leverage)' 때문이었다. 글로벌 투자은행들은 프라임 브로커리지(Prime Brokerage) 부서를 통해 *꽤 짭짤한* 수수료를 받고 헤지펀드들에게 각종 편리한 금융 서비스들을 오랜 기간 제공해 왔다. 그중에는 펀드를 위해 '레버리지'를 일으켜주는 서비스도 물론 포함됐다. 일반인들은 아마 '레버리지'라고 하면 단순한 주식 '신용거래(Margin Trading)'만을 떠올리겠지만, 사실 프라임 브로커리지 업계에서는 파생상품인 '스왑'의 형식으로 레버리지를 제공하는 경우가 다반사이다. 그런데 어떤 스왑으로? 바로 '총수익스왑(Total Return Swap; TRS)'이란 놈(?) 되겠다.

이 놈(?)의 구조에 대해서는 곧 자세히 설명해 주겠지만, 암튼 본인 돈이 아니라 남의 돈으로 주식에 익스포저(exposure)를 일으키는 '레버리지'성 거래이기 때문에 매수한 주식의 가격이 떨어지게 되면 담보를 더 넣으라는 '마진콜(Margin Call)'을 받을 수밖에 없다. 고객이 이 마진콜에 제때 응하지 못할 경우, 프라임 브로커들은 대신 사준 주식을 강제로 처분하는 절차에 들어감은 물론이다. 빌 황의 가족회사(Family Office) 격인 아케고스 펀드는 당시 이 마진콜에 응하지 못했고, 프라임 브로커들은 혹시 모를 주가의 추가 하락으로부터 손실을 보지 않기 위해 급하게 시장에다가 관련 주식들을 매도해버린 사건이라 할 수 있겠다.

문제는 아케고스의 주식 포트폴리오가 몇몇 종목들에 몰려있었고, 레버리지가 너무 과했다는 데 있었다. 당시 아케고스에게 레버리지를 제공해준 곳들은 위에서 언급한 골드만삭스, 모건스탠리, 그리고 도이체방크뿐만이 아니었다: 언론 보도에 의하면, 크레디트스위스, 노무라, UBS, 미쓰비시, 미즈호 등 정말 수많은 대형 프라임 브로커들이 동시에 아케고스 펀드에 레버리지를 제공하고 있었으며, Bouveret and Haferkorn (2022)에 따르면 당시 아케고스 펀드의 레버리지 배수는 무려 '6배' 상당으로 추산될 정도로 매우 과한 수준이기까지 했다. 즉, $1의 자기 자본만을 가지고 무려 $6에 해당하는 투자를 즐기고 있었던 것이다... *ㅎㄷㄷ... ㅎㄷㄷ...*

레버리지 거래는 주가가 주구장창 상승만 하면 그야 말로 '개꿀' 거래라 할 수 있을 정도로 매력적이다... 그런데 시장이 방향을 틀면 그 때는 얘기가 180도 달라진다. 마진콜이 날아오고, 마진콜에 응하지 못하면 바로 반대매매에 들어가게 되고, 그러한 반대매매들이 많아지면서 시장은 계속 폭락을 이어가는 악순환이 반복될 수 있기 때문이다... 레버리지 투자는 그야말로 위험천만한 투기 행위임에도 불구하고 ~~대가리에 빵꾸난 경제 무뇌한어 아끄는美~~ 연준이 제공해준 무한대의 유동성(= QE) 때문에 시장은 2020년 하반기 들어 '유포리아(euphoria)' 상태에서 헤어나질 못했고 시장 전반의 레버리지 레벨은 높아져만 갔으니, 이 사태의 책임은 공격적인 투기 행위를 한 아케고스 펀드뿐만 아니라 수수료에 눈이 멀어 과도하게 레버리지를 제공해준 수많은 투자은행들에게도 공동으로 있다 볼 수 있겠다. *사실은 제롬 파월에게... 쿨럭... (~_~;)*

그런데... 상대적으로 발 빨랐던 일부 은행들과는 달리 크레디트스위스(CS)와 노무라 등은 제때 포지션을 청산하지 못함으로 인해 아케고스 파산 사태로부터 엄청난 손실을 입게 된다... *회사 전체가 흔들릴 정도로...* 당시 파이낸셜타임스紙 보도에 따르면 아케고스 파산 사태로 인해 은행들이 입은 손실이 총 100억 달러가 넘으며, 이중 CS와 노무라의 손실을 무려 각각 54억 달러와 29억 달러 상당(!)으로 추산한 바 있다. *다시 한번 ㅎㄸㄸ... ㅎㄸㄸ...*

〈Table 1: 파이낸셜타임스紙가 추산한 은행별 아케고스 관련 손실 규모〉

은행	손실 규모
크레디트스위스	54억 달러
노무라	29억 달러
모건스탠리	9억 천만 달러
UBS	8억 6천만 달러
미쓰비시	3억 달러
미즈호	9천만 달러

Source: Lewis and Walker (2021)

휴우... 굴지의 투자은행인 CS와 노무라를 이렇게까지 휘청이게 만든 엄청난 사태의 주범인 아케고스와 TRS... 과연 TRS가 얼마나 무서운 상품이길래? 궁금하제? *궁금하면 오백원... 쿨럭...* 궁금한 사람들은 다음 편으로...

※ 참 슬프게도,,, 개정판 작업 중인 2024년 3월 말 현재 CS는 또 다른 스위스 투자은행인 UBS에게 완전히 인수·합병된 상태이다. 스위스 정부의 개입과 UBS의 인수 결정이 없었다면 아마도 2023년 3월경 파산 절차를 밟았을 CS의 이러한 몰락 뒤에는 일련의 큰 사건들이 있었는데, 아케고스 관련 손실도 그중 하나로 꼽히고 있다. ㄲㅠ ㄲㅠ

References

Bouveret, Antoine, and Martin Haferkorn. 2022. "Leverage and Derivatives – the Case of Archegos." ESMA Report on Trends, Risks and

Vulnerabilities Risk Analysis. May.

Daga, Anshuman. 2023. "What happened at Credit Suisse and how did it reach crisis point?" *Reuters.* 18 March.

Elisei, Chiara. 2023. "CDS panel rules UBS is sole successor to Credit Suisse after merger." *Reuters.* 18 July.

Lewis, Leo, and Owen Walker. 2021. "Total bank losses from Archegos implosion exceed $10bn." *Financial Times.* 27 April.

Marshall, Elizabeth Dilts, and Matt Scuffham. 2021. "TIMELINE- Diary of a meltdown: how the Archegos Capital fire sale went down." *Reuters.* 3 April.

총수익스왑(TRS)/주식스왑

제7편 TRS는 다른 스왑과는 좀 다른 놈이다

'빌황 아케고스'의 TRS…국내 보험사 잔액은 얼마

'아케고스 사태' 방아쇠 당긴 TRS, 공시대상 포함되나

"아케고스發 여진 지속"…미 증권당국 TRS 규제 강화 검토

美 빌황 사태의 전모…은밀한 TRS의 치명적 위험 드러내

서론이 길었다. 아케고스 펀드 파산 사건 이후 특히나 더 유명해진 'TRS'란 것에 대해서 이제 자세히 알아보도록 하자. *(위의 기사 제목들이 그 유명세를 말해주고 있다…)*

이 책의 전편 격인 「'채권'과 '금리스왑'」에서 필자는 총수익스왑(Total Return Swap; TRS)이 다른 스왑 상품들과는 그 성격이 좀 다르다고 언급했던 적이 있다. 그래서 서로 맞교환하는 것들의 가치가 동일해야 한다는 스왑가격결정법(Swap Pricing Methodology)의 기본 가정도 이 TRS란 친구에게는 그대로 적용하는 게 맞지 않다. 왜냐하면 TRS는 딜러가 거래상대방을 위해 기초자산(= 준거자산) 포지션을 '대신' 구축해 주고, 그 포지션의 모든 수익 및 위험을 다시 거래상대방에게 그대로 떠넘기는 구조이기 때문이다. 따라서 TRS는 단순히 딜러 은행이 포지션을

고객 대신 구축해 주는 데 필요한 비용에 일정 수수료를 더한 값만 수취하면 거래가 성립되기 때문에 다른 상품과는 달리 거창한 'Pricing 방법론'이 필요 없다.

TRS를 인터넷에서 검색해보면 '신용파생상품(Credit Derivative)'의 일종으로 많이 나올 거지만, 사실 준거자산(Reference Asset)의 종류에 따라 달리 분류해야 하는 게 맞다. 일반 채권(Bond)이나 자산유동화증권(ABS) 같은 것들이 준거자산인 경우는 당연히 신용파생상품이지만, 준거자산이 개별 주식이나 주가지수(Equity Index)일 경우는 '주식파생상품(Equity Derivative)'으로 자연스레 분류될 거다. 이 경우 '주식스왑(Equity Swap; 혹은 지수의 경우는 'Equity Index Swap')'이라는 이름으로 부르기도 한다. *(참고: 보통 M&A 상황에서 기업끼리 서로 지분을 맞교환하는 'Stock Swap'이란 개념과 헷갈리지 말자. 이 'Stock Swap'도 한국어로 '주식스왑'이라 많이 번역하더라고..)*

자, 그럼 TRS의 일종인 '주식스왑(Equity Swap)'의 예를 들어서 이게 일반적으로 어떻게 거래되는지 자세히 설명해볼까 한다. 이해를 돕기 위해 다음의 심플한 가정을 함 해볼까?

TRS 준거자산: ABC社 주식 1개

TRS 만기: 3개월

TRS Payer: 사기꾼 은행

TRS Receiver: 호구 기관

자, '사기꾼 은행'과 '호구 기관'이 서로 ABC社의 주식에 연계된 총수익스왑(Total Return Swap; TRS)을 체결한다. *(준거자산이 주식이니 'Equity Swap'이라고 불러도 된다.)* 만기가 3개월이니, 거래 3개월 뒤 호구 기관은 사기꾼 은행으로부터 해당 주

식의 '총수익(total return)'을 수취*(혹은 마이너스면 지급(pay): 참고로 총수익에 배당금도 포함할지는 서로 정하기 나름이다: 배당금을 미포함 시키는 경우를 'Price Return Swap(PRS)'이라 칭하기도 한다)*하는 형식의 거래이다. 그럼 3개월 뒤 호구 기관의 현금 흐름은 어떻게 정해질까? 당연히 준거자산 가격의 움직임에 따라 결정될 거다. 다음의 가정하에서 3개월 뒤 현금 흐름을 계산해 보자:

가정 ①:

TRS 거래 시점 ABC社 주식 가격 = $100

TRS 만기 시점 ABC社 주식 가격 = $120

위와 같이 해피한 상황에서는 TRS 거래 만기 시 3개월 동안의 주식 가격 변동분인 '$20'을 호구 기관이 받으며 거래가 끝날 거다. 이를 '현금정산'이라고 하는데, 실물을 서로 교환하지 않고 실물의 가격 변동분만 계산해서 현금으로 정산한다는 뜻이다. 위의 시나리오에서는 3개월간 $20의 이익이 발생하였으므로 $20 상당의 '현금정산액(Cash Settlement Amount)'이 발생하는 거겠고... 물론 모든 장외(over the counter; OTC) 파생상품 거래는 모든 조건을 양자 간에 협의해서 정할 수 있으므로 꼭 현금정산을 해야만 하는 건 아니다. 다만 간편함을 위해 시장에서는 현금정산이 많이 쓰이고 있다...*(근데 실물정산할 거였으면 처음부터 그냥 주식을 샀을 거다... ㅎㅎㅎ)* 내친김에 다음의 시나리오도 한번 살펴보자:

가정 ②:

TRS 거래 시점 ABC社 주식 가격 = $100

TRS 만기 시점 ABC社 주식 가격 = $90

자, 슬프게도 만기에 준거자산 가격이 떨어져 버렸다. ㅠㅠ 우리 호구 기관은 이제 $20을 수취하는 게 아니라, $10의 손실만큼을 사기꾼 은행에게 대신 갚아줘야 한다. 따라서 만기의 현금 흐름은 호구 기관 입장에서 '-$10'인 것이다. *(이제 수취 (receive)가 아니라 지급(pay) 방향이다...)* 어떤가? 여기까지 매우 쉽지 않았나? ㅎㅎ ㅎ *필자가 써놓고도 너무 쉬워서 잠깐 머리가 띵하려 한다... ㅎㅎㅎ*

근데 잠깐! 아니나 다를까... 여기서 뭔가 하나 빠진 게 있다. 바로 이 거래를 함으로 인해 은행의 입장에서 발생하는 각종 비용들이다. 이 비용들 중 가장 큰 비용은 당연히 주식을 대신 사주는 데 필요한 자금(= $100)의 조달 비용(funding cost; 차입 비용)일 것이다. 어디서 하루 종일 땅을 판다 해도 $100이란 돈이 나오질 않을 테니 어디선가 이 돈을 빌려와야 할 거고, 따라서 은행의 차입 비용을 이 거래에 반영시켜야 할 거다.

이 은행의 3개월 차입 비용이 '3개월 LIBOR 금리'라는 가정을 해보자. *SOFR로 컨벤션이 바뀐 오늘날 이는 'SOFR + ISDA Spread' 정도의 레벨로 볼 수 있겠다...* 그럼 본 TRS 거래를 가능케 하는 뒷단의 헤지(hedge) 거래까지 포함한 거래의 다이어그램을 (다음 페이지의) Figure 1과 같이 그려볼 수 있다.

Figure 1에서 보여주듯이, 본 TRS 거래를 가능케 하기 위해서 사기꾼 은행은 ①, ②, ③번의 거래들을 거의 동시에 일으켜야 할 거다. 먼저 ①번을 보면, 사기꾼 은행은 자금 시장에 가서 3개월 후 LIBOR 금리 지급을 약속하고 현금 $100을 차입해야 하고, ② 주식 시장에서는 차입한 현금 $100을 가지고 ABC社 주식을 매입함과 동시에 ③ 호구 기관과 TRS 계약을 체결해야 한다. ①, ②, ③번이 모두 실행되고 나면 은행에게 남는 리스크는 사실상 거래상대방 리스크(counterparty risk) 밖에는 없을 거다. 나머지는 다 헤지(hedge)됐으니...

〈Figure 1〉

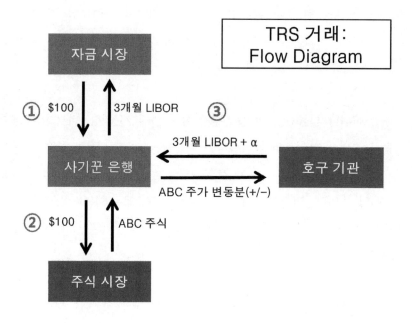

Figure 1의 ③번을 자세히 보면 TRS 거래를 통해 은행이 호구 기관으로부터 (만기 시점에) 'LIBOR+α'를 받지만, 자금 시장에는 'LIBOR'만 준다고 필자가 표현했음을 볼 수 있다. 그렇다면 은행이 중간에서 '꿀꺽'하는 'α'는 여기서 뭐를 의미할까? 바로 「거래 비용 + 수수료」이다. $100에 대한 차입 비용을 제외하고도 은행 입장에서는 전반적으로 포지션을 구축하는 데 있어 규제자본 관련 등 추가 비용이 발생할 수 있으며, 이에 더해서 일정 수준의 '거래 수수료' 또한 본 'α'에 포함시켜야 할 것이다.*(이런 거 당연히 공짜로 안 해준다. 수수료 좀 쎄게 땡기는 곳이 많을 거다... 그러니 호구 안 되려면 여러 군데 물어봐야 된다... ㅎㅎㅎ)*

TRS의 만기 시점에 사기꾼 은행은 주식을 시장가에 다시 매도하고, 자금 시장에서 빌린 돈(= $100)을 갚게 된다. 만약 주가가 떨어져서 손실이 나더라도 호구 기관과의 TRS에서 그 손실분만큼을 받아 오니깐 차입금 갚는데 아무 문제가 없다. 단, 빌 황(Bill Hwang) 선생의 아케고스(Archegos) 펀드의 경우처럼 거래상대방이 파산하지 않는다는 전제하에 말이다... *ㅎㄷㄷ ㅎㄷㄷ...*

어떤가, 여기까지 이해하기 어려운 부분은 없었을 거다... 그럼 TRS의 거래 구조에 대해서는 이제 완벽 이해했으니,*(그렇게 믿어도 될까나?)* 다음은 "왜 기관들이 시장에서 이런 TRS 거래를 하는 걸까?"라는 질문에 대해 한번 생각해 보자. 도대체 니들이 TRS 거래를 하는 이유가 뭐꼬???

ㅎㅎㅎ 당연히 한 가지 이유만 있지는 않을 거다... 시장에는 여러 가지 다양한 니즈(needs)가 존재할 거고, 개중에는 좋은 의도, 나쁜 의도에 기초한 것들이 모두 섞여있을 거다. 그래도 많은 이유 중 몇 개만 정리해 보자면 다음과 같다:

① 은행의 낮은 펀딩을 이용하기 위해

소규모 금융기관들은 자금 조달 비용(funding cost)이 당연히 대형 은행들보다 월등히 높다. 만약 이런 기관들이 자금을 직접 빌려서 해당 채권이나 주식에 투자를 한다면 높은 조달 비용 때문에 실행하기 힘든 면이 있을 수 있을 것이다. 근데 TRS는 대형 은행의 조달 비용을 이 소규모 기관이 간접적으로 사용할 수 있는 기회를 제공해 준다.

만약 해당 기관의 달러 조달 비용이 'LIBOR+200bps'인데 TRS 거래상대방인 은행은 그냥 'LIBOR' 수준이라면 본 TRS 거래를 통해 투자할 요인이 충분히 되는 것이다. 물론 당연히 TRS 거래에 필요한 소정의 담보(collateral) 비용과 위에서 설명한 'α'에 녹아있는 거래 비용/수수료까지 감안해도 TRS 거래의 경우가 더 저렴할 경우에 한한다. 이거야 뭐, 계산기 좀 뚜드리면 답이 바로 나온다.

② 레버리지(Leverage) 효과를 위해

위의 예에서 소개한 TRS 거래는 굳이 말하자면 'unfunded' 형식이다. 즉, 호구 기관 입장에서 ABC社 주식을 사는데 필요한 원금을 넣어두지 않아도 되는 거래인 것이다. 대신 은행이 알아서 주식 실물을 사준다. 이를 다른 관점으로 해석하면 TRS 거래를 통해 은행이 거래상대방에게 '레버리지(leverage)'를 일으켜주고 있다고 할 수 있겠다. 호구 기관은 파생거래에 필요한 소정의 담보(collateral)만 제공하면 되는 상황인 거고. 따라서 'unfunded' TRS는 (위의 예에서처럼) 호구 기관에게 매력적인 '레버리지 효과'를 제공하는 거래로 볼 수 있겠다.

③ 해당 시장에 직접 접근하는데 비용이 많이 들거나 불가능해서

예를 들어 우리나라 금융기관이 이머징마켓(Emerging Market)의 주식이나 채권 시장에 대한 투자를 하려 하는 경우를 생각해 볼 수 있겠다. 근데 투자를 하기 위해서는 해당 국가에 지점이나 현지법인을 세워야 한다거나, 아니면 적격 대리인을 지정하거나 해외 투자자로 정식 등록해야 하는 등 행정적 절차가 상당히 복잡하고, 시간과 비용이 많이 드는 요구 사항들이 존재한다고 가정해 보자. 이런 경우엔 당연히 시간과 비용을 아끼면서도 해당 자산군에 직접 투자하는 것과 경제적으로 동일한 효과를 얻을 수 있는 TRS 거래가 매우 매력적으로 다가올 수 있겠다.

④ 세금 회피의 목적으로

과거 오랜 기간 국제적으로 파생상품이 세금 회피의 목적으로 사용됐던 건 공공연한 비밀이다. 왜냐하면 파생상품으로부터 발생하는 현금 흐름에 대해서는 대부분의 국가들이 원천징수 대상에서 제외했었기 때문이다. 그래서 이 점을 이용, 특정 국가의 주식에 직접 투자하는 대신 TRS 거래를 체결하여 배당금(dividend)에 부과되는 원천징수세 등을 의도적으로 회피하려는 목적의 거래들이 당연히 존재했었다.

다만 각국의 규제 당국들이 금융 위기 이후 규제 강화를 해오면서 현재는 세금 회피의 목적으로 TRS를 체결하기가 힘들어진 상황이다. 미국을 예로 들면 이미 2010년 'HIRE Act'라는 법을 통해 'Equity Swap'의 현금 흐름에 녹아있는 배당금 수익에 대해서도 원천징수를 하도록 하였으며, 국제스왑파생상품협회(ISDA) 또한 해당 법 도입에 따른 주 계약서(Master Agreement)의 수정을 2010년, 그리고 2015년에 이미 권고한 상황이다. 그리고 2015년 이후 스위스에서도 TRS(혹은 유사 거래)에 연계된 주식 배당금 과세 문제에 대해 '실제 수익자'가 누군지에 기초해야 한다는 대법원의 판결들도 이어진 바 있다. 이런 변화 속에 대다수의 투자은행들이 현재는 세금 회피의 목적이 의심되면 준법감시(Compliance) 부서에서 TRS 승인을 내주지 않을 것으로 판단한다. *그래도 돈에 눈이 멀어 분명 어기는 곳들이 있을 거다... 쿨럭... (-_-;)*

뭐, 위의 4가지 이유들 외에도 많이 있을 거다... 좋은 의도든 나쁜 의도든... 금융시장에는 수많은 다양한 플레이어들이 존재하니깐 말이다. TRS는 매우 편리한 투자 도구이기도 하지만, 오·남용될 경우 아케고스 사태와 같은 사태를 일으키거나 혹은 세금 회피 등의 수단으로 전락할 수 있기에 다른 상품들보다 좀 더 세심한 관리·감독이 필요한 파생상품이라 정리할 수 있겠다.

헷갈리는 외환(FX) 기초 지식

제8편 Currency Pair: 통화쌍(?)

필자는 개인적으로 금융의 여러 분야 중 외환(Foreign Exchange)을 제일 안 좋아한다. *(ㅎㅎㅎ 다른 분야도 딱히 그렇게 좋아하지는 않지만서도...)* 왜냐꼬? 초보자의 눈에 표기법이 쓰잘데기 없이 복잡해서 사실 어려운 개념이 아닌데도 사람 헷갈리게 하는 요소들이 너무나 많아서다. 그 옛날 학교에서 배울 때도 '환율이 올라간다'는 게 도대체 무슨 뜻으로 쓰였는지, 이게 달러가 강세가 된다는 뜻인 건지, 아님 상대 통화가 강세가 된다는 뜻인 건지, 너무 헷갈려서 환장할 뻔했던 적이 한두 번이 아니었다. 재밌는 건 어떤 교재에서는 저자 본인도 헷갈렸는지 반대로 쓰는 경우를 몇 번 봤었다. *(거꾸로 쓴 기사들도 가끔 봤었다. 물론 나중에라도 발견하고 교정했으리라 믿는다...)*

결국 이 외환, 아니 FX, Foreign Exchange, Forex 등으로 불리는 이 시장은 필자를 정말 복장 터지게 만들었기 때문에, 그리고 수많은 사람들을 복장 터지게 만들었거나 만들 것으로 생각하기에, 아래에 이게 헷갈릴 수밖에 없는 이유, 그리고 도대체 뭐가 맞고 뭐가 틀린 건지에 관해 초보자들을 위해 함 자세히 정리해 보려 한다. 외환의 기초 없는 궁금한 초보자들은 한번 따라와 보시길. *따라왔다가 같이 복장 터지겠지만 말이다...*

일반적으로 학교에서는 환율과 관련해 아래처럼 가르칠 거다:

$$\text{유로화 환율 } 1.20 = 1 \text{ 유로로 살 수 있는 달러의 수량} = \frac{USD\,1.20}{EUR\,1.00}$$

아니라꼬? 미안타... 필자는 틀딱이라 이렇게 배웠었다... ㅠㅠ 암튼 유로·달러 환율이 예를 들어 1.20이라고 하면 이것이 의미하는 바는 1 유로당(= per euro) 1.20 달러의 가치를 지닌다는, 즉 1 유로로 1.20 달러를 살 수 있다는 뜻이다. 그럼 2 유로로는 얼마를 살 수 있을까? 학교에서는 간단히 다음의 식을 풀면 된다고 가르칠 거다:

$$EUR\,2.00 \times \left(\frac{USD\,1.20}{EUR\,1.00} \right) = USD\,2.40$$

2.40 달러다. 여기까지는 굉장히 쉽다. 쩜만어초등학생도 이해할 수 있는 수준이다. 따라서 유로 금액에 위의 분수(USD 1.20 per EUR = USD 1.20 / EUR 1.00)를 곱해주기만 하면 유로에서 달러로 환전할 수 있는 금액이 나온다. 만약 위의 유로 환율이 1.50으로 높아지면 그건 유로의 강세일까, 약세일까? 환율이 1.50으로 높아지면 1 유로당 1.50 달러, 즉 0.3 달러를 더 살 수 있다. 유로의 구매력이 증가했으므로 유로 강세다. 오케이, 그럼 유로 환율이 높아지면 유로가 강세, 반대로 환율이 낮아지면 유로가 약세가 됐다고 생각할 수 있겠다.

근데 문제가... 원·달러는??? 원화 환율은 뭔가 반대인 것 같다. 환율이 1,200원이란 얘기는 1 달러로 1,200 원을 살수 있다는 얘기다. 즉, 1 달러당(per dollar) 1,200 원의 가치를 지닌다는 뜻이다. 분수로 표현하면 아래와 같다:

$$원화 환율 1,200 = 1 달러로 살 수 있는 원화의 수량 = \frac{KRW\,1,200}{USD\,1}$$

원화의 경우는 달러 금액에 위의 분수(KRW 1,200 per USD = KRW 1,200 / USD 1)를 곱해주면 달러에서 원으로 환전할 수 있는 금액이 나온다. 자, 벌써부터 헷갈리지 않는가... 아직 시작 단계인데 벌써부터 어지러워지려고 한다. ㅎㅎㅎ ㅎ ㅎㅎ 원화의 경우는 환율이 상승하면 원화 가치의 하락을, 환율이 하락하면 원화 가치의 상승을 나타낸다. 원화 환율은 원화의 구매력이 아니라 '달러의 구매력'을 나타내는 척도이기 때문이다. 유로의 경우와 180도 반대다.

우리나라에서야 항상 원·달러 환율만 생각하니 이게 조금 덜 헷갈릴 수 있겠지만, 만약 해외 원서를 읽게 된다면 과연 책에서 말하는 '환율(exchange rate)의 상승'이 대체 어느 통화의 강세 혹은 약세를 의미하는지 바로 알아채기가 쉽지 않은 경우들이 종종 있다. 요새는 또 인터넷 기사들이 쏟아지다 보니 원화 환율 상승이 원화 강세를 나타낸다는 식으로 가끔씩 반대로 쓴 기사들이 나오기도 한다. 물론 금방 수정되지만 말이다. 시작도 안 했는데 벌써 머리 아프다... *쩝. 그래서 필자가 FX를 싫어하는 거다...*

앞에서 등장한 환율을 나타내는 분수들을 다시 함 살펴보자. 유로화 환율의 경우는 1 유로당 1.20 달러니깐, 「USD 1.20 / EUR 1」, 원화 환율의 경우는 1 달러당 1,200 원이니깐 「KRW 1,200 / USD 1」으로 표현됐다. 자, 유로의 경우는 분자가 USD, 분모가 EUR이 되고, 원화의 경우는 반대로 분자가 KRW, 분모가 USD다. 유로 1개당 얼마, 달러 1개당 얼마, 이런 식이니 이렇게 표시하는 게 당연하다. 그런데 말이다... 외환 시장의 마켓 컨벤션을 보면 환율의 표시법은 완전히 반대로 돼 있다. *ㅠㅠ ㅠㅠ 정말 사람 골탕 먹이는 것도 아니고...* 외환 시장에서 유로화 환율은 일반적으로 'EUR/USD'로 표시되고, 원화 환율은 'USD/KRW'로 표시된다. 그것도 사람 더 헷갈리게 '/'라는 '나누기'처럼 보이는 심벌도 중간에 들어가 있다. 근데 이거는 사실 나누기 표시가 아니랜다... *ㅠㅠ ㅠㅠ 아님 중간에 아무것도 안 넣고 표기 하기도 한다. 예를 들어 그냥 EURUSD, USDKRW, 요렇게...*

'EUR/USD', 'USD/KRW', 'USD/JPY' 이렇게 통화 간의 환율을 나타내는 표시를 '통화쌍(Currency Pair)'이라고 부른다.(*'쌍'이라고 하니 뭔가 욕 같기도 하고 뭔가 강렬 한 느낌인 건 왜일까... (-_-;) 인터넷을 검색해보면 '통화쌍' 말고도 '통화짝', '통화조합', '외환쌍' 등등 다른 이름으로도 번역되고 있는 것 같기도 하다.*) 암튼 이 통화쌍(?)에서 앞에 나오는 통화를 '기준 통화(Base Currency)'라고 부르며 뒤에 나오는 통화를 '호가 통화(Quote Currency)' 혹은 '상대 통화 (Counter Currency)'라 부른다. 통화쌍의 해석은 우리가 학교에서 배우는 그 뭐냐 '분수' 표현, 그니깐 '나누기'할 때와 정반대로 하면 된다.

즉, 앞에 나오는 기준 통화의 수량 1개가 호가 통화(= 상대 통화) 몇 개를 살 수 있는지를 나타낸다는 얘기다. 이 룰을 따르면 EUR/USD는 1 유로로 살 수 있는 달러의 수량이 되겠고, USD/KRW는 1 달러로 살 수 있는 원화의 수량이 되겠다. 휴우... 뭔가 항상 반대로 생각해야 되니 쓸데없이 복잡해진다... 짜증도 나고 말이 다... *물론 환율이 오르고 내리는 걸 '기준 통화'의 가치가 오르고 내리는 거와 동일시할 수 있으니 이 관점에서는 편리해 보일 순 있겠다...*

근데 더 짜증나는 게 있다. 후후후. 들으면 초보자들은 화가 치밀 수도 있다... 일 단 다들 심호흡 먼저 하고...

... (Are You Ready?) ...

ㅋㅋㅋ 우리나라에서는 'USD/KRW'라 쓰고 '원·달러'라고 반대로 읽는댄다... ㅋㅋㅋ

그렇다... 맨날 신문이나 TV 뉴스에서나 '원·달러' 환율이라고 떠들어 댄다... 생각해 보니 '달러·원'이라고는 잘 안 하더라... 근데 왜 이걸 거꾸로 부르는 걸까... 사실, 2014년도에 어느 시중은행 딜러가 쓴 신문사 기고문에 그 답이 나와 있다:

"하지만 우리나라 원화의 경우에는 이러한 국제외환시장과 약간 다르게 사용된다. 표기상 직접표시법에 따라 달러화/원화(USD/KRW)라 쓰지만, 부를 때는 '달러원환율'이 아닌 '원달러환율'로 부르는 것이다....이런 서울환시만의 관행은 딜링룸에 처음 들어온 신입들이 선임들에게 묻는 대표적인 질문이기도 한데, '한미정상회담'과 '미한정상회담'의 차이로 설명되는 약간의 민족주의(?)적 자존심으로 이해되고 있다."

ㅋㅋㅋ ㅋㅋㅋ '민족주의적 자존심' 때문이란다... 아놔... 필자 이거 읽고 미치기 일보 직전까지 갔었더랬다. 민족주의적 자존심 때문에 '달러·원'이라 안 하고 '원·달러'라 한댄다... 할 말을 잃었다... 달러 외에 엔화, 유로화의 경우에도 표기는 'JPY/KRW', 'EUR/KRW'로 하지만 한국말로는 '원·엔' 환율, '원·유로' 환율이라 부른다고 한다. 서울환시만의 관행(?)이라는데, 쩝, 이래서 FX라는, Foreign Exchange라는, Forex라는 이 시장이 필자는 그냥 싫다... *필자 심정을 이제 이해하는교?*

그럼, 뭐가 앞에 나오고(= 기준 통화가 되고), 뭐가 뒤에 나오는지(= 호가 통화가 되는지) 그 규칙은 존재할까? 정말 다행히 암묵적인 룰 같은 것이 존재한다. 먼저 기축 통화(Key Currency)들을 포함해 전 세계적으로 거래량이 많은 7개의 통화들을 'Majors'라고 부르는데, 보통 다른 통화들은 이 Major 통화들 뒤에 표기되는 것이 정석이다. 즉, Major 통화가 기준 통화가 되고, 나머지 통화는 이들과 쌍 (pair)을 이룰 때 호가 통화(= 상대 통화)로 표기되는 것이다. 그렇다면 Major 통화들 사이에서는? Major 통화들 중에도 랭킹이 있다. 바로 다음과 같다:

⟨Table 1: The Majors⟩

순서	국가	통화	통화 코드
1	EU(유로존)	유로	EUR
2	영국	파운드	GBP
3	호주	호주 달러	AUD
4	미국	달러	USD
5	캐나다	캐나다 달러	CAD
6	스위스	프랑	CHF
7	일본	엔	JPY

참고로 위의 순서는 당연히 거래량으로 매긴 랭킹에 기반한 건 아니다. 거래량이라면 USD를 능가할 통화는 없으니까. 암튼 이 순서에 의하면 USD는 위의 통화들에 대해서 아래와 같은 형식으로 쌍을 이루게 된다:

EUR/USD, GBP/USD, AUD/USD, USD/CAD, USD/CHF, USD/JPY

USD보다 앞에 나오는 Major 통화는 유로, 파운드, 호주 달러, 이렇게 딱 세 가지밖에 없다. 물론 특이한 '예외'가 있긴 하다. 바로 호주 옆 동네인 뉴질랜드의 달러 (NZD)다. 뉴질랜드 달러는 7대 Major는 아니지만 USD에 앞서 'NZD/USD' 형식으로 쿼트되는 매우 특이한 경우라 할 수 있다. 사실상 위의 순서 테이블에서 AUD보다는 아래지만, USD보다는 위에 위치하는 거다. 우리나라 원화는 당연히

Major가 아닌 관계로 ㅠㅠㅠ ㅠㅠㅠ 위의 통화들보다 항상 뒤에 온다... 그래도 민족의 자긍심(?)을 고취시키기 위해 열심히 '원·달러', '원·유로'로 부르기로 하자... *(-_-;)*

여기서 한 스텝 더 나아가 '교차환율(Cross Rate)'까지 들어가서 헷갈림의 극치가 뭔지를 보여주고 싶지만 이것만으로도 머리가 빙빙 도는 이들이 많을 듯하니 이번 편은 이만 여기서 스톱하겠다. FX, 너란 놈 정말 징하다, 징해... 헷갈리는 FX는 다음 편에서 이어진다~

헷갈리는 외환(FX) 기초 지식

제9편 교차환율을 계산해보자

지난 8편에서는 '통화쌍(Currency Pair)'이 뭐고, 또 쌍(?)을 이룰 때 앞에 나오는 통화는 무슨 의미이고 뒤에 나오는 통화는 또 무슨 의미인지, 그리고 시장에서 통용되는 Major 통화들의 순서 등에 대해서 알아보았다. 외환 시장은 다른 금융 시장보다 특별히 더 어렵다고 할 순 없으나 이런 쓸데없이 헷갈리는 기본적인 디테일들 때문에 외부 사람이 마켓 컨벤션에 적응하는데 시간이 좀 걸리는 분야라 할 수 있다. *그뿐이다...* 이번 편에서는 통화쌍 2가지를 엮어서 계산해야 하는 '교차환율 (Cross Rate)'이라는 놈(?)에 대해 알아볼까 한다.

입 아프게 말 안 해도 다들 알고 있겠지만 미국 달러(USD)가 기축 통화 중에서도 'King'의 위치를 차지하는 관계로 어느 나라 통화든지 자국의 외환 시장에서 USD 와 쌍을 이루어 거래되는 것이 기본이다. 몇몇 통화를 제외하고는 거의 대부분 자국 통화와 USD를 교환하는 시장만이 존재한다. 만약 USD가 아닌 다른 통화로 환전하려면 사실상 환전 과정을 '2번' 거쳐야 할 거다.

예를 들어 원화를 영국 파운드로 환전하기 위해서는 먼저 USD/KRW 거래를 한 후, GBP/USD 거래를 한 번 더 거쳐야 하는 번거로움이 존재한다. 물론 은행 창구에서는 고객의 편의를 위해 은행원이 알아서 바로 GBP/KRW로 계산해 줄 거지만, 사실 자기네들 포지션을 커버하기 위해서는 USD/KRW와 GBP/USD, 이렇게 두 번의 거래가 뒷단에서 실행되어야 할 거다.

그래서 교차환율은 어떻게 구하냐고? 그냥 곱하기 혹은 나누기의 '산수'다. ㅎㅎㅎ ㅎㅎㅎ 다만 언제 곱하기를 하고 언제 나누기를 해야 하는지 초보자는 헷갈릴 거다. 아래의 예를 보면서 함 생각해 보자.

$$EUR/USD \text{ 환율} = 1.2000$$
$$USD/KRW \text{ 환율} = 1,100.00$$

자, 여기서 EUR/KRW 환율을 찾아내 보자. 아마 다음과 같은 'Thought Process'를 거치면 될 거다.

$$EUR/KRW \text{ 환율} = ??? \quad (1 \text{ 유로로 환전할 수 있는 원화 금액은}???)$$
$$\Rightarrow EUR\ 1 \times (USD\ 1.2000 / EUR\ 1) \times (KRW\ 1,100.00 / USD\ 1)$$
$$= \cancel{EUR}\ 1 \times (\cancel{USD}\ 1.2000 / \cancel{EUR}\ 1) \times (KRW\ 1,100.00 / \cancel{USD}\ 1)$$
$$= 1.2000 \times KRW\ 1,100.00$$
$$= KRW\ 1,320.00$$

정답은 1,320원이다. 계산 과정은 복잡해 보이지만 결론은 두 환율을 그냥 곱한 값이다.

$$\therefore \text{EUR/KRW} = \text{EUR/USD} \times \text{USD/KRW}$$

그런데 지난 편에서 언급했듯이 USD보다 앞에 나오는, 즉 USD 앞에서 기준 통화 (Base Currency) 역할을 하는 통화는 유로(EUR), 파운드(GBP), 호주 달러(AUD), 그리고 뉴질랜드 달러(NZD)밖에는 없다. 따라서 그 외 다른 통화들과 원화의 교차 환율을 구하려면 위와 같이 곱하면 안 될 거다. Major 통화 중 하나인 스위스 프랑(CHF)을 한번 예로 들어 볼까?

$$\text{USD/CHF 환율} = 0.8800$$
$$\text{USD/KRW 환율} = 1{,}100.00$$

앞에서와 같은 'Thought Process'를 거치면 CHF/KRW 환율을 다음과 같이 계산 할 수 있겠다:

CHF/KRW 환율 = ???　(1 스위스 프랑으로 환전할 수 있는 원화 금액은???)

$$\Rightarrow \text{CHF } 1 \times (\text{USD } 1 \text{ / CHF } 0.8800) \times (\text{KRW } 1{,}100.00 \text{ / USD } 1)$$
$$= \text{CHF } 1 \times (\cancel{\text{USD}}\ 1 \text{ / } \cancel{\text{CHF}}\ 0.8800) \times (\text{KRW } 1{,}100.00 \text{ / } \cancel{\text{USD}}\ 1)$$
$$= \text{KRW } 1{,}100.00 \text{ / } 0.8800$$
$$= \text{KRW } 1{,}250.00$$

정답은 1,250원이다. 이번에는 교차환율이 두 환율을 나눈 값이라 할 수 있다:

$$\therefore \text{ CHF/KRW } = \text{USD/KRW } \div \text{ USD/CHF}$$

따라서 유로(EUR), 파운드(GBP), 호주 달러(AUD), 그리고 뉴질랜드 달러(NZD)가 아닌 이상 원화를 호가 통화(= 상대 통화)로 하는 교차환율을 구하려면 원달러 환율을 해당 통화의 환율로 '나누면' 된다고 할 수 있겠다. 근데 이게 말이야 쉽지 실전이나 시험 같은 환경에서는 누구나 헷갈릴 수밖에 없을 거다. "USD/KRW를 USD/CHF로 나눠야 하나? 아님 USD/CHF를 USD/KRW로 나눠야 하나?" 이런 단순한 헷갈림부터 시작해서 말이다. *ㅎㅎㅎ ㅎㅎㅎ 정말 쓸데없이 헷갈린다.* 또한 설상가상으로 어느 통화를 사고 어느 통화를 팔아야 하는지도 추가적으로 헷갈릴 수 있다. 아래의 예를 함 보자.

원화를 유로화로 환전할 경우:
⇒ Buy EUR/KRW
= Buy EUR & Sell KRW
= Buy EUR & Sell USD, Buy USD & Sell KRW
= Buy EUR/USD, Buy USD/KRW

즉, 원화를 유로화로 환전하려면 EUR/USD 통화쌍을 매입(buy)해야 하고, USD/KRW 또한 매입(buy)해야 한다는 뜻이다. USD는 팔고 사기 때문에 저절로 캔슬(cancel)되어 떨어져 나간다. 외환을 포함한 금융상품들은 또한 시장에서 팔 때와 살 때의 가격이 다르기 때문에 위의 예에서 EUR/USD는 딜러가 매도(sell)하는 가격, 즉 '오퍼(offer) 가격'에 거래해야 할 거고, USD/KRW 또한 '오퍼(offer) 가격'에 거래해야 될 거다. *비드/오퍼에 관한 자세한 설명은 21편 참조...* 그럼

CHF/KRW의 경우는 어떨까?

원화를 스위스 프랑으로 환전할 경우:

⇒ Buy CHF/KRW

= Buy CHF & Sell KRW

= Buy CHF & Sell USD, Buy USD & Sell KRW

= Sell USD/CHF, Buy USD/KRW

휴우... 필자도 쓰다가 헷갈릴 뻔했다... ㅎㅎㅎ ㅎㅎㅎ 위의 'Thought Process'에 의하면 USD/CHF는 딜러가 매입(buy)하는 가격, 즉 비드(bid) 가격에 거래해야 할 거고, USD/KRW은 반대로 오퍼(offer) 가격에 해야 할 거다. 어떤가, 굉장히 쓸데없이 헷갈리지 않은가??? 비드(bid) 가격은 딜러 입장에서는 '매입(buy)' 방향이지만 고객 입장에서는 '매도(sell)' 방향이라는 이런 사소한 것까지 합세해서 말이다... ㅎㅎㅎ ㅎㅎㅎ

그래서 필자는 FX가 싫다... *참 징글징글한 놈이다... (-_-:)*

통화스왑(CCS)

제10편 한미 통화스왑? CCS? CRS?

통·화·스·왑. '08년 금융위기와 '20년 코로나 사태를 겪으면서 언론을 통해 누구나 한 번쯤은 들어 봤을만한 단어 되겠다. 원래는 파생상품을 다루는 전문 금융인 정도는 돼야 알만한 단어였는데...(*'전문 금융인'이라고 써줬지만 사실 지식도 얕고 노력도 안 하고 별 볼 일 없는 '마바라'들도 많다... 오히려 이 책으로 열공하는 초보자들이 이들보다 더 많은 지식을 쌓을 수 있을 게다... 참 씁쓸한 현실이 아닐 수 없다... (-_-;))* 굵직한 경제 위기 때마다 언론에서 하도 대서특필해놔서 어느새 일반인들한테조차 친숙한 단어가 되어버린 듯하다.

특히나 '08년 금융위기 당시(*= 벌써 16년 전이네... Time flies!*)의 기사들을 찾아보면 거의 다 "불가능한 걸 해냈다! 참 대단타!"라는 논조로 써댄 걸 볼 수 있고, 또한 "한미 통화스왑 성공이 과연 누구의 작품인가 - 한은 총재 이성태? 아님 기재부 장관 강만수?"라며 공을 누가 세운 건지에 대해 추리도 해보는 찌라시 수준의 기사들도 많았었다... *당시엔 진짜 자화자찬이 도를 넘는 수준이었음. ㅎㅎㅎ* 근데 그것도 이해될만한 것이 2008년 10월 30일 당시 한미 통화스왑 체결 소식이 전해지며 코스피와 코스닥이 전날보다 무려 11%가 넘게 역대급으로 폭등하고 환율도 하루 만에 무려 177원이나 떨어지면서 1,250원대로 진입하는 등 금융 시장이 급(!) 안정화됐

었기 때문이다. 당시 금융 시장에 분 역대급 훈풍은 아래의 기사 제목들이 잘 전달해 주고 있다:

환율 IMF 환란후 최대 폭락…1250원(-177원)

통화스와프 위력…환율 폭락·주가 급등

코스피 사상 최대 폭등…1,100육박

통화 맞교환 소식에 환율 폭락…코스피 상승세

급등장 신기록 쏟아져…코스피 시총 하루새 59조 회복

그런데 말이다... 미국에서는 위에서 소개한 국가 간 통화스왑*('통화스와프'라고도 기사에서는 많이 쓴다...)*을 사실 '공식적으로는' 통화스왑이란 이름으로 부르지 않는다. 연준(Fed)의 관련 사이트에 들어가 보면 얘네들은 대신 '중앙은행 유동성스왑(Central Bank Liquidity Swap)'이라는 용어를 사용해서 표현하는 걸 알 수 있다. 그럼 이거는 통화스왑이 아니냐꼬? 통화스왑이 맞긴 맞다. '스왑'이란 게 원래 뭔가를 서로 맞바꾸는 걸 의미하지 않나. 통화스왑이란 서로 간 통화(currency)를 맞바꾸는 형식의 거래니깐 통화스왑이 맞긴 하다.

근데 일반적으로 파생상품 시장에서 금융기관들 간에 서로의 필요에 의해 자연스레 거래되고 있는 통화스왑과 구별 짓기 위해서 일부러 공식적으로는 이름을 좀 다르게 부르고 있는 거다. 이 '유동성스왑'이란 건 연준과 각 나라의 중앙은행(central bank)들 간에만 특별히 허용된 거래이고 그것도 [일부 선진국들의 경우를 제외하면] 위기 시 매우 한시적으로만 제공되던 성격의 것이라 시장에서 매일같이 거래되는 민간의 금융상품과는 구별을 지어야 하는 게 뭐 당연해 보이긴 하다... 근데 대부분의 신문 기사들은 한결같이 이것도 그냥 '통화스왑'이라 칭해버리는 관계로 파생상품 공부를 처음 시작하는 초보자들에게 불필요한 헷갈림을 선사하고 계시다...

로이터(Reuters)나 블룸버그(Bloomberg) 같은 해외 언론들도 美 연준의 달러 유동성스왑을 간단히 'Currency Swap'이라 표현하는 경우가 많음 또한 물론이다.

암튼 그럼 민간에서 금융기관들끼리 거래하는 인기(?) 파생상품인 '통화스왑'은 공식적으론 뭐라고 불리냐고? 바로 'Cross Currency Swap'이라 불린다. 짧게는 위에서처럼 'Currency Swap'이라고도 한다. 이걸 보통 'CCS' 혹은 'CRS'로 줄여 부르곤 하는데, 해외에서는 'CCS'라는 표현을 많이 쓰고, 한국에서는 'CRS'라는 표현을 더 많이 쓴다. *예전에 일각에서는 통화스왑을 'Currency Rate Swap'이라 칭하기도 했는데, 이걸 줄여서 CRS라는 약어로 쓰게 된 게 아닐까 싶다.* 재밌는 건 외국 사람들은 'CRS'라고 하면 잘 못 알아먹는 경우가 많다는 사실이다. 대부분 'CCS'라고 해야 알아들을 거다... *(아마 요런 건 어느 누구도 안 알려줄 거다... 알아두면 꽤 쓸 만한 '잡지식' 되겠다... ㅎㅎㅎ 이 책의 전편 격인 「채권」과 '금리스왑」에서 가르쳐줬던 LIBOR의 발음처럼 말이다; 실제로 '라이보'라고 하지 '리보'라고는 잘 안 한다...)*

그럼 통화스왑은 과연 어떤 구조의 금융상품일까? 통화스왑은 크게 다음의 세 가지 시점의 현금 흐름들로 분해해 볼 수 있다: ① 거래 초기의 원금 교환, ② 거래 중간의 이자 교환, 그리고 ③ 거래 만기의 원금 교환, 이렇게 3가지로... 그럼 아래와 같이 좀 더 자세한 예를 들어 초보자들이 이해하기 쉽게 해 줄까나?

통화스왑의 예:

EUR 명목금액: EUR 1,000,000

USD 명목금액: USD 1,200,000

통화스왑 만기: 1년

EUR 다리(Leg) 변동금리: 3개월 EURIBOR

USD 다리(Leg) 변동금리: 3개월 USD LIBOR

현금 흐름 지급 주기: 3개월마다

변동금리 픽싱 컨벤션: Fixing in Advance

자~ 위와 같은 가정들하에서 이 통화스왑 거래의 현금 흐름을 각 '시점별'로 같이함 살펴보자. 미국은행과 유럽은행이 USD와 EUR를 서로 맞바꾸기로 하는 1년 만기 통화스왑을 체결한다면 거래 초기에 양자 간에 각 통화별 원금의 맞교환이 아래와 같이 이루어질 거다:

<u>거래 초기 양자 간 현금(원금) 흐름:</u>

미국은행 Pay USD 1,200,000 to 유럽은행

유럽은행 Pay EUR 1,000,000 to 미국은행

(EUR/USD 교환 환율 @ 1.2000)

자, 본 통화스왑 거래를 통해서 미국은행은 USD 명목금액을 EUR로 바꿨다. 따라서 만기까지 EUR 원금을 보유하게 되는 것이다. 유럽은행 또한 가지고 있는 EUR 원금을 미국은행에게 주고 대신 통화스왑의 만기까지 USD 원금을 보유하게 된다.

이를 다른 관점으로 보면 미국은행은 유럽은행으로부터 '유로'를 '빌려 온' 거고, 유럽은행은 미국은행으로부터 '달러'를 '빌려 온' 거다. 따라서 거래의 만기까지 미국은행은 유럽은행에게 빌린 유로 금액에 대한 이자(= 여기서는 3개월 EURIBOR 금리 가정)를 꼬박꼬박 지급해야 할 거고, 반대로 유럽은행은 미국은행에게 빌린 달러 금액에 대한 이자(= 여기서는 3개월 USD LIBOR 금리 가정)를 꼬박꼬박 지급해야 할 거다... *요렇게 설명하니 이해하기 좀 쉽제??? ㅎㅎㅎ*

미국은행 Pay '3개월 EURIBOR 금리' to 유럽은행

유럽은행 Pay '3개월 USD LIBOR 금리' to 미국은행

(거래 3개월 후, 6개월 후, 9개월 후, 12개월 후 시점)

서로 주고받는 이자를 3개월 변동금리로 가정했으므로 위의 예에서는 이자의 지급
이 만기일을 포함해서 총 4번 발생하게 된다. (물론 'Fixing in Advance'를 가정
하였으므로 각 기간에 적용할 이자율들은 지급 시점 3개월 전에 미리 정해진다.)

자, 이제 만기 시점으로 가보자... 이자 지급 외에도 한 가지 현금 흐름이 더 남아
있다. 그게 뭘까? 뭐냐면 바로 원금의 재교환이다! 즉, 거래 시점에 서로 빌려줬던
금액들을 고대로 다시 돌려받는 것이다. 따라서 만기 현금 흐름의 방향은 거래 초
기와 정반대이다. 단, 금액은 동일하다:

거래 만기 양자 간 현금(원금) 흐름:

미국은행 Pay EUR 1,000,000 to 유럽은행

유럽은행 Pay USD 1,200,000 to 미국은행

(EUR/USD 교환 환율 @ 1.2000)

물론 꼭 그래야 할 필요는 없지만 일반적으로 통화스왑 거래에서는 초기와 만기의
원금 교환 금액이 서로 동일하다. 이 뜻은 다시 말하면 초기와 만기의 현금 흐름에

'동일한 환율'을 적용시킨다는 뜻이다. 이는 이 책의 후반부에 설명해 줄 성격이 비슷한 타 금융상품인 '외환스왑(FX Swap)'의 구조와 살짝 다른 점이다.*(다만, 비록 그 구조가 다르긴 해도 외환스왑과 통화스왑은 서로 밀접하게 연관되어 있는 매우 유사한 상품들이라 할 수 있겠다...)*

위에서 필자는 CCS 중 전 세계에서 가장 유동성 있게 거래되는 '변동금리 vs. 변동금리' 형식의 EUR/USD 통화스왑을 예시로 소개하였다. 이렇게 변동금리끼리 교환하는 스왑 거래를 시장에서는 '베이시스 스왑(Basis Swap)'이라 부른다.*(그냥 한 가지 통화로만 이루어진 IRS의 경우도 변동금리끼리 교환할 경우엔, 예를 들어 '3m Libor vs. 6m Libor' 같은 경우에도, 'Basis Swap'이라 칭한다.)* 따라서 위와 같은 형식의 CCS를 조금 더 길게 'Cross Currency Basis Swap(= CCBS)'이라 부르기도 한다. 또한 'Cross Currency'를 빼고 짧게 'EUR/USD Basis Swap'이라 쓰기도 하고... 참 이 금융이란 분야 정말 중구난방이지 않나? 이런 중구난방성으로 인해 초보자들은 배우면 배울수록 헷갈림이 가중될 수밖에 없을 거다. 아니, 이건 뭐,,, 한 가지 상품을 가지고 다음의 각기 다른 이름들로 불러도 된다고라???

EUR/USD Cross Currency Swap

EUR/USD CCS (or 한국에서는 EUR/USD CRS)

EUR/USD Cross Currency Basis Swap

EUR/USD CCBS

EUR/USD Basis Swap

ㅎㅎㅎ ㅎㅎㅎ 물론 너무나도 당연한 얘기일 테지만 CCS의 어느 한쪽 다리(leg)가 고정금리(Fixed Rate)에 연계되었다면 당연히 '베이시스 스왑(Basis Swap)'이라고 부를 순 없을 거다. 두 다리가 다 고정금리로 된 경우도 마찬가지고... *너무 당연한 얘긴가?* ㅋㅋㅋ 암튼 선진국 시장에서는 대부분 CCS의 마켓 컨벤션이 위처럼 「변

동금리 vs. 변동금리」 형식으로 되어있음을 숙지하자. 다만 금융 시장의 영원한 이머징마켓으로 취급당하는 한국의 경우에는 이와는 달리 「USD 변동금리(= 6개월 LIBOR) vs. KRW 고정금리」 형식이 오랜 기간 시장의 스탠더드로 자리매김해왔었다는 점을 곁다리로 알려주련다. (-_-;) *물론 2024년 3월 말 현재 원·달러 통화스왑은 「USD SOFR(compounded in arrears) vs. KRW 고정금리」 형식으로 전환되어 거래되고 있음을 알린다. 시장 컨벤션 전환과 관련해서는 뒤편들에서 더 자세히 설명해주겠다.*

통화스왑(CCS)

제11편 유로·달러 스왑 베이시스

비록 최근 들어 익일물 지표금리들이 각 선진 시장들의 대세(?)로 치고 올라왔지만, 적어도 2021년까지 수십 년 동안 유로·달러 CCS 시장의 스탠더드는 「USD LIBOR vs. EURIBOR」형식이었으므로, 지난 편의 예시적 구조에 기초해 CCS란 상품의 디테일을 조금만 더 살펴보도록 하자. 먼저, EUR/USD CCS의 '가격'이 '-10bps' 수준에서 쿼트(quote)되고 있다고 한다면 이건 어떤 의미로 받아 들여야 할까??? 초보자들을 위해 답을 바로 알려주자면, '-10bps(= -0.1%)'라는 호가는 EURIBOR에 더하는 가산금리로 이해하면 된다. 즉, 이는 통화스왑 거래를 통해 '3개월 USD LIBOR'와 '3개월 EURIBOR - 10bps'를 서로 맞교환할 수 있다는 뜻이다. *'-10bps'를 LIBOR에 더하는 건지, 아님 EURIBOR에 더하는 건지, 혹은 빼는 건지 하는 룰은 그냥 시장에서 정한 대로 따르는 거니깐 이런 건 그냥 닥치고 외워버리자. ㅎㅎㅎ*

거래 만기까지 양자 간 현금(이자) 흐름의 예:

미국은행 Pay '3개월 EURIBOR 금리 - **10bps**' to 유럽은행

유럽은행 Pay '3개월 USD LIBOR 금리' to 미국은행

위의 예시에서처럼 EUR/USD CCS가 현재 -10bps에 거래되고 있다고 가정해 보자. 지난 10편의 경우(= LIBOR와 EURIBOR를 그대로 교환하는 경우)와 비교해서 미국은행에게 손해일까, 이익일까? 흠... 어디 보자, 지난 편에서 미국은행은 달러를 빌려주고 유로를 빌려왔으므로 달러 LIBOR 이자를 수취하고, EURIBOR 이자를 지급했었다. 근데 이제는 달러 LIBOR 이자를 수취하는 건 변함없지만 빌려온 유로에 대해서 지급해야 할 이자 금액이 줄어들었다! 따라서 (곧) '달러를 빌려줄' 상황에 있는 미국은행에게 시장이 유리한 방향으로 움직인 거라 할 수 있겠다!

그런데 여기서 잠깐,,, 이 '-10bps'를 시장에서는 뭐라고 부르는지 아나? 아마 세상을 살면서 '이놈의 세상은 왜 이리 복잡한 겨~'라는 생각에 치를 떨어 본 경험들 다들 있을 거다... *아님 말고....* 이번에도 복잡하게시리 정답이 한 개가 아니라 여러 개다... ㅎㅎㅎ ㅎㅎㅎ *이런 거 궁금해도 자세히 알려주는 사람은 아무리 찾아봐도 없을 거다... 세상은 초보자에게 절대 친절하지 않기 때문이다... 그래서 친절한 필자가 이번 기회에 완벽 정리해 주려 한다... (책값 뽑게 해주겠다!...) ㅎㅎㅎ* 여러 정답들 중에는 정말 요상하게도 '베이시스 스왑(Basis Swap)'을 거꾸로 한 '스왑 베이시스(Swap Basis)'란 표현도 포함된다... ㅋㅋㅋ ㅋㅋㅋ 암튼 이를 포함해 아래에 나열하는 표현들 다 세계적으로 많이 쓰이는 표현들이다:

EUR/USD Cross Currency Basis
EUR/USD Cross Currency Swap Basis
EUR/USD Cross Currency Basis Swap Spread
EUR/USD Basis
EUR/USD Swap Basis
EUR/USD Basis Swap Spread

휴우... 많기도 하다, 많기도 해... 물론 가장 정확한 표현은 변동금리끼리 교환하는 'EUR/USD 베이시스 스왑'의 한쪽 다리(leg) 금리에 더하는 '스프레드'라는 의미에서 'EUR/USD (Cross Currency) Basis Swap Spread'란 놈 되시겠다. 뭐, 암튼 'EUR/USD 베이시스 스왑 스프레드', 'EUR/USD 베이시스', 혹은 'EUR/USD 스왑 베이시스' 등등으로 널리 불리는 요놈(?)은 2008년 금융위기 전까지는 거의 제로(0)에 수렴하다시피 했었다. 그런데 금융위기 이후엔 상황이 완전 달라져 버린다. 바로 아래처럼 말이다:

〈Figure 1: EUR/USD 스왑 베이시스 추이〉

EUR/USD basis (3-month, 1-year & 5-year)

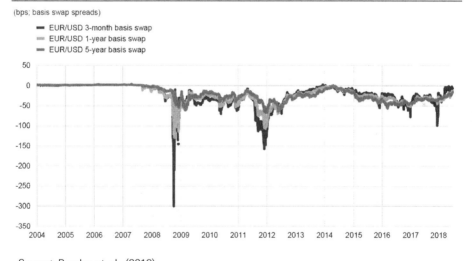

Source: Brophy et al. (2019)

오랜 기간 0이나 다를 바 없었던 EUR/USD 스왑 베이시스는 위의 Figure 1이 나타내는 바와 같이 금융위기 당시 마이너스 방향으로 급격하게 꺾여버린다. 예를 들어 1년 EUR/USD 스왑 베이시스가 -100bps(= -1%)로 급락하게 되면 달러를 1년

간 빌려주고 유로를 받아오는 기관 입장에서는 수취하는 달러 이자는 예전과 같이 LIBOR 금리 그대로지만, 빌린 유로에 대해서는 벤치마크 금리인 EURIBOR보다도 무려 1%나 낮은 금리를 주면 되는 매우 '짭짤한' 상황이 도래해버리는 것이다!

Figure 1을 자세히 보면 이런 시장의 왜곡 현상은 특히나 2008년도 금융위기와 2011년도 유럽 재정 위기 당시 더욱더 두드러지게 나타났던 걸 알 수 있다. 그럼 'EUR/USD 베이시스'가 평상시의 0에서 벗어나 저렇게나 크게 흔들린 이유는 뭘까?

정말 무수히 많은 이유들을 가져다 붙일 수 있겠지만, 크게는 해당 통화를 쓰는 국가 및 금융기관들의 전반적 신용위험(credit risk), 통화 간의 상대적 유동성(liquidity), 그리고 기타 단기적 수급 요인들에 영향을 받아서라고 생각해 볼 수 있겠다. 한 예로, ECB 발간 리서치 페이퍼인 Brophy et al. (2019)은 금융위기 당시의 EUR/USD 베이시스 확대의 이유가 글로벌 은행들의 신용위험이 급상승하면서 무담보로 달러를 빌려주는 은행 간 대출 시장 규모가 현저히 축소되었고, 이로 인해 달러가 기반이 아닌 유럽 은행들이 달러를 FX와 CCS 시장을 통해 조달하려는 수요가 늘었기 때문이라 설명한다.

물론 금융위기 당시에는 미국 은행들의 신용위험이 유럽 은행들의 그것보다 훨씬 많이 부각됐던 게 사실이다. 따라서 신용위험만 따진다면 베이시스는 사실 양의 방향으로 확대됐어야 하는 게 어찌 보면 더 타당해 보이기도 한다. 하지만 Figure 1에서 보듯 반대로 음의 방향으로 확대되었다. 이에 관해 Heidorn and Mamadalizoda (2019)는 당시 전 세계적인 위기 상황에서 은행들이 달러를 빌려주기보다는 보유하려 했다고 설명하면서(= *The Dollar is King! 이럴 땐 달러가 왕인 겨~*) 신용위험의 차이보다는 달러의 유동성(liquidity) 이슈가 훨씬 더 컸었다는 점을 강조한다. 물론 추후 2011~12년 유럽 재정위기 때의 베이시스의 흔들림은 유로존 은행들의 신용위험의 상승이 주된 이유였고... 이러한 국가 및 금융기관 신용위험의 전반적 상승과 스왑 베이시스의 (음의 방향으로의) 확대와의 상관관계는 다음의 그래프를 통해 잘 드러난다:

〈Figure 2: EUR/USD 스왑 베이시스 vs. 이탈리아 CDS 프리미엄 추이〉

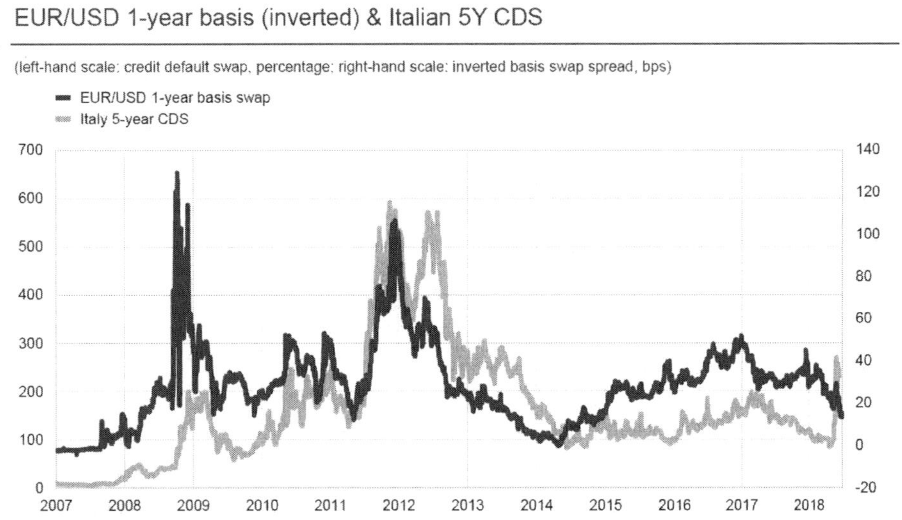
EUR/USD 1-year basis (inverted) & Italian 5Y CDS
(left-hand scale: credit default swap, percentage; right-hand scale: inverted basis swap spread, bps)
EUR/USD 1-year basis swap
Italy 5-year CDS
700
600
500
400
300
200
100
0
140
120
100
80
60
40
20
0
-20
2007
2008
2009
2010
2011
2012
2013
2014
2015
2016
2017
2018

Source: Ibid.; EUR/USD 스왑 베이시스는 (-1)을 곱해서 거꾸로 나타낸 값 (우축).

또한 위에서 2014년 이후에도 관측되는 EUR/USD 스왑 베이시스의 (음의 방향으로의) 확대 현상은 많은 연구 논문들이 유로존의 마이너스 금리 도입 및 '자산매입 프로그램(Asset Purchase Programme; APP)' 등으로 이어지는 매우 완화적인 통화정책에서 기인한 것으로 분석한다. 같은 시기 미국 연준은 테이퍼링(Tapering)을 시작하고 또한 기준 금리를 2015년부터 인상하는 등 양 지역 간의 통화정책의 차이가 점점 더 많이 벌어졌기 때문이다. 긴축에 돌입한 미국과는 대조적으로 완화적 통화 정책을 구사한 ECB로 인해 넘치는 유로와 달리 달러의 상대적 유동성이 떨어질 수밖에 없었다는 설명이다.

이렇듯 한 국가의 신용위험 및 통화의 상대적 유동성을 나타내는 중요한 지표가 바로 'Cross Currency (Swap) Basis'라 할 수 있겠다. 물론 이 스왑 베이시스는 자산스왑(asset swap)이나 부채스왑(liability swap)에 대한 수요 증가 같은 단기적 수급 요인에 민감하게 영향을 받기도 한다. 다음 편들에서 이런 부분들을 원·달러 통화스왑 시장을 통해서 조금 더 자세히 살펴 볼 예정이다.

끝내기 전에 마지막으로,,, 유로존을 포함한 선진 시장들에서 달러 통화스왑에 연계된 변동금리들은 각 통화별 대표 '익일물' 금리들로 2022년 초에 들어서 완전히 전환되었음을 알린다. 따라서 오늘날에는 'EUR/USD 베이시스'를 아래와 같은 컨텍스트에서 이해해야 한다:

$$USD\ SOFR \Leftrightarrow \text{€}STR + \alpha$$

※ 참고: '€STR'는 'ESTR'라고도 쓰며, '에스터'라고 읽는다. 유로존의 익일물(overnight) 벤치마크 금리이지만 SOFR와는 다르게 '무담보부(unsecured)' 금리이다.

EUR/USD 통화스왑 시장은 금리 인덱스들만 바뀌고 다행히도 큰 틀에서 보면 구조적으로 달라진 건 많이 없다. 각 다리의 이자 지급 주기 또한 3개월 그대로다. SOFR와 €STR에 연계된 변동금리 산정은 현재 3개월마다 '(daily) compounded in arrears' 방식으로 되는 것이 시장 스탠더드라 할 수 있다. 따라서 'EUR/USD 베이시스'는 이제 '€STR(compounded in arrears)'에 더해주는 'α' 값으로 이해하면 되겠다.

※ 참고 2: 모르는 사람들은 착각할 수도 있기에 노파심에 덧붙이자면, 'EURIBOR'는 이제는 사라져버린 'EUR LIBOR'와는 다른 금리 인덱스이다. EURIBOR 금리는 2024년 3월 말 현재에도 죽지 않고(?) ~~팔팔건재~~하며, 유로화 대출 및 IRS 시장에서 여전히 널리 사용되는

중에 있다. 참말로 초보자들 입장에선 쓸데없이 헷갈리는 국제 금융판이 아닐 수 없다...
(-_-;)

References

Baran, Jaroslav, and Jiří Witzany. 2017. "Analysing Cross-Currency Basis Spreads." European Stability Mechanism - Working Paper Series No. 25.

Barnes, Chris. 2021. "Mechanics and Definitions of RFR Cross Currency Swaps." Clarus Financial Technology. 6 October.

Barnes, Chris. 2022. "What is now Trading in RFR Cross Currency Swaps?" Clarus Financial Technology. 2 February.

Brophy, Thomas, Niko Herrala, Raquel Jurado, Irene Katsalirou, Léa Le Quéau, Christian Lizarazo, and Seamus O'Donnell. 2019. "Role of Cross Currency Swap Markets in Funding and Investment Decisions." ECB Occasional Paper No. 228.

Heidorn, Thomas, and Nekruz Mamadalizoda. 2019. "Investigating the cross currency basis in EURUSD and EURGBP." Frankfurt School - Working Paper Series No. 227. Frankfurt School of Finance and Management.

통화스왑(CCS)

제12편 원·달러 스왑 베이시스

지난 편들에서 필자는 통화스왑(Cross Currency Swap; CRS; CCS) 중 국제 파생 상품 시장에서 가장 유동성 있게 거래되는 유로·달러 베이시스 스왑(EUR/USD Basis Swap)을 예로 들어 그 메커니즘을 간단히 설명하였다; 엑기스만 다시 정리 해주자면, 유로·달러 CCS는 일반적으로 EUR 변동금리에 더하는 '가산금리' 형식 으로 쿼트(quote)되는데, 이 가산금리는 [EUR/USD] '베이시스 스왑 스프레드 (Basis Swap Spread)', '크로스 커런시 베이시스(Cross Currency Basis)', 혹은 그냥 '스왑 베이시스(Swap Basis)' 등의 여러 다양한 이름으로 불리며, 두 통화 간 의 상대적 유동성(liquidity) 및 신용위험(credit risk) 변화 등에 민감하게 영향을 받는 모습을 보여온 바 있다. 이번 편에서는 유로·달러가 아니라 우리에게 친숙한 '원·달러' 시장의 거래 컨벤션과 원·달러 스왑 베이시스 산출 방식 및 과거 위기 기간 동안의 추이 등을 함께 살펴보려 한다.

유로·달러 및 타 선진국 시장들과는 다르게 원·달러 통화스왑은 '6개월 만기 LIBOR 금리'와 '원화 고정금리'를 서로 맞교환하는 형식의 거래가 오랜 기간 마켓 스탠더드였다. *물론 2022년에 들어 SOFR 인덱스 연계 형식으로의 본격적인 전환이 이루 어졌음을 알린다. 이와 관련해서는 본 편의 뒷부분에서 좀 더 자세히 다루겠다...* 다만 여느 통화스왑과 마찬가지로 거래 초기와 만기에 '동일한 환율'로 원금의 교환이 발생하고 중간에 서로 빌린 원금에 대한 이자를 지급하는 점은 다를 바 없었다. 이해를 돕기 위해 [LIBOR에 기반한] 1년 만기 원·달러 CCS의 거래 구조를 예시적으로 다음과 같은 현금 흐름들의 조합으로 나타내 볼 수 있겠다:

거래 초기 양자 간 현금(원금) 흐름:

국내은행 Pay KRW 1,200,000,000 to 미국은행

미국은행 Pay USD 1,000,000 to 국내은행

(USD/KRW 교환 환율 @ 1,200.00)

거래 만기까지 양자 간 현금(이자) 흐름:

국내은행 Pay '6개월 USD LIBOR 금리' to 미국은행

미국은행 Pay '원화 고정금리(= CRS 금리)' to 국내은행

(거래 6개월 후, 12개월 후 시점)

거래 만기 양자 간 현금(원금) 흐름:

국내은행 Pay USD 1,000,000 to 미국은행

미국은행 Pay KRW 1,200,000,000 to 국내은행

(USD/KRW 교환 환율 @ 1,200.00)

참고로 위의 예에서 적용한 환율 1,200원은 거래 초기와 만기에 동일한 금액들을 교환한다는 것을 나태내기 위해 임의로 가정한 값이다. 양자 간에 특별한 요청이

없다면 CCS 거래에 적용하는 환율은 거래 시점에 시장에서 관찰한 '현물환율(Spot Rate)'로 정하는 것이 일반적이다. 그리고 여기서 원·달러 통화스왑의 '가격'은 바로 이자 교환에 있어 미국은행이 지급해야하는 '원화 고정금리(= CRS 금리)'로 쿼트 되는 것이 마켓 컨벤션이다. 각 만기별로 고시된 CRS 금리가 아래의 테이블과 같다는 추가 가정을 해보자:

<Table 1: 주요 만기별 원·달러 CCS 호가 가정>

1년	3년	5년	10년
0.10%	0.40%	0.80%	1.20%

위의 Table 1에서는 1년 통화스왑 금리가 0.10%, 3년은 0.40%, 5년은 0.80%, 그리고 10년은 1.20%에 쿼트되고 있다는 가정을 하였다. 이는 각 만기의 통화스왑 거래를 체결할 경우 '6개월 LIBOR' 금리와 해당 원화 고정금리를 거래의 만기 시점까지 상호 간에 맞교환할 수 있다는 것을 의미한다.

그런데 말이다... 지난 편에서 소개했던 EUR/USD CCS의 경우엔 「LIBOR vs. EURIBOR + α」의 호가 형식이라 저 'α' 값이 얼마나 음 혹은 양의 방향으로 움직이는지에 따라 유로 혹은 달러의 상대적 유동성 및 신용위험의 변화를 유추해 볼 수 있었으니 뭔가 직관적으로 그 의미를 이해하기가 쉬웠는데, 요 'USD/KRW CCS'의 경우엔 거래 컨벤션이 다른 관계로(= Basis Swap이 아니므로) 그 의미가 바로 안 와닿을 거다...

그럼 유로·달러의 경우처럼 국내 파생상품 시장에서 '원·달러 베이시스'를 인위적으로 추출해 USD LIBOR와 교환 가능한 금리를 「원화 변동금리 + α」 형식으로 나타내 보는 건 가능할까??? 다들 궁금하제? ㅎㅎㅎ 두둥~~~ 눈치 챘겠지만 당연히 가능한 일이다. 국내에 원화 IRS 시장이란 게 존재하니깐 저 원화 고정금리를 「CD 금리 + α」 형식으로 다시 재표현만 하면 되는 거다... IRS에서 고정금리란 CD와 맞바꿀 수 있는 값이니깐 말이다... 초보자라 아직 감이 안 온다꼬? 괜찮다. 아래처럼 필자가 천천히 하나씩 설명해 줄 거니깐.*(넘 친절한 책이다, 진짜... ㅋㅋㅋ)* 그러기 위해서는 원화 금리스왑의 시장 호가들에 대한 가정도 필요하다:

〈Table 2: 주요 만기별 원화 IRS 호가 가정〉

1년	3년	5년	10년
0.85%	1.20%	1.50%	1.80%

위의 호가 테이블이 나타내는 바는 1년 만기 금리스왑 거래를 통해서 고정금리 0.85%를 변동금리인 CD와 맞바꿀 수 있다는 뜻이고, 5년 만기의 경우엔 1.50%와 CD를, 10년 만기의 경우엔 1.80%와 CD를 서로 교환할 수 있다는 뜻 되겠다. 뭐, 크게 어렵지 않다. 여까지는 간단하다. 이제 요거를 CRS 금리에 적용해서 생각해 볼까나?

자, 먼저 1년물부터... 1년 만기 CRS 금리(= 원화 고정금리)가 현재 0.10%라고 했었다. 그리고 IRS 시장을 통하면 원화 고정금리 0.85%를 CD와 맞교환하는 것이 가능한 상황이다. 이것은 다시 말하면 IRS 거래를 통해 '0.10%'를 'CD - 0.75%'와 맞바꿀 수 있다는 얘기이기도 하다. 이해가나? 이는 시장에서 「CD 금리 ⇔ 0.85%」의 교환이 성립한다면 「CD 금리 - 0.75% ⇔ 0.85% - 0.75%」의 교환 또한 성립한다는 뜻인 거다. Simply, 양변에 같은 값을 빼준 것뿐이니깐 말이다.

※ *조금 더 어렵게 말하자면, 변동금리 다리와 고정금리 다리의 현재가치(PV)가 같아야 한다는 스왑가격결정법의 기본 가정에 의거해 생각해 보면, IRS의 양다리에 같은 주기로 똑같은*

상수를 더하거나 빼도 스왑 전체의 NPV에는 영향을 주지 않으므로 이게 성립된다 할 수 있겠다. 이와는 다르게 각 다리에 적용하는 할인율(discount rate)이 다른 CRS의 경우에는 이렇게 단순치 않다... 참고로만 알고 있자.

이는 다시 말하면 1년 만기 원·달러 '스왑 베이시스'가 현재 '-0.75%(= -75bps)' 수준에서 형성되어 있다는 얘기인 거다. 즉, 「USD LIBOR ⇔ KRW CD - 0.75%」가 서로 교환될 수 있음을 의미한다 할 수 있겠다.

3년 만기 예시적 원·달러 스왑 베이시스도 함 계산해 볼까? Table 2에 따르면 3년물 IRS는 「CD 금리 ⇔ 1.20%」의 교환을 가능케 하고, Table 1에 따르면 3년물 CRS의 고정금리가 0.40%이므로, 이는 결국 「CD 금리 - 0.80% ⇔ 0.40%」의 맞교환, 그리고 「USD LIBOR ⇔ KRW CD - 0.80%」의 맞교환이 가능한 상황임을 의미한다. 이와 동일한 로직(logic)으로 5년, 10년 만기 스왑 베이시스까지 계산해 정리하면 다음과 같다:

각 만기별 스왑 베이시스 계산 값:

1년 만기: -0.75%

3년 만기: -0.80%

5년 만기: -0.70%

10년 만기: -0.60%

다소 복잡하게 보였을지 모르지만, 사실 위의 계산 과정을 곰곰이 들여다보면 아래와 같이 정말 단순무식한 '빼기(-)' 수식으로만 베이시스 값들이 계산됐음을 알 수 있을 거다. ㅋㅋㅋ ㅋㅋㅋ 사실 원·달러 스왑 베이시스를 추출하는 공식은 다음과

같이 매우 심플한 것이다:

$$원\cdot달러\ 스왑\ 베이시스 = CRS\ 금리 - IRS\ 금리$$

ㅎㅎㅎㅎ ㅎㅎㅎㅎ 그렇다,,, 그냥 CRS 금리에서 IRS 금리를 빼면 원·달러 스왑 베이시스가 바로 계산되어 나온다. 누구나 연필을 들고 직접 한번 검산해보면 바로 알 수 있을 거다. 만기별로 조금씩 다르긴 하지만, 위의 계산들에 의거하면 현재 시장의 원·달러 스왑 베이시스가 대략 -60bps에서 -80bps 정도에서 형성되어 있고, 이는 달러에 비해 원화가 좀 많이 '디스카운트' 되어있는 상황을 가리키고 있다 할 수 있겠다. *요런 걸 일종의 '코리아 디스카운트'라 할 수 있지 않을까? (실제로도 파생시장에서 '코리아 디스카운트'는 존재하며 위기 때마다 그 강도가 더욱 심화되곤 한다...)*

※ 여기서 주의!: 사실 이런 단순 더하기·빼기만으로는 변동금리 인덱스 만기의 차이(→ CRS에 연동된 LIBOR 금리는 6개월물인데 반해 IRS에 연동된 CD 금리는 3개월물이다), 그리고 고정금리 지급 주기에 있어서의 미스매치(→ CRS는 지급 주기가 6개월, 원화 IRS는 3개월이기 때문에 같은 고정금리라 해도 현금 흐름의 PV가 서로 다르다) 같은 이슈들을 정확히 감안할 수 없다. 정말 정확히 미스매치 없는 [EUR/USD의 경우와 유사한 성격의] '베이시스'를 계산하려면 '3m LIBOR vs. 6m LIBOR' 베이시스 스왑을 통해 6m LIBOR를 '3m LIBOR ± α'로 변환시키고, 또한 CRS와 IRS의 지급 주기 차이에 따른 원화 금리 다리(leg)의 PV의 차이도 계산에 반영하는 등 추가적인 작업이 필요할 것이나, 매우 번거로운 과정이기에 국내 시장에서는 그냥 이렇게 단순한 '빼기' 공식으로만 [미스매치 문제가 존재하는] 원·달러 스왑 베이시스를 예시적으로 산출하고 있다는 점을 알려둔다. 휴우... 변명(?)이 길었다...

그럼 요 '원·달러 스왑 베이시스'란 놈(?)은 지난 '20년 코로나 사태 때와 같은 위

기 상황에서 어떤 움직임을 보였을까? 궁금하니 언론에서 가장 많이 언급되는 1년
물 그래프를 어디 함 같이 들여다보자:

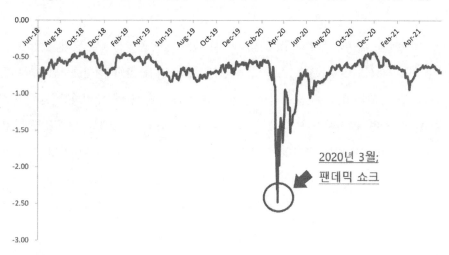

〈Figure 1: 1년 만기 원·달러 스왑 베이시스: 2018년 6월 ~ 2021년 5월〉

Data Source: 한국자금중개; Mid 가격 기준. 스왑 베이시스 = CRS − IRS.

뭐, 역시나 코리아 디스카운트(?)는 위 그래프의 기간 내내 꾸준해 보인다; 스왑 베
이시스가 대부분의 경우 -0.4%에서 -0.9% 수준에서 움직여왔음을 볼 수 있다. 물
론 예외는 한국 금융 시장이 코로나 팬데믹 사태로 인해 패닉 상황에 빠졌던 지난
2020년 3월경이다. 당시엔 무려 -2.5% 수준까지 베이시스가 폭락했다가 한미 통
화스왑(Again, 정확한 명칭은 '중앙은행 유동성스왑'이다)이 체결되며 다시 안정화되었
다. Figure 1이 당시의 패닉 상황을 수직 하강하는 형태의 실감 나는 모습으로 보
여준다 할 수 있겠다.

근데 사실 코로나 사태 때의 저 -2.5%는 아무것도 아니다. '08년 금융 위기 당시
에 비하면야... 양반이다, 양반! 그때는 어땠냐고? 보너스로 아래에 당시의 그래프

를 보여주련다:

<Figure 2: 1년 만기 원·달러 스왑 베이시스: 2006년 ~ 2014년>

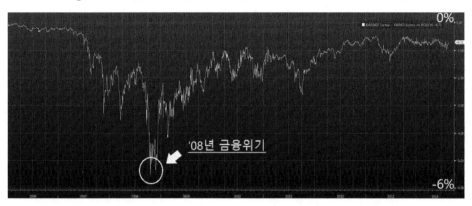

Source: Bloomberg. Mid 가격 기준. 스왑 베이시스 = CRS - IRS.

ㅎㄷㄷ... ㅎㄷㄷ... 그야말로 후덜덜한 그래프이다... 금융위기의 절정에는 1년 스왑 베이시스가 무려 -6% 수준까지 떨어졌었다! 그 뒤로 '11년 유럽 재정 위기가 한창일 때도 다시 휘청인 걸 볼 수 있지만 저 '08년도와의 그것과는 비교조차 안 될 정도다... 정말 당시엔 한국이 다시 IMF 체제로 들어가는 건 아닌가 하는 생각이 들 정도로 한국 금융 시장이 절벽 끝까지 떠밀리던 상황으로 갔던 것 같다... 비록 그해 10월 말 한미 중앙은행 간 '달러 유동성스왑'의 체결로 시장이 급격히 안정을 되찾기 시작했지만 말이다... 휴우... 그래프를 보기만 해도 살벌해진다...*(생각해 보면 이런 경험의 유무가 기성세대와 젊은 세대 간 'risk appetite'의 차이를 만든 걸 수도 있겠다...)*

이번 편 마치기 전에 2022년도 이후 발생한 원·달러 통화스왑 시장의 거래 컨벤션 전환에 관해 짚어주자면, EUR/USD CCS의 경우와 마찬가지로 오늘날엔 USD/KRW CCS의 달러물 '변동금리'로 LIBOR가 아닌 'SOFR'가 사용되고 있다.

그리고 각 다리의 이자 지급 주기 또한 EUR/USD의 경우와 같이 3개월로 서로 동일하지만, 원화 다리 쪽은 여전히 변동금리가 아니라 예전의 '고정금리' 형식 그대로 거래되고 있다. 즉, 오늘날의 이자 교환 스탠더드는 다음과 같은 것이다:

$$\text{USD SOFR} \Leftrightarrow \text{원화 고정금리}$$

참고로 SOFR 다리의 변동금리 산출은 3개월마다 '(daily) compounded in arrears' 방식으로 이루어짐은 물론이다. 따라서 오늘날의 원·달러 스왑 베이시스는 다음 관계에서의 'α'로 해석되어야 할 것이다:

$$\text{USD SOFR} \Leftrightarrow \text{원화 CD} + \alpha$$

흠... 어디보자... 과거의 '3개월 vs. 6개월' 미스매치는 이제 없어졌는데, 'SOFR vs. CD'라... 뭔가 새로운 (더 심각한) 미스매치가 생겨브렸다... SOFR는 익일물 국채 담보부 금리인 반면 CD는 시중은행의 무담보부 차입 금리, 그것도 기간물 아니던가... 서로 직접 비교할 수 없는 걸 비교하는 격이 돼버렸다. 따라서 오늘날의 경우 계산되는 스왑 베이시스(= 'α')는 [예전과는 반대로] 자연스레 마이너스(-) 방향의 편향(bias)을 가진다고 볼 수 있다. SOFR는 LIBOR처럼 크레딧 리스크나 기간 프리미엄을 내포하고 있지 않기에 상대적으로 더 '낮은' 금리이기 때문이다. 이는 서로 간의 비교 대상이 '익일물'로 유사한 유로·달러 베이시스의 경우와 대조되는 부분이다.

아나나 다를까... 지난 2023년 6월 말 USD LIBOR의 정상적인 고시 종료의 직전과 직후에 일부 언론에서 보도한 '원·달러 스왑 베이시스' 값(1년물 기준)들은 무려 30bps 이상의 차이를 보였다. 이는 단 1 영업일 간의 시장 움직임 때문이라기보다는, LIBOR의 고시 종료로 인해 산출에 사용하는 기반 인덱스를 SOFR로 전환하였기 때문으로 분석된다. 아마도 잘 모르는 이들이 보면 스왑 베이시스가 갑자기 아무런 이유 없이 폭락한 걸로 느꼈을 수도 있겠다. *Again. 초보자들에겐 참말로 헷갈리는 세상이다...*

마지막으로, 향후 원화 IRS의 변동금리가 달러의 경우처럼 익일물 무위험 지표금리인 'KOFR'로 완전히 대체될 경우엔 원·달러 스왑 베이시스의 의미 또한 「SOFR vs. KOFR + α」에서의 'α'로 바뀔 것이고, 이 경우 'α' 값이 자연스레 다시 상승할 거라 예상해 볼 수 있다.

통화스왑(CCS)

제13편 자산스왑과 부채스왑

이번 편에서는 통화스왑과 관련된 자산스왑(Asset Swap; 에셋스왑)과 부채스왑 (Liability Swap)에 관해 다뤄보려 한다. 지난 4편에서 언급했듯이, 자산스왑과 부채스왑은 금리스왑(IRS)의 경우에도 쓰는 용어이기도 하고, 또한 통화스왑과 비슷한 성격의 상품인 외환스왑(FX Swap)의 경우에도 마찬가지로 쓰일 수 있다. 다만 이번 편에서는 통화스왑에 관련된 거래들로 한정해서 설명하도록 하겠다.

통화스왑에 있어 '자산스왑' 혹은 '에셋스왑'이란, 일반적으로 보험사나 연기금 같은 기관투자자들이 외화 채권에 투자할 때 외화 현금 흐름을 원화로 변경하기 위해 체결하는 거래를 의미한다. 이해를 돕기 위해 다음과 같은 예를 들어볼까? 우리나라 보험사가 미국 ABC社가 발행하는 채권에 투자한다고 가정해 보자. 미국 회사가 발행한 것이므로 당연히 '달러' 표시 채권 되겠다. 국내 보험사는 요 달러 채권에 투자하면서 향후 환율의 변동에 노출됨을 회피하기 위해 채권의 매입과 동시에 다음과 같은 통화스왑 거래를 체결한다:

〈Figure 1: 자산스왑의 예〉

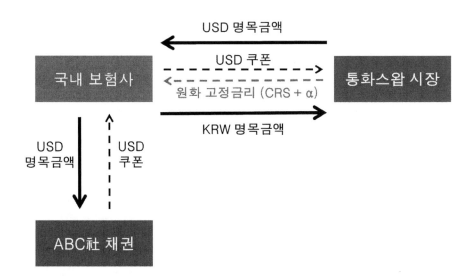

위의 Figure 1이 나타내는 외화채권 매수 및 통화스왑 거래의 예시적 흐름은 다음과 같이 정리할 수 있다:

① 국내 보험사가 원화 원금을 통화스왑을 통해 달러로 교환한다.(= Pay KRW Notional & Receive USD Notional)

② 교환한 달러 금액으로 미국 ABC社 발행 달러 채권을 매입한다.(심플함을 위해 'Par' 가격을 가정하자)

③ 향후 쿠폰 지급일이 도래하면 보험사는 채권 쿠폰을 수취함과 동시에 이를 그대로 통화스왑 거래상대방에게 넘겨준다.

④ 채권 쿠폰(USD)을 넘겨주는 대가로 보험사는 원화 고정금리(= CRS 금리 + α)를 통화스왑 거래상대방으로부터 수취하게 된다.

⑤ 채권 만기일(= 통화스왑 만기일)이 도래하면, 보험사는 상환 받은 USD 채권 원금을

통화스왑 거래상대방에게 그대로 넘겨주고 대신에 원화 명목금액을 통화스왑 거래상대방으로부터 받아오며 거래가 종료된다.

여기서 중요한 포인트는 위의 거래들을 통해 국내 보험사가 채권의 달러 현금 흐름을 원화로 완전히 전환시켰다는 점이다! 이는 다시 말하면 비록 달러 자산에 투자했지만, 환(FX)위험이 모두 헤지(hedge)가 됐기 때문에 보험사의 입장에서는 '마치 원화 자산에 투자한 것과 같은 효과'를 누리게 된다 할 수 있다.

Figure 1의 현금 흐름들을 조금 더 꼼꼼히 살펴보면, USD 명목금액과 USD 쿠폰금액들은 보험사 입장에서는 그냥 들어왔다 그대로 다시 나가버리고 사실상 보험사에게 의미 있는 현금 흐름은 '원화 명목금액'과 '원화 고정금리'뿐임을 깨달을 수 있을 거다. 결국, '외화 채권 매입 + 통화스왑' 컴비네이션을 통해 보험사는 사실상 원화 자금으로 'CRS + α' 수준의 원화 쿠폰을 제공하는 국내 채권에 투자한 것과 동일한 경제성을 가지게 되는 거다. 이처럼 통화스왑은 국내 기관이 해외 자산에 투자할 때 사용하는 꽤 유용한 '환헤지' 도구라 할 수 있다.

그런데 시장에서 이런 자산스왑에 대한 수요가 많아지면 무슨 일이 발생할까? Figure 1을 다시 봐보면 자산스왑은 초기에 원화를 주고 달러 자금을 빌려오는 거래라 할 수 있다.*(그런데 만기에 다시 달러를 돌려주므로 'USD Buy & Sell 거래'로 간주할 수 있다.)* 따라서 중간의 이자 현금 흐름은 '원화 고정금리 수취' 방향이다. 만약 시장에 이처럼 원화 고정금리(= CRS + α)를 수취하려는 수요가 많아지면 어떻게 될까? 당연히 CRS 금리는 떨어지게 된다. 주려는 수요보다 받으려는 수요가 많으므로 좀 적게 줘도 되는 상황인 거다. 그래서 시장에 보험사나 연기금 등의 자산스왑 수요가 많아지면 통화스왑 금리, 즉 CRS 금리가 상대적으로 떨어지게 된다. *어떤가? 별로 어렵지 않제???*

그럼 이 같은 자산스왑을 통하면 외화 자산에 투자해도 원화 자산에 투자하는 것과 '완벽히' 똑같은 리스크를 지게 되는 걸까? Well,,, 엄밀히 말하면 아니다. 만약 보험사가 해당 채권을 예상대로 만기 보유하게 된다면야 당연히 원화 자산에 투자하는 것과 똑같은 경제성을 지니겠지만, 만약 중간에 투자 자산 부실화 등의 사유로 인해 매각해야 하는 상황이 발생한다면??? 그러면 당연히 걸어 두었던 자산스왑도 같이 언와인드(unwind; 청산)해야 하는 상황에 놓일 거다. 보험사는 자산스왑 청산 시점의 CRS 금리 수준과 환율에 따라 이익을 볼 수도, 혹은 손해를 볼 수도 있다. 위의 예를 보면 자산스왑은 국내 기관 입장에서 'USD Buy & Sell' 방향이므로 금융 위기가 와서 환율이 혹여나 달러당 2,000원으로 뛰거나 할 경우 CRS 포지션의 조기 청산은 이미 자산의 부실화로 입은 손해에 더해 보험사에게 막대한 추가 손실을 초래할 수 있는 것이다. ㅎㄷㄷ... ㅎㄷㄷ...

※ *기체결된 CRS의 MtM(막투마켓; 막투막)에 영향을 끼치는 주요 요인 중 하나는 시장 환율이다. 자산스왑의 경우엔 만기의 원금 교환 부분을 보험사의 '달러 매도(sell) 약정'으로 해석 가능하므로, 시간이 가며 원·달러 환율이 상승하면 할수록 CRS 포지션의 MtM은 보험사에게 마이너스로 갈 수밖에 없다. 이는 달러 매도 환율을 이미 고정시켜 놓았기에, 시장 환율이 높아지면 질수록 시장보다 너무 낮은 가격에 달러를 팔아버린 불리한 형국으로 치닫기 때문이다.*

자~ 자산스왑이 어느 정도 이해됐다면 부채스왑(Liability Swap)은 이제 껌(?)이다. ㅎㅎㅎ 왜냐면 자산스왑 경우의 CRS 거래 방향을 '거꾸로' 뒤집기만 하면 되기 때문이다. ㅎㅎㅎ 근데 어떤 경우에 부채스왑을 하냐고? '부채스왑'이란 이름이 벌써 설명하고 있지만, 국내 기업이 해외에 나가 외화로 채권을 발행할 때 발생하는 '부채(liability)'의 현금 흐름을 통화스왑을 통해 다시 원화로 변경하는 경우를 떠올리면 된다. 즉, 외화 부채의 현금 흐름을 환헤지하는 목적의 CRS 거래가 바로 부채스왑인 것이다:

<Figure 2: 부채스왑의 예>

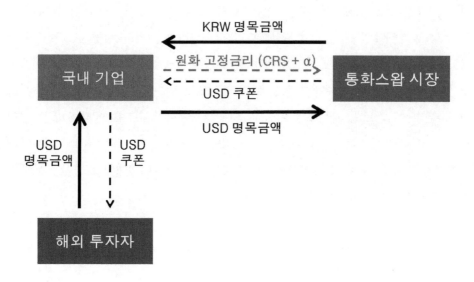

위의 Figure 2가 나타내는 국내 기업의 외화 채권 발행 및 통화스왑 거래의 예시적 흐름은 다음과 같이 정리할 수 있다:

① 국내 기업이 외화 채권 발행을 통해 해외 투자자로부터 달러 자금을 조달한다.
② 조달한 달러 자금을 통화스왑 거래상대방에게 건네주고 대신 원화 자금을 받아온다.(= Pay USD Notional & Receive KRW Notional)
③ 발행한 채권의 쿠폰 지급일이 도래하면 국내 기업은 통화스왑 거래상대방으로부터 채권 쿠폰 금액(USD) 만큼을 수취하여 이를 그대로 채권 투자자들에게 지급한다.
④ 채권 쿠폰(USD)을 수취한 대가로 국내 기업은 통화스왑 거래상대방에게 원화 고정금리(= CRS 금리 + α)를 지급하게 된다.
⑤ 채권 만기일(= 통화스왑 만기일)이 도래하면 국내 기업은 USD 원금을 통화스왑 거

래상대방으로부터 돌려받아 채권 투자자들에게 넘겨주고, 거래 초기에 받았던 원화 명목금액을 통화스왑 거래상대방에게 돌려주며 거래가 종료된다.

부채스왑 현금 흐름들의 유출입을 자세히 살펴보면 사실 USD 명목금액과 USD 쿠폰 금액들은 기업 입장에서는 그냥 들어왔다 다시 그대로 나가버리고, 의미 있는 현금 흐름은 단지 '원화 명목금액', 그리고 '원화 고정금리'뿐임을 이번에도 깨달을 수 있을 거다. 결국, '외화 채권 발행 + 통화스왑' 컴비네이션을 통해 국내 기업은 그냥 원화를 빌리고 'CRS + α' 수준의 금리를 지급하는 거래를 한 것과 크게 다를 바 없게 된다; 달러를 빌려왔는데, 부채스왑을 통해 '마치 원화를 빌린 것처럼' 합성된(synthetic) 원화 차입 포지션을 만들어 버렸다 할 수 있다. 어떤가, CRS가 마치 마법사같이 느껴지지 않는가? 이처럼 CRS는 환헤지 수요를 가진 모두에게 매우 유용한 도구라 할 수 있다.

부채스왑은 자산스왑과 반대로 '원화 고정금리 지급' 방향이므로 부채스왑에 대한 수요가 높아지면 CRS 금리는 상승하게 된다.*(CRS 금리를 받으려는 수요보다 주려는 수요가 시장에 많아지므로...)* 또한 부채스왑은 원금의 교환이 'USD Sell & Buy' 방향이므로 향후 만약 환율이 상승하게 되면(= 원화 약세가 되면) 기체결된 CRS 포지션의 MtM 또한 상승하게 될 가능성이 농후하다. *초보자들은 이런 것들이 많이 헷갈릴 거다. 헷갈릴 때마다 무조건 '자산스왑의 반대 방향'으로 현금 흐름도를 그리고 나서 찬찬히 생각해 보자.*

자~ 이번 편에서 가르쳐준 내용 중 머릿속에 항상 넣어 두고 있으면 유용한 포인트들을 정리하자면 다음과 같다:*(필자 책 너무 친절하다! ㅎㅎㅎ)*

자산스왑: CRS 금리 수취(receive) 포지션

부채스왑: CRS 금리 지급(pay) 포지션

자산스왑 수요 ↑ ⇒ CRS 금리 ↓
부채스왑 수요 ↑ ⇒ CRS 금리 ↑

원·달러 환율 ↑ ⇒ [기체결된] 자산스왑 MtM ↓ & 부채스왑 MtM ↑
원·달러 환율 ↓ ⇒ [기체결된] 자산스왑 MtM ↑ & 부채스왑 MtM ↓

어떤가? 정리 안 되던 머릿속이 요거 보니 쫌 정리가 되는 것 같지 않나? ㅎㅎㅎ *아니라꼬? 더 헷갈린다꼬? ㅎㅎㅎ* 암튼 CRS란 참 편리한 놈(?)이고, 이놈을 통해 해외 자산을 매입하든, 아님 해외에 나가 외화를 차입해오든, 이를 합성된(synthetic) 원화 포지션으로 전환시킬 수 있다는 게 참 편리하게 느껴지지 않나? 자산스왑, 부채스왑, 뭐 별거 없다. 위의 내용만 알아두면 이제 각종 금융 전문지들에 등장하는 CRS 관련 기사들의 70% 정도는 이해할 수 있을 거라 본다. Yay! 이번 편까지 읽었으면 이제 초보자에서 금융 전문가로 두·세 걸음 정도는 더 앞으로 나아갔다 할 수 있겠다. *누구 땜시? 필자 땜시... (뭔가 아무도 인정 안 하는데 본인 혼자 인정받으려는 슬픈 느낌인 듯??? ㅎㅎㅎ)*

아래에는 보너스로 위 본문에서 굳이 구차할 것 같아 패스한 곁다리 설명들을 *구질 구질하게* 하려하니 다는 아니더라도 궁금증이 많은 초보자들은 읽고 넘어가는 것도 나쁘지 않을 것 같다. 이번 편은 여기까지다.

곁다리 설명 1: 위의 예에서처럼 'USD 고정금리 ⇔ KRW 고정금리' 형식의 통화스왑 거래를 위해서는 사실상 '3m Libor vs. Fixed Rate' 달러 IRS, '3m Libor vs. 6m Libor' 달러 베이시스 스왑, 그리고 '6m Libor vs. KRW Fixed Rate' CRS, 이렇게

세 가지 유형의 거래들을 조합해야 할 거다. 이는 물론 딜러 은행이 뒷단에서 알아서 할 거고 국내 보험사는 그냥 'USD 고정금리 ⇔ KRW 고정금리' 형식의 거래 하나만 하면 되겠다. *물론 오늘날에는 'SOFR vs. USD Fixed Rate' 거래와 'SOFR vs. KRW Fixed Rate' 거래의 조합을 통해 'USD Fixed Rate vs. KRW Fixed Rate' 포지션을 합성할 수 있겠다.*

곁다리 설명 2: 사실 외화 채권은 꼭 해외에 나가 Global Bond 형식으로 발행해야만 하는 건 아니다. 국내에서 그냥 외화로 발행해도 된다. 참고로 국내에서 발행하는 외화 채권을 업계에서는 '김치본드(Kimchi Bond)'라 부른다... 원래는 '외국 기업'이 국내에서 외화 표시 채권을 발행하는 경우를 김치본드라 칭했는데, 요새는 사실 발행자가 국내 기업이든 외국 기업이든 상관없이 '국내에서 외화로 발행'되면 그냥 싹 다 '김치본드'라 부르고 있다.

곁다리 설명 3: 외국인들이 국내 시장에 들어와 원화 국고채를 매입하기 위해 체결하는 통화스왑을 '부채스왑', '부채스와프'라 부르는 기사들이 간혹 있다. 왜냐면 이런 거래들도 'CRS Pay' 방향이기 때문이다. 하지만 엄밀히 말하면 국고채를 매입하는 외국인의 입장에서는 이게 오히려 '자산스왑'이기 때문에 '부채스왑'이라는 표현은 사실 틀린 표현이라 할 수 있다. 참으로 헷갈리는 세상이 아닐 수 없다...

통화스왑(CCS)

제14편 스왑 베이시스: 이걸로 이해 쌉가능!

"스와프베이시스란 환율변동 위험을 제거하고도 얻을 수 있는 무위험차익을 말한다.
국내외 금융시장이 불안할수록 이 수치는 높아진다. 외국인들의 국고채 투자수익률은
국고채 유통수익률에 스와프베이시스를 더해 얻어진다."

위의 따옴표 안의 문장은 국내 유명 인터넷 사이트에서 검색하면 맨 위에 뜨는 지식백과상의 '스왑 베이시스'(a.k.a. 스와프베이시스)에 대한 정의 되겠다. 근디,,, 정말,,, 세상 야속하게도,,, 이 정의는 사실 필자가 읽어도 뭔 말인지 모를 정도로 난해하게 다가온다... 그런데 하물며 금융에 대해 하나씩 알아가고 있는 금융 '왕'초보자 입장에서 저 3줄 정의를 접한다면??? 아마 "내 머리론 금융을 절대 이해 못함!"이라 외치며 조기 '금포자(= 금융 포기자)'로 전락하든지, 아니면 좀 더 친절한 설명을 찾으러 인터넷 이곳저곳을 하염없이 떠돌아 댕기든지, 그것도 아니면 아주 극히 일부는 "아,,, 쉽네, 쉬워~~ 그니깐 스왑 베이시스란 단순히 '무위험 차익'을 뜻하는 거네! 에헴~"하면서 저 수박 겉핥기식의 설명 그대로 남에게까지 본인의 얕은 지식을 전파하려는 경우도 있을 수 있겠다... *그것이 바로 '마바라'... 콜, 콜럭.* (-_-;)

필자 책으로 금융을 공부하는 [운 좋은] 초보자들은 한·두 줄의 애매모호한 설명만 읽고 뭔가를 잘 안다는 착각에 빠지는 일이 없기를 바라 본다. 좀 귀찮더라도 자세한 디테일까지 꼼꼼히 읽고 본인 것으로 완전히 소화시키지 않으면 잘못 이해하거나 아님 금세 까먹어버리기 일쑤이기 때문이다... 암튼,,, 필자는 개인적으로 요 '스왑 베이시스'란 놈을 초보자가 완벽히 이해하는 데 있어 가장 효율적인(?) 접근 방식이 외국인의 '재정거래(= 무위험 차익거래)'의 예에 대입해 생각해 보는 거라 믿기에 아직도 이 개념이 헷갈릴 독자들을 위해 아래와 같은 새로운 관점에서 다시한번 이를 설명해 보려한다. 아마도 이번 편마저 읽고 나면 스왑 베이시스가 가진 의미를 뼛속까지 문과생들까지 포함해 모두 다 '쌉이해'할 거라 *almost* 확신하는 바이다... *그럼 필자만 믿고 follow me...*

먼저, 양카코쟁이 은행 한 놈이 서울지점을 통해 한국 시장에서 쉽게 돈을 벌어가려한다는 망상가정으로 시작해 보자. 뭐, 코쟁이 (글로벌) 은행이라면 기축통화인 원화달러(USD)를 국제 자금시장에서 매우 손쉽게, 그리고 매우 저렴하게 빌려올 수 있을 거다. 따라서 요 코쟁이 은행 서울지점이 실행하는 첫 거래로 ① 해외로부터 매우 싼값(예: LIBOR 금리)에 달러 자금을 차입하는 시나리오를 상정할 수 있겠다.

자, 다음으로 코쟁이 은행 서울지점이 싼값에 빌려온 달러를 그냥 놀리지 않고 원·달러 통화스왑 시장을 통해 원화로 교환하는 거래를 실행한다고 가정해 보자. 달러 원금(notional; 명목금액) 1백만 달러와 시장 환율 1,300원을 가정한다면, 다음 페이지의 Figure 1이 보여주는 것처럼, 코쟁이 은행 서울지점은 ② 원·달러 통화스왑을 통해 거래상대방에게 1백만 달러를 빌려주고, 대신 13억 원을 빌려오는 거래를 실행할 수 있다; 빌려준 달러에 대한 이자로 LIBOR 금리를 수취하는 대신에, 빌려온 원화에 대한 이자로 CRS 금리(= 원·달러 통화스왑의 고정금리)를 지급하는 조건으로 말이다:

〈Figure 1〉

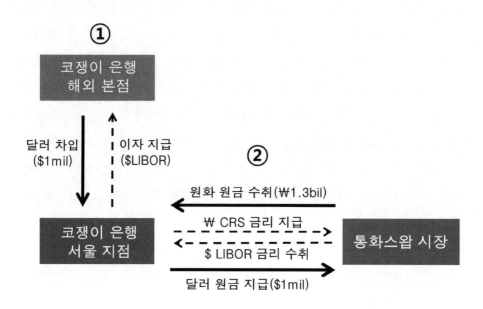

자, 이제 뭘 또 가정할까나??? 이번엔 코쟁이 은행이 통화스왑으로 빌려온 원화 (KRW)를 국내에 투자한다고 상상해 보자. 근데 어디에? 단기 통안채(MSB)/국고채 (KTB) 시장에다가... 통화스왑의 만기가 1년이라면, 이에 맞춰서 ③ 1년 만기 통안 채(혹은 잔존만기 1년인 국고채)에 코쟁이 은행은 이 돈을 투자한다.(= 채권 매입) 그리고 이로부터 수취하는 이자를 간단히 'KTB 금리'라 칭한다면, 「① + ② + ③」의 거래 Flow를 다음 페이지의 Figure 2와 같이 정리해 볼 수 있겠다.

문과생들은 살짝 '어질어질'할 수도 있겠지만, Figure 2의 「① + ② + ③」 거래들 에서 발생하는 현금 흐름들을 'Net Basis'로 분석해 보면, 먼저 달러 원금과 원화 원금들은 들어왔다가(+) 바로 나가버리고(-), 달러 이자(= LIBOR) 또한 받자마자 (+) 다시 해외로 던져주니깐(-) 결국 퉁쳐져서 없어져 버린다.

〈Figure 2〉

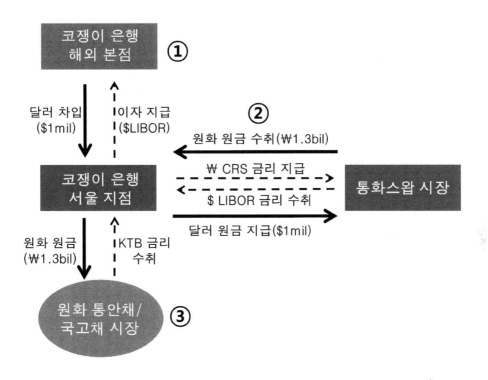

결국,,, 위 거래들에서 퉁쳐지지 않는 현금 흐름들, 즉 코쟁이 은행 입장에서 정작 중요한 「① + ② + ③」 거래들로부터의 경제성(economics)은 다음의 수식 하나로 표현될 수 있다:

KTB 금리 − CRS 금리

그렇다, 코쟁이 은행 입장에서 결국 남는 건 KTB 금리를 수취하고(+), CRS 금리를 지급하는(−) Flow뿐인 것이다. 따라서 위의 거래들을 통해 코쟁이 은행은 한국에서 「KTB 금리 – CRS 금리」만큼을 수익으로 벌어가게 된다. 이를 시장에서는 외국인이 한국 채권 시장에 들어와 챙겨갈 수 있는 '재정거래 수익(or 무위험 차익)'이라고 부른다. 근데, 여까지는 대충~ 알겠는데, 이거랑 '스왑 베이시스'랑 대체 뭔 상관이냐꼬??? ㅎㅎㅎ 스왑 베이시스랑 저거랑의 '연결고리'가 안 보인다꼬라??? *너와 나으 연결고리~ 이건 우리 안으~ ♬♬... 따라 불러... 쿨, 쿨릭.* ㅎㅎㅎ 오케바리, 성격 급한 독자들을 위해 아래에 바로 설명해 주련다.

어디 보자... 원·달러 스왑 베이시스의 정의, 아니 공식이 뭐였더라??? 생각이 날랑 말랑???... 흠... 그냥 「CRS – IRS」 아니었던가... 따라서 재정거래 수익의 수식은 이를 활용해 다시 아래와 같이 재표현이 가능하다:

Since 스왑 베이시스 = CRS – IRS,

재정거래 수익
= KTB 금리 – CRS 금리
= KTB 금리 – [스왑 베이시스 + IRS 금리]
= [KTB 금리 – 스왑 베이시스] – IRS 금리

어떤가, 이제 뭔가 좀 보이시는가? 양아처코쟁이 은행 서울지점의 입장에서는 스왑 베이시스가 마이너스 방향으로 벌어지면 질수록 재정거래를 통해 향유할 수 있는 수익이 늘어나게 된다. 만약 2008년급 태풍이 몰아쳐서 스왑 베이시스가 또다시 -600bps 수준으로 벌어진다면 코쟁이 은행 입장에서의 수익은 무려 '[KTB 금리 + 600bps] – IRS 금리' 상당으로 치달을 수도 있는 것이다. ㅎㄷㄷ... ㅎㄷㄷ...

근데 여기서 뒤에 빼주는 'IRS 금리'는 어떻게 해석해야 할까? IRS는 CD와 맞바꾸는 금리 아니던가... 그리고 CD는 국내 시중은행의 차입 비용을 나타내고... 따라서 2008년의 극단적인 예에서 당시 코쟁이 은행 서울지점은 'USD Sell & Buy' 방향의 통화스왑을 통해 국내 시중은행 대비 약 600bps나 저렴한 원화 차입이 가능했었다고 생각해볼 수 있다. 다시 말하면, 국내 시중은행들의 조달 금리인 CD 수준이 아니라, [달러 기반의] 코쟁이 은행의 서울지점은 무려 'CD – 600bps'라는 어마무시하게 싼 수준의 이자 비용만을 지불하고 쉽게 원화 자금을 땡길 수 있는 상황이었단 얘기다. 따라서 이 경우 「① + ② + ③」의 컴비네이션을 통해 국내 시중은행 대비 무려 +600bps에 달하는 엄청난 추가 수익이 가능했다 정리해볼 수 있겠다. 물론, 과거 금융위기 시절 때 잠깐 말이다...

어떤가? 이제 본 편의 맨 처음에 등장했던, 단 3줄로 된 스왑 베이시스의 [허접] 정의가 완벽히 이해 가려는가? ㅎㅎㅎ 참고로 오늘날 계산되는 원·달러 스왑 베이시스는 글로벌 은행들의 조달 비용인 LIBOR가 아닌 SOFR 금리 기반이기에 과거 대비 마이너스(-) 방향으로 편향(biased)되어 있다. 따라서 오늘날엔 실제 가능한 재정수익이 스왑 베이시스 레벨이 나타내는 것보다는 조금 더 적다고 볼 수 있다. 휴우... 어째 시장의 벤치마크 금리가 최근에 전환되면서 쓸데없는 복잡함만 가중된 듯싶다... 옛날 사람인 필자는 [그 원죄(?)에도 불구하고] LIBOR가 더 정감 가고 좋다...

외환스왑(FX Swap)

제15편 외환 시장의 기초

외환에 관한 정말 기본적인 부분들은 지난 8편과 9편에서 다뤘으니 아직 읽어보지 않은 초보자들은 해당 편들 먼저 공부하고 오자... 이번 편에서는 국제 금융 시장의 큰 축 중 하나인 '외환(Foreign Exchange; FX) 시장'의 기초부터 디벼보도록 하겠다. 먼저, 외환 시장에서 활발히 거래되는 바닐라(vanilla; 기본적인) 금융상품은 비선형(non-linear) 상품인 옵션을 제외하면 아래의 세 가지 종류로 나눌 수 있다:

① 외환현물 (FX Spot; 현물환)
② 외환스왑 (FX Swap; 외환스와프)
③ 외환선도 (FX Forward; 선도환)

※ 참고: 정말 엄격히는... 외환스왑은 (통화스왑과 함께) '외환 시장'이 아니라 '외화 자금시장'에 속하는 거래 유형으로 분류된다...

이 중 '외환선도(FX Forward)' 거래는 사실 다른 이름으로도 많이 불린다. 시장에서는 '선도환'이라는 이름도 많이 쓰며, '통화선도'라고도 한다. 또한 일부에서는 '선물환'으로, 혹은 '외환선물', '통화선물'이라 번역·표기하기도 하는데, 이는 엄밀히 말하면 틀린 표기법이라 할 수 있다.*(특히 뒤의 두 개가...)* 교과서적 정의 (textbook definition)에 의하면 선도(forward)는 장외(over the counter; OTC)에서 양자 간에 거래되는 금융상품을 의미하고, 선물(futures)은 거래소(exchange)에서 그 조건이 정형화되어 거래되는 상품을 일반적으로 의미하기 때문이다.

※ But,,, 그 옛날에 어느 누군가가 번역한 대로 생각 없이 따라 쓰다 보니 쓰임새가 그대로 굳어져 버린 관계로 오늘날에도 '선물환'은 '선도환'과 거의 동일한 의미로 (interchangeably) 쓰이는 경우가 많다... 즉, '선물환' = '선도환' = 'FX Forward', 이렇게 같은 의미로 받아들여지고 있고, 'FX Futures'는 많은 경우 '통화선물'이라는 단어로 표현되고 있다. 참 헷갈리는 세상이다...

그럼 이제 하나씩 가보자. 먼저, 현물환(FX Spot)부터... 이거는 뭐, 설명 안 하고 그냥 넘어가도 될 정도로 단순(무식)한 거래이다. 우리가 어디 여행 가기 전에 은행 창구에 가서 환전하지 않나... 그거랑 비슷하다고 간단히 생각하면 된다. 그냥 외환을 시장에서 사거나 파는 거다. 다만 추가적으로 필자가 설명해 줘야 될 부분은 일반적으로 현물환 거래의 경우 결제일(Settlement Date; 정산일)이 'T+2'라는 사실이다. *오잉? 갑자기 'T'는 뭐고 '+2'는 뭐냐꼬? ㅎㅎㅎ* 'T'는 'Today'의 첫 자였다면 참 편했겠지만,,, 사실은 '거래일'을 의미하는 'Transaction Date (or Trade Date)'의 약자이고, 뒤에 붙은 '+2'는 그로부터 2 영업일 후를 뜻한다. 즉, 오늘 월요일에 거래를 하면 실제 결제는 2 영업일 후인 수요일에 일어난다는 뜻 되겠다. 금요일에 거래를 하면 화요일에 결제되는 거고... 뭐, 어려운 것 없제?

주식 투자해본 사람들은 알겠지만 국내 주식 시장도 거래 후 실제 정산에 2 영업일이 더 소요된다. 즉, 주식을 사거나 팔면 내 예수금에 반영되는 데 이틀의 추가 시간이 발생하는 것이다. 필자는 이 'T+2' 컨벤션을 처음 접했던 그 옛날 호랑이 담배 피우던 시절부터 머릿속에 항상 '이틀 후 결제'라 새겨오고 있었는데, 사실 인 터넷 등지를 돌아 댕기다보면 이 T+2 컨벤션이 '3 영업일 정산' 혹은 '3일 결제 제도' 등으로 불리고 있는 경우를 많이 찾아볼 수 있다... '3 영업일'인 이유는 당 연히 거래일(= T)까지 세니깐 그런 거고... 그런데 필자 같은 사람은 '3 영업일 정 산'이란 걸 읽으면 'T+3'으로 받아들일 것 같은데... *쩝 ㄲㄲㄲ... 참나, 이 세상 참 쓸 데없이 복잡하다 복잡해...* 뭐, 어쨌든 업계에서는 T+1, T+2, T+3, 이런 식의 표현 이 더 자연스럽다는 점만 알려주고 넘어가련다.

곁다리 지식이지만, 사실 'T+2' 컨벤션이 모든 통화쌍(Currency Pair)에 적용되는 것은 아니다. 예를 들어 'Major'들만으로 이루어진 통화쌍 중에서도 'USD/CAD'의 경우는 'T+1'이 현재 시장 컨벤션이다. 그 외에도 이머징마켓 통화들 중에서 몇몇 은 'T+2'에서 벗어나 있는 경우들을 볼 수 있다. 하지만 대부분의 통화쌍의 경우는 원·달러를 포함해 T+2가 마켓 스탠더드임을 숙지하자.

이번에는 순서상 두 번째 상품이며 본 섹션의 메인 상품인 '외환스왑(FX Swap)'에 관해 알아보자. 사실 외환스왑은 금융 시장에서 거래되는 온갖 스왑 상품들 중에서 가장 쉬운(!) 상품이라 해도 과언이 아닐 거다. 외환스왑을 이해하는 데 엄청난 'Brain Power'(?)는 필요 없다. 이보다는 통화스왑, 금리스왑이 훨씬 더 어렵다. 그래서 쫄 필요가 전혀 없다고 미리 얘기해 준다. *필자가 이렇게 얘기해 주니 초보자 들은 공부 시작 전부터 벌써 마음이 편해지제? ㅎㅎㅎ*

간단히 말해서 외환스왑은 특정 통화를 현물로 매도 혹은 매수하면서 미래 시점에 다시 반대매매를 하기로 약정하는 거래라 할 수 있다. 뭐, 말보다는 그냥 아래의 예를 들여다보면 쉽게 이해할 수 있을 거다:

<u>원·달러 외환스왑(FX Swap)의 예:</u>

① 달러 매입 (Buy USD/KRW); 결제일: T+2

& ② 달러 매도 (Sell USD/KRW); 결제일: (T+2) + 3개월

위의 예는 거래 시점에 달러 현물을 매입(buy)하고, 그와 동시에 3개월 후엔 매입한 달러를 다시 매도(sell)하기로 거래상대방과 약정을 하는 형식의 거래를 보여주고 있다. 이와 같이 '외환스왑'이란 현물환(spot)과 선도환(forward) 거래가 합쳐진 거래를 의미하는 것이 일반적이다.*(스탠더드 거래의 경우엔 'spot + forward' 조합이지만, 당연히 'forward + forward' 조합의 경우 또한 포함한다)* 물론 매수/매도 방향은 현물환과 선도환의 경우가 반대로 되어있다. 따라서 현물을 샀다가 선도로 되파는 거래를 'Buy & Sell' 스왑, 반대로 현물을 팔았다가 선도로 다시 사오는 거래를 'Sell & Buy' 스왑이라고 부른다... *참고로 노파심에서 독특한(?) 방향으로 머리가 굴러가는 이들을 위해 미리 말해주자면, 'Buy & Buy' 스왑이나 'Sell & Sell' 스왑이란 건 없다. ㅎㅎㅎ*

현재와 미래 시점에 각각 사고 파는 기준 통화(Base Currency)의 명목금액은 동일하게 설정되는 것이 일반적이다. 예를 들면 원·달러 외환스왑의 현물환 다리(leg)에서 1백만 달러(= USD 1 million)를 매입했으면, 선도환 다리에서는 동일한 달러 금액을 다시 매도하는 식이다. 다만, 현물환과 선도환 다리에 적용하는 환율은 서로 다르다. 예를 들면 1백만 달러를 지금 1,200원에 매입한다면, 3개월 후의 스왑 만기 시점에서는 같은 금액을 1,200원이 아니라 예를 들어 1,202원에 매도하는 식인 거다. 이따가 더 자세히 설명해 주겠지만 현물환율과 선도환율은 이렇게 서로 다른 것이 일반적이다.*(물론 항상·언제나·무조건 달라야만 하는 건 절대 아니니 주의하자...)*

어떤가, 지금까지 기초적인 내용 중에 어려운 건 하나도 없었지 않았나? ㅎㅎㅎ 필자가 앞에서 언급했듯이 파생상품 중에 제일 단순한 놈(?)이 바로 외환스왑이란 녀

석 되시겠다. 다만, 그렇다고 논할 거리가 별로 ´없다는 건 절대 아니다. 의외로 논할 거리가 상당히 많은(!) 상품이니껜... 얘기해 줄 흥미로운 스토리들도 꽤 많고... 더 공부하고픈 초보자들은 필자만 믿고 다음 편으로 따라오시라~ *Follow, follow me~* ♪♬

외환스왑(FX Swap)

제16편 스왑포인트와 금리평가이론

지난 편에서 맛배기로 보여준 바와 같이 '스탠더드' 형식의 외환스왑은 현물환 (spot)과 선도환(forward)이 합쳐진 패키지(?) 거래라 할 수 있다. 아래의 예처럼 말이다:

Buy USD/KRW (for) value spot (= 23 Aug 2021)

& Sell USD/KRW (for) value spot + 3 months (= 23 Nov 2021)

위의 예를 한글로 풀어서 설명해 주자면 [시장참여자가] 달러 현물환을 매수하고(= 원화를 매도하고), 이와 동시에 3개월(정확히 말하면 '현물환 결제일'로부터 3개월) 만기의 달러 선도환을 매도하는(= 원화를 매수하는) 방향의 FX 스왑 거래이다. 즉, 달러 'Buy & Sell' 스왑 거래라 칭할 수 있겠다.

금리스왑의 경우와 마찬가지로 외환스왑 또한 업계에서는 2개의 다리(leg)를 가진 다고 표현하곤 한다. 보통 첫 번째 다리는 'near leg'라고 부르고, 두 번째 다리는

'far leg'라 부른다. 뭐, 영어를 못 해도 'near'와 'far'가 의미하는 바가 뭔지 모르는 사람은 없을 테니 쉽게 이해 갈 거다. 현재에 더 근접한 날짜에 결제되는 다리가 바로 'near leg'고, 이보다 더 먼 시점에 결제되는 다리가 바로 'far leg'다. 위의 예에서는 8월 23일 자로 결제되는 달러 매수 거래(= 현물환 거래)가 'near leg', 11월 23일 자로 결제되는 달러 매도 거래(= 선도환 거래)가 'far leg' 되겠다. *여기까지도 어려운 거 없제? ㅎㅎㅎ 필자가 지난 편에서 별로 어려운 거 없으니 쫄지 말라고 한 거 기억나는교? ㅎㅎㅎ*

곁다리 지식 하나 또 던져주자면 외환 거래에 있어서는 'value date'라는 용어를 많이 쓰는데, 이는 거래가 실제 결제되는 결제일(settlement date; 정산일) 혹은 인도일(delivery date)의 의미와 동일하다고 생각하면 되겠다.*(참고: FX Spot/ Forward/Swap 상품들에 한정해서 그렇다는 얘기고, 다른 금융상품이라면 'value date'이 전혀 다른 뜻을 가질 수도 있으니 주의하자...)* 위의 예에서도 이런 시장의 관행을 따라 'value'라는 단어를 써서 표현하였다.

지난 편에서도 언급했지만, 'near leg'와 'far leg'의 달러 명목금액은 서로 동일한 것이 정상적인 거래이다. 물론 그렇지 않아도 된다. 장외 파생상품은 양자 간에 합의만 하면 무한대로 변형이 가능하니깐... 다만 스탠더드 거래의 경우는 두 다리의 기준 통화 명목금액이 같다는 점만 숙지하자. 그럼 두 다리 사이에 다른 점은 또 없을까? 'value date' 외에? 당연히 있다! 첫째는 매수/매도 방향이 다르고(= 두 다리의 거래 방향은 서로 '반대'다), 둘째는 각 다리에 적용하는 '환율'이 다르다! 아래의 예에서처럼 near leg와 far leg에 적용되는 환율이 다른 것이 일반적이다:

〈가정〉
현물환율(Spot Rate) = 1,200
3개월 만기 선도환율(Forward Rate) = 1,202

위의 가정을 앞서 보여준 예에 적용시키면, 외환스왑을 체결한 후 이 시장참여자의 입장에서 각 'value date'에 발생하는 현금 흐름은 다음과 같을 것이다: (명목금액 1백만 달러 가정)

〈2021년 8월 23일〉
USD 1,000,000 수취 & KRW 1,200,000,000 지급
〈2021년 11월 23일〉
USD 1,000,000 지급 & KRW 1,202,000,000 수취

8월 23일 날 백만 달러를 받았다가 그로부터 3개월 후에 다시 주니깐, 뭐 3개월간 달러를 빌렸다가 다시 돌려준 거라 생각하면 되겠고... 근데 어라... 원화는 처음에 12억 원을 줬다가 3개월 후엔 여기에 이자까지 쳐서 2백만 원을 더 돌려받는 것처럼 보이네? "이거 달러 'Buy & Sell' 거래하는 사람은 무조건 이익을 보는 거래여? 오오 이렇게 좋은 거래가 있었나~~ 개꿀!"이라며 암것도 모르는 초보자들은 뭐 노다지가 나오는 거래라는 착각에 빠질 수도 있겠다... *ㅋㅋㅋ 아님 말고~*

위의 현금 흐름에서 2백만 원의 차이는 바로 선도환율과 현물환율의 차이, 즉 +2 원(= 1,202 - 1,200)의 차이가 만들어낸 결과물이다. 이 +2원을 시장에서 뭐라 부르냐면,,, '스왑포인트(Swap Point)', 혹은 '포워드포인트(Forward Point)'라는 이름으로 부른다. 즉, 스왑포인트란,

스왑포인트(Swap Point; 포워드포인트)
= 선도환율(Forward Rate) - 현물환율(Spot Rate)

위와 같이 정의되는 것이다... 근데, 이 스왑포인트는 어떻게 정해지냐고? 단순무식한 이들은 "뭐, 그냥 시장에서 수급에 따라 정해지는 거 아녀?"라고 말할지 모르겠다. ㅋㅋㅋ ㅋㅋㅋ 근데 그 말이 틀린 말은 아니다. 맞긴 맞다. 스왑포인트는 당연히 시장 수급에 민감하게 영향을 받으며 움직이니깐. 다만, 그 근간이 되는 가격결정(Pricing) 이론이 존재하기에 '시장의 수급 상황이 스왑포인트가 이론값에 수렴하지 못하게 만드는 요인들 중 하나'라는 표현이 더 올바르다 할 수 있겠다... *넘 고상한 표현인가? ㅎㅎㅎ 필자도 가끔씩은 고상하대니... 쿨럭.*

근데 그 이론이 뭐냐꼬? 궁금해서 빨리 알고 싶다꼬?? 답을 바로 말해주자면 「무위험 금리평가이론(Covered Interest Rate Parity Theorem; 이자율평가이론; 이자율평형이론)」이란 놈(?) 되겠다.*(물론 이보다 더 쎈 가정을 하는 이론인 '위험 금리평가이론(Uncovered Interest Rate Parity Theorem)'과 함께 선도환율이 미래의 현물환율의 '불편 예측치(unbiased predictor)'인지에 관해서도 논할 거리가 많이 있지만, 이 책에서 거기까지 들어가지는 않으련다.)* 초보자들에게는 요 이름이 좀 무섭게 다가오더라도 쫄 필요 없다. 매우 간단한 이론이니깐. 사실 중학생 수준에서도 이해 가능하다... ㅋㅋㅋ *So, don't worry...* 정말 쉽게 쉽게 아래와 같이 정리해 주련다.

최대한 단순화된 가정들과 숫자들을 가지고 이 이론을 이해해 보기로 하자. 먼저 국가 간의 자본 이동이 아무 제약 없이 자유롭게 이루어지고, 거래비용(transaction cost)이나 세금(tax) 등도 없으며, 국가 간 신용 리스크(credit risk)의 차이 또한 존재하지 않는다고 가정해 보자. 우리나라가 정말 잘 돼서 미국과 어깨를 나란히 하는 G2가 됐다는 가상의 설정도 해보자... *ㅋㅋㅋ 넘 나갔나??? 이게 바로 국뽕의 끝인 겨? ㅋㅋㅋ* 그리고 우리나라와 미국의 금리 및 환율이 다음과 같이 형성돼있다는 추가 가정을 해보자:

심플한 가정들:

한국 금리: 연 2%

미국 금리: 연 1%

원·달러 현물환율: 1,000원

원·달러 1년 만기 선도환율: 1,000원

ㅎㅎㅎ 심플하다. 심플해... 위의 예에서는 양국 간의 금리수준은 다르지만 현물환율과 선도환율이 서로 동일하다는 설정을 해봤다. 자, 이 경우 어떤 일이 벌어질까? 미국 양키 놈들이 지네 나라에서는 어디에 돈을 박아 놓든지 금리를 연 1%밖에 못 받는데, '어라~ 한국 자산에 투자하면 금리를 2%나 준다네... 허걱... 그럼 미국에서 저리로 돈을 빌려서 고리의 한국 자산에 투자해 볼까?'라는 생각이 들 수밖에 없을 거다. 그리고 1년 만기 선도환을 통해서 환변동 위험에 노출되지 않게 헤지(hedge)까지 끝낼 수 있다는 전제하에... 양키 놈은 다음과 같은 거래 Flow로 돈을 벌려고 시도할 거다:

〈현재 시점〉

1달러를 은행으로부터 빌린다. (차입 이자: 1%)

현물환 거래를 통해 1달러를 1,000원으로 바꾼다.

1,000원을 한국 자산에 투자한다. (수익률: 2%)

선도환 거래를 통해 1년 후 1,020원을 1.02달러로 교환하기로 미리 약정한다.

〈1년 후 시점〉

투자한 한국 자산의 만기가 도래하며 1,020원을 상환 받는다. (수익률 2%)

선도환 거래를 통해 미리 약정한 대로 1,020원을 주고 1.02달러를 받아온다.

이 중 1.01달러를 은행에게 갚는다. (원금 + 이자 1%)

두둥~ 은행에게 갚고도 0.01달러(= 1센트)가 남았다! Yay!

위의 가상의 예에서 미국 양키 놈은 무위험 차익거래(= Arbitrage; 아비트리지)를 통해 1센트를 벌어간다... 만약 1백만 달러를 빌려서 투자했으면 아비트리지 이익이 무려 1만 달러 상당이었을 거고... 1천만 달러였다면 10만 달러... etc. etc. ㅎ ㄷㄷ... ㅎㄷㄷ... 선도환율이 현물환율과 똑같다 보니 미국 놈이 정말 아무 위험도 안 지고 한국 시장에 들어와서 쉽게 돈 벌어가는 상황이네그려... 그렇다면, 이런 아비트리지 기회가 발생하지 않으려면 과연 선도환율이 얼마가 돼야 할까?('무위험 금리평가이론'은 위와 같은 아비트리지 기회가 없어야 한다고 상정한다...) 문과생에게도 이에 대한 답을 찾는 과정이 크게 복잡하게 다가오진 않을 거다. 바로 다음의 식만 풀면 되니깐:

$$USD\,1 \times (1+1\%) = \left[KRW\,1,000 \times (1+2\%)\right] \div Forward\,Rate$$

$$\Rightarrow Forward\,Rate = \frac{KRW\,1,000}{USD\,1} \times \frac{(1+2\%)}{(1+1\%)}$$

$$\approx 1,009.90$$

즉, 현물환 거래를 통해 바꾼 1,000원으로 한국 자산에 투자해서 1년 뒤 가지고 나가는 돈(= 첫 번째 식의 우변)이 본국의 은행에 갚아야 될 원리금(= 첫 번째 식의 좌변)과 똑같아질 경우, 양키 놈은 한 푼도 벌 수가 없을 것이다. 이렇게 아비트리지 수익을 '제로(0)'로 만드는 선도환율이 바로 '무위험 금리평가이론'에 기초한 '이론값'이라 볼 수 있다. 따라서 위의 예에서 '적정' 선도환율은 1,009.90원 상당으로 계산된다. 이는 다시 말하면 스왑포인트의 이론값이 위의 예에서 약 +9.90원이라는 뜻이다. 어떤가, 문과생도 아직까지 별로 어렵지 않제? ㅎㅎㅎ 아래는 '1년 만기' 선도환율 이론가를 구하는 일반화된 수식의 간단 버전이다:

$$Forward\,Rate = Spot\,Rate \times \frac{(1+r_{rok})}{(1+r_{usa})} \tag{1}$$

$$where$$

$$r_{rok} = 한국\,금리$$
$$r_{usa} = 미국\,금리$$

수식 (1)을 곰곰이 들여다보면 한국 금리가 분자에, 미국 금리가 분모에 가있음을 알 수 있을 거다. 이는 한국 금리가 상대적으로 높으면 높을수록 원·달러 선도환율 이론가도 더욱더 높아지고, 반대로 미국 금리가 상대적으로 높으면 높을수록 선도환율 이론가가 점점 더 낮아진다는 것을 의미한다... 요거 요거 정말 중요한 포인트다. 초보자들은 꼭 기억하자. 더 재밌는 얘기들은 다음 편에서~~~

외환스왑(FX Swap)

제17편 내외금리차와 스왑레이트

지난 편에서 필자는 선도환율의 이론가를 '무위험 금리평가이론(Covered Interest Rate Parity Theorem; 이자율평가이론; 이자율평형이론)'이 상정하는 'No Arbitrage' 조건하에서 도출할 수 있다고 설명했었다. 지난 편에서 보여줬던 선도환율 이론가 공식을 조금 더 일반화시켜 더 자세히 표현해 보자면 아래와 같다:

$$Forward\,Rate \,=\, Spot\,Rate \,\times\, \frac{(1 + r_d \times Day\,Count\,Fraction_d)}{(1 + r_f \times Day\,Count\,Fraction_f)} \tag{1}$$

where

r_d = 국내금리(연율)
r_f = 해외금리(연율)
$Day\,Count\,Fraction_d$ = 국내 금리 적수 계산법에 따른 분수
$Day\,Count\,Fraction_f$ = 해외 금리 적수 계산법에 따른 분수

※ 위의 수식에서 'DayCountFraction'은 해당 기간의 일수(number of days)를 1년의 총 일수(365일 or 360일 or Actual)로 나눈 분수를 뜻한다. Day Count Convention(적수 계산법)에는 'Actual/365', 'Actual/360', '30/360'을 포함해 다수의 방법들이 있으며, 각 시

장별/상품별/leg별로 달리 적용될 수 있기에 쓸데없이 복잡한 부분이라 할 수 있다. 초보자들은 대충 3개월물이면 DayCountFraction이 1/4, 6개월물이면 1/2, 9개월물이면 3/4과 가깝게 계산된다고 생각하고 넘어가도 큰 문제없을 듯하다. (실제 업무를 맡지 않는 이상 탐넥(Tom Next; T/N), 오버나잇(Overnight; O/N), RHS, LHS, 이런 잡다한 것들까지 초보자들은 몰라도 되는 것처럼...)

자, 그럼 이제 과거의 어느 한 날을 기준 삼아서 해당 일자의 스왑포인트 '이론가'도 예시적으로 계산해보고, 실제 시장 가격 사이와의 괴리가 얼마나 됐는지 분석도 해보는, 같이 공부하는 시간을 함 가져볼까나? *필자가 누누이 얘기하지만, 이런 거 귀찮지만 일일이 계산도 해보고 해야 개념이 머릿속에 쏙 들어온대니~~ 진짜여...* 오케바리,,, 그럼 2021년 8월 20일에 한 양키 놈(?)이 다음과 같은 외환스왑 거래를 체결했다고 함 가정해 보자:(날짜는 필자가 임의로 골랐다.)

Sell/Buy USD 1 Mio against KRW (for) value spot against 3 months

위의 예에서는 양키 놈이 1백만 달러어치의 현물환을 매도(sell)하고, 같은 금액의 3개월 만기*(정확히 말하자면 '현물환 결제일(spot date)'로부터 3개월임)* 선도환을 매수(buy)하기로 하는 방향의 외환스왑 거래를 함을 가정하였다. 즉, '달러 Sell & Buy' 방향 거래의 가정이다. 해당 일자에 시장에서 실제 쿼트된 주요 만기별 외환스왑의 가격을 살펴보면 다음과 같다:

〈Table 1: 2021년 8월 20일자 외환스왑 가격〉

1개월	2개월	3개월	6개월	1년
40	85	120	220	410

Data Source: 서울외국환중개; Mid 가격 기준; 단위: 전.

오잉? 40, 85, 120, 220... 이게 다 뭐냐꿍? ㅎㅎㅎ 뭐긴 뭐여~ 외환스왑 가격이지,.. ㅎㅎㅎ 다시 말하면 이게 다 '스왑포인트(Swap Point)' 되겠다. 첫 행이 만기를 나타내니, 앞서 가정한 예시 거래에 해당하는 3개월 만기 스왑포인트가 거래일 당시 +1.20원(= 120전)에 형성되어 있었음을 볼 수 있다.

그럼 이 +1.20원이라는 당시 시장에서 거래된 스왑포인트가 그 이론가와 얼마나 차이가 났던 건지 같이 함 알아보도록 하자. 근데 여기서 잠깐! 계산 값이 어떤 금리 인덱스를 쓰느냐에 따라 많이 달라질 수 있다는 생각이 들지 않나? 예를 들면 국채 금리끼리 비교의 경우와 은행채 금리끼리 비교의 경우처럼... 각각의 경우에서 양국 간의 금리차가 많이 다르게 산출될 수도 있는 거니깐... 괜한 삽질(?)을 방지하기 위해 필자가 과거에 출간된 여러 논문·보고서들을 자세히 살펴본 결과 대부분 '3개월 (달러) LIBOR 금리'와 '3개월 (원화) CD 금리'를 가지고 스왑포인트 이론가 계산을 한 것을 발견하였다. 우리도 그걸 가지고 따라서 계산해 보기로 하자~ 따라쟁이~~ 쿨럭...

〈사용 Input 값들〉

3개월 CD 금리: 0.76% ('21년 8월 20일 기준; Source: 금융투자협회)
3개월 USD LIBOR 금리: 0.13075% ('21년 8월 19일 기준; Source: ICE, WSJ)
원·달러 현물환율: 1,179.60 ('21년 8월 20일 기준; Source: 서울외국환중개)

위의 실제 데이터에 기반한 당시 3개월물 스왑포인트의 이론가는 다음과 같다:

$$Forward\ Rate = 1{,}179.60 \times \frac{\left(1 + 0.76\% \times \frac{1}{4}\right)}{\left(1 + 0.13075\% \times \frac{1}{4}\right)}$$

$$\approx 1{,}181.46$$

$$\therefore Swap\ Point = 1{,}181.46 - 1{,}179.60 = +1.86$$

※ 위의 수식에서 'DayCountFraction'을 양쪽에 모두 1/4로 심플하게 적용시켰지만, 정말 정확히 계산하려면 각 시장별 적수계산방법의 미세한 차이를 반영해야 할 것이다. 다만 그로 인한 산출 값의 차이는 매우 미미하게 계산되기에 심플한 방식을 사용하였다.

위의 계산에 의하면 '무위험 금리평가이론'에 기초한 3개월 만기 원·달러 스왑포인트의 이론가는 약 +1.86원 상당으로 산출된다. 앞에서 보여준 당시 실거래가인 +1.20원과 약 '0.66원'의 차이가 남을 볼 수 있는데, 필자가 지난 편들에서 누누이 얘기했었지만 한국은 국제 금융 시장에서 영원한 이머징마켓 취급을 받고 있고, 또한 원화가 국제적으로 통용되는 기축통화가 아니기 때문에 많은 경우 달러(= King) 대비해서 그 가치가 상대적으로 디스카운트돼서 거래돼온 것이 현실이다... 그리고 66전 차이 정도면 양호한 수준이지, 뭐... 2021년은 FX 시장이 상대적으로 매우 고요하고 평화롭던(?) 시기였기도 했고... (그야말로 '거품'의 시기~ 쿨럭...)

솔직히 미국과 한국의 국가 리스크와 통화 리스크가 서로 대등한 건 아니지 않나? 무위험 금리평가이론은 서로 신용 리스크를 포함해 모든 게 대등하다는 전제하에 성립한다고 했던 거다. 그래서 시장이 고요하고 유동성이 풍부할 때는 이론가에 잠시 수렴하는 모습을 보일 순 있지만, 외환 시장에서 '코리아 디스카운트'는 오랜 기간 지속적으로 관찰돼왔다. 특히나 위기 상황이 도래할 때마다 원·달러 스왑포인트가 이론가로부터 크게 벗어나 흔들렸음은 물론이다.

각종 연구 자료나 신문 기사 등에서는 스왑포인트와 함께 '스왑레이트'란 개념도 등장시킨다. 필자는 이 '스왑레이트'라는 단어 자체를 싫어하지만, *(쓸데없는 헷갈림을 극도로 싫어하는 필자의 성격상 당연한 거다 ㅎㅎㅎ)* 이미 이 단어는 '선물환'처럼 고착화되어 FX 시장에서 오랜 기간 널리 쓰이는 중이다. '스왑레이트'란 스왑포인트를 현물환율로 한 번 더 나눠서 이해하기 쉽게 퍼센티지(%)로 나타낸 개념이다. 즉,

(연환산되지 않은) 스왑레이트(Swap Rate)

= (선도환율 − 현물환율) ÷ 현물환율

= 스왑포인트 ÷ 현물환율

인 것이다. 또한 내외금리차(CD − LIBOR)와 실제 스왑레이트 간의 괴리가 한눈에 쉽게 들어오게 하기 위해 많은 경우 연율로 환산(annualize)시켜서 표현한다. 예를 들어 3개월물 스왑레이트의 경우 아래처럼 ×4를 해서 연율로 전환시키는 것이 보통이다:

연환산된 3개월 스왑레이트(Swap Rate)

= (3개월 만기 선도환율 − 현물환율) ÷ 현물환율 × 4

= 3개월 만기 스왑포인트 ÷ 현물환율 × 4

대부분의 논문·보고서, 그리고 뉴스 기사 등지에서 계산하는 단기물 스왑레이트들의 경우 이처럼 연율로 표현되는 것이 일반적이다. 그럼 우리도 내친김에 (2021년 8월 20일 기준) 연환산된 3개월 만기 스왑레이트와 내외금리차와의 괴리 정도를

같이 함 계산해 보자.

① 연환산된 3개월 스왑레이트(Swap Rate)
$$= 1.20 \div 1,179.60 \times 4$$
$$\approx 0.40692\%$$

② 내외금리차
$$= 0.76\% - 0.13075\%$$
$$= 0.62925\%$$

∴ 내외금리차 − 스왑레이트 = 0.22233%

※ *사실 '내외금리차'와 '스왑레이트'의 적정 이론가 사이에는 약간의 차이가 존재한다. 다만, 그 차이가 미미하기에 대부분의 경우 스왑레이트의 이론가 대신 그냥 내외금리차를 써서 그 괴리 정도를 가늠하는 듯하다.*

위에서 계산한 바에 따르면 미국 양키 놈한테는 당시 한국 시장에서 대략 연 0.22% 상당의 아비트리지 기회가 보였다 할 수 있겠다. 뭐, 사실 억지로 '연환산 된' 수치이므로 3개월 동안 실제 벌수 있는 돈은 약 0.05% 정도밖에는 안 됐을 거 고 말이다. 당시는 시장이 상대적으로 고요한 상태에 있었다 정리할 수 있겠다.

휴우~ 이번 편은 재미없는 산수만 하다가 시간 다 가버렸네... *ㅋㅋㅋ 쏘리여~~* 그 래도 이런 계산을 실제로 해봐야 여기서 등장한 개념들이 머릿속에 쏙쏙 들어올 거 다... 이런 걸 안 해보면 시간이 지나 '머릿속의 지우개'가 가차 없이 당신들의 기 억을 지워버릴 거고... *중증 건망증에 걸린 환자처럼...* 실제 금융 업계에 종사하는 이 들도 이런 계산을 직접 해보는 사람이 거의 없기에 요 '스왑레이트'란 놈(?)이 연율로 표시되는 경우가 많다는 사실조차 모르는 사람들도 꽤 될 거다... 이번 편을 읽은, 그리고 이해한 초보자들은 그런 금융계 마바라들보다 지식적으로 한 발짝 더 앞으로 나아갔다고 말해주고 싶다... *고마우면 친구에게도 책 추천... 쿨럭...*

※ **잡담:** *3개월 CD 금리와 그 성격이 유사한 3개월 LIBOR 금리가 현재까지도 합성된(?) 형태로 산출되고는 있지만, 그 대표성을 잃은 관계로 오늘날에는 많은 국내 기관들이 내외금리차 산출에 있어 「3개월 통안채(= 통안증권) vs. 3개월 Term SOFR」를 기초 인덱스로 쓰는 중에 있다. 비록 통안채는 신용위험(credit risk)이 없는 무위험 금리(RFR)이지만, 미국의 SOFR와는 결이 조금 다른 관계로, 향후 국내 금융 시장의 벤치마크 금리가 KOFR로 완전히 전환되고 미국처럼 주요 만기별 Term KOFR까지 자리 잡는 시점부터는 「Term KOFR vs. Term SOFR」에 기반해 내외금리차를 산출하는 방식이 더 합리적일 것으로 사료된다. 최근 시장의 벤치마크 금리 변화로 쓸데없이 복잡다단해져버린 세상이다... As mentioned before, 늙은 필자는 LIBOR가 정감가고 더 좋다...*

외환스왑(FX Swap)

제18편 금융위기와 FX 아비트리지

'아비트리지(arbitrage)'... 사실 원어민 발음은 '아비트라지'에 더 가깝다. 한글로도 '아비트라지'라고 많이들 쓰고 말할 때도 '아비트라지'라 하는 사람들이 더 많은 듯... 그리고 아비트리지를 실행하는 사람이나 세력을 'arbitrageur'라 부르고... 요거 스펠링 어려우니 주의하자... *아차, 이게 영어 교재가 아니었지~~ ㅋㅋㅋ 빨랑 정신 차리고... ㅋㅋㅋ 학생들을 위한 텝스/토플 교재 함 만들어 보고 싶은 필자가 그만... 쿨럭... (-_-;)*

금융 분야에서 '아비트리지'라 하면 보통은 '무위험 차익거래(= 재정거래)'를 가리킨다. 근데 [본 외환스왑 관련 편들뿐만 아니라 지난 14편에서도 잠깐 등장했던] '차익거래' 혹은 '재정거래'란 게 도대체 뭐냐고? 인터넷에 검색해보면 바로 알겠지만 '서로 다른 두 개 이상의 시장에서의 가격 차이를 이용해 수익을 내는 거래'로 정의된다.

잡담을 쪼끔만 더 하자면 경제학(economics) 이론에서는 '무위험 수익(risk-free profit)'을 얻는 거래를 뜻하는 것이 일반적이지만, 실제론 완벽한 'risk-free' 수익 창출 기회들이란 금융 시장에서 많이 찾아볼 수 없기에 사고 파는 자산의 성격과

리스크가 서로 다른 경우에도 업계에서는 모두 '아비트리지'·'차익거래'·'재정거래' 등으로 부르고 있다. 이전 편들에서 소개한 양국의 금리차를 이용한 '캐리 트레이드(carry trade)'도 물론 포함해서 말이다... 참고로 양아치 짓을 많이 하기로 유명한 일부 외국계 은행·증권사들은 아무 거에나 대고 막 '아비트리지' 기회라 이름을 붙이며 말도 안 되는 상품을 국내 기관들에 떠넘기려는 행태를 보이곤 한다. 뭔지도 제대로 이해 못 하면서 감언이설*(+ 온갖 술·골프 접대)*에 넘어가 투자하는 거야 지네들 돈이면 상관 안 하는데, 대부분의 경우는 나나 당신 같은 개인들이 넣는 각종 적립금을 운용하는 놈들이기에 정말 이런 '안습' 현실을 생각하면 화가 머리끝까지 올라오려 한다... Buy Side에서 근무하는 일부 머리 빈 아가들아,,, 우리 개인들한테 뜯어가는 소중한 돈 운용 좀 제대로 하그라... *맨날 Sell Side 술상무들한테 술만 얻어 처먹고 댕기지 말고!!!*

휴우~ 잠시 올라온 화를 누그러뜨리고... 이번 편에서는 'FX 스왑레이트' 얘기를 이어서 해볼까 한다. 복습 겸 간단히 정리해주자면, 스왑레이트는 보통 스왑포인트를 현물환율로 나눈 후 이를 연환산(annualize)해서 나타내는 값이다. 지난 17편에서 예를 들어 보여줬듯이 '내외금리차'보다 '스왑레이트'가 낮게 형성되어 있을 경우엔 미국 양키 놈(?)들이 한국 시장에 들어와 금리차를 이용한 아비트리지 거래를 할 만한 요인이 생긴다. 반대로 '내외금리차'보다 '스왑레이트'가 높다면 원화 기반 투자자에게 달러화 자산 매입과 FX 헤지 거래를 통한 아비트리지 기회가 발생하는 거고... 즉, 다음과 같이 정리해 볼 수 있겠다:

If 내외금리차 〉 스왑레이트, then (달러 기반) 외국인에게 아비트리지 기회 제공~

If 내외금리차 = 스왑레이트, then No Arbitrage!

If 내외금리차 〈 스왑레이트, then (원화 기반) 내국인에게 아비트리지 기회 제공~

※ 지난 편에서도 잠깐 언급했었지만, 정말 정확히는 스왑레이트의 '시장가'와 내외금리차가

나타내는 스왑레이트의 '이론가'를 비교해야 한다... 하지만 내외금리차와 스왑레이트 이론가와의 차이는 일반적인 경우 매우 미미하므로 편의상 내외금리차를 그대로 써도 대세에 별 지장은 없다고 본다.

그런데 말이다... 만약 '08년 금융위기와 같은 상황이 도래한다면 원·달러 스왑레이트는 어케 변할 것 같나? 당연히 그런 상황에서는 달러가 King(!)이 되므로 자금 시장에 달러화 경색이 발생할 가능성이 농후하다... 너도나도 달러를 구하려 들 테니 환율은 뛸 것이며 스왑레이트는 아래로 곤두박질치는 모습을 보일 게 뻔하다. 정말 위기가 닥치면 내외금리차가 많이 플러스(+)일 경우라도, 즉 한국 금리가 미국 금리보다 월등히 높은 경우라 하더라도 FX 시장의 스왑레이트는 반대로 마이너스(-)로 전환되는 모습을 보였었다. 이는 원화와 원화 자산이 국제 시장에서 빠르게 매력을 잃어가는 상황으로 해석해 볼 수 있겠다... *그니깐... '탈(脫)한국' 현상 같은 거? ㅎㄷㄷ... ㅎㄷㄷ...*

근데 그렇게 되면 사실상 외국인들에게 더 많은 '아비트리지' 수익을 가져다주지 않냐고? 맞다. 그렇긴 하다... 근데 과연 그런 패닉(panic) 상황의 와중에 이걸 '아비트리지'라 부르는 게 맞을까? 국제 금융위기의 일촉즉발의 상황에서 북한과 마주한 아주 쪼끄만 나라인 한국의 리스크와 G1(?)인 미국의 리스크를 과연 비슷하게 바라볼 수 있는 것일까? 필자는 아니라고 생각하지만, 뭐 국가 부도 사태가 실제로 발생하지 않는 한 시장에서는 계속 '아비트리지', '재정거래'라 부르겠지... 지금까지 계속 그래왔던 것처럼... *뭐. 필자는 그런 극한 상황에서는 '아비트리지'라 부르면 안 된다고 (혼자) 생각하지만,,, 기초자산들의 리스크 프로필이 확연히 다른 경우들마저 무조건 '아비트리지'란 단어를 가져다 붙이는 게 일상인 금융판이다 보니 이 정도면 약과... 쿨럭.*

2020년 3월, 코로나 사태로 인해 우리나라 금융 시장이 잠깐 패닉에 빠졌던 시기가 있었다. 물론 연준의 개입 덕에 금방 정상화가 됐지만 당시 FX 시장에서 스왑포인트와 스왑레이트가 각각 얼마까지 빠졌었나 함 살펴볼까나?

<Figure 1: 3개월 만기 원·달러 스왑포인트 추이; '18년 8월 ~ '21년 8월>

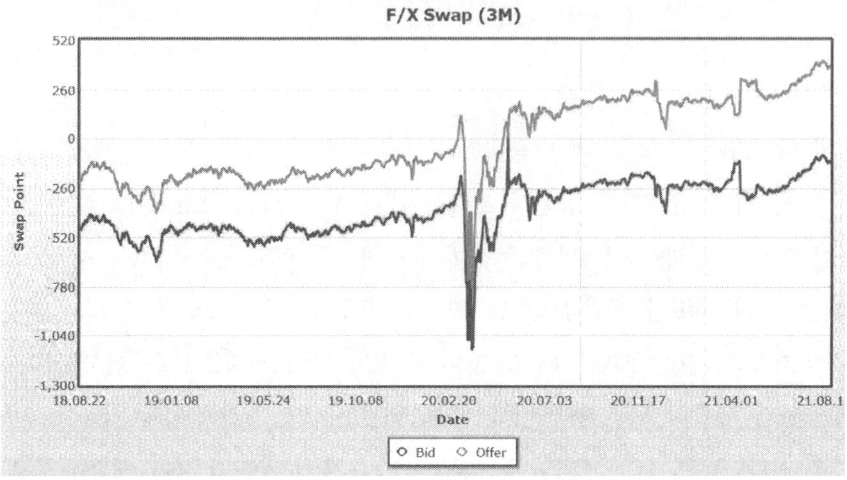

F/X Swap (3M)

Source: 서울외국환중개

ㅎㄷㄷ... ㅎㄷㄷ... 위의 그래프는 3개월 원·달러 스왑포인트가 위기 상황이었던 지난 2020년 3월 당시 엄청나게 곤두박질쳤음을 여실히 보여주고 있다... 특히 2020년 3월 23일에는 미드(Mid) 가격 기준으로 스왑포인트가 -9.5원 레벨까지 떨어졌으며, 연율로 환산한 스왑레이트 기준으로는 그 다음 날인 3월 24일에 -3.01% 수준에서 저점을 찍었더랬다. 그럼 당시 저점이었던 2020년 3월 24일 기준으로 이게 미국 양키 놈(?)들에게 얼마만큼의 차익거래 기회였는지 궁금하니 직접 함 계산해 볼까?

그러기 위해서 필요한 입력 값들은 뭘까? 바로 당시의 현물환율, 3개월 스왑포인트 (or 선도환율), 미국 금리(예: 3개월 LIBOR), 그리고 국내 금리(예: 3개월 CD) 레벨들이라 할 수 있겠다. 다음 페이지의 Table 1이 당시의 데이터 값들에 기반해 계산한 스왑포인트·스왑레이트 이론가 및 내외금리차와의 괴리를 보여 준다:

〈Table 1: 2020년 3월 24일 자 내외금리차 - 스왑레이트 분석〉

	Value	Remarks
현물환율	1,249.60	종가; 서울외국환중개
3개월 스왑포인트	-9.40	Mid 가격; 서울외국환중개
선도환율	1,240.20	
스왑레이트 (연율)	-3.01%	
3개월 USD LIBOR (연율)	1.21563%	전일 기준; ICE / Fed
3개월 KRW CD (연율)	1.07%	금투협
내외금리차 (연율)	-0.14563%	
[내외금리차 - 스왑레이트] 괴리	2.86%	

당시에는 원화 금리가 살짝 더 낮은 수준이었음을 볼 수 있다.*(= 달러 LIBOR 금리가 바닥으로 수직 다이빙하기 전의 상황...)* 위의 계산을 살펴보면 내외금리차는 -0.15% 정도로 그리 크지 않았던 반면, FX 스왑 시장에서 산출한 스왑레이트는 무려 -3.01%에 달했으니, 그 괴리가 연율로 2.86%나 됐었다는 걸 알 수 있다. 이게 만약 오래 지속됐으면 양키 놈들이 국내 시장에서 단기 재정거래로 돈 좀 많이 벌어 갔을 텐데,,, *금방 정상화가 돼서 아쉬웠겠다, 아쉬웠겠어... 콜럭. (-_-;)* 사실 이러한 FX 스왑 시장에서의 코리아 디스카운트(?) 현상은 2008년 금융위기 때가 절정이었다... 당시에는 어땠냐고? 바로 아래의 Figure 2와 같았다:(다음 페이지)

참고로 Figure 2는 한국은행(BOK)의 분석 자료에서 가져온 그래프이며, 위에서와 같이 3개월 만기 스왑레이트 기준이고, 내외금리차 또한 '3개월 CD - 3개월 LIBOR'에 기초한 값임을 알린다. 뭐, 당시엔 그냥 미쳤었다... 제2의 IMF 사태가 발생하는 게 아닌가 싶을 정도로 코리아 디스카운트는 정말 엄청난 수준이었다: 당시 3개월물 스왑포인트는 2008년 10월 중 '-29원'까지 하락하였으며, 이는 스왑레이트로 환산하면 무려 '-9%(연율)'에 가까운 수준이었다! 허걱. 근데 당시 내외금리차는 어땠냐고? 플러스(+)였다! 플러스! *한국 금리가 더 높았다니...* 근데도 스왑레이트가 -9%에 근접했던 거다... *이걸 보면 2020년의 코로나 같은 사태는 사태라고 부를 수도 없겠네그려... ㅎㄷㄷ... ㅎㄷㄷ...*

<Figure 2: 금융위기 당시 내외금리차 - 스왑레이트 추이>

(%, %p)   (%, %p)

재정거래유인
내외금리차
스왑레이트

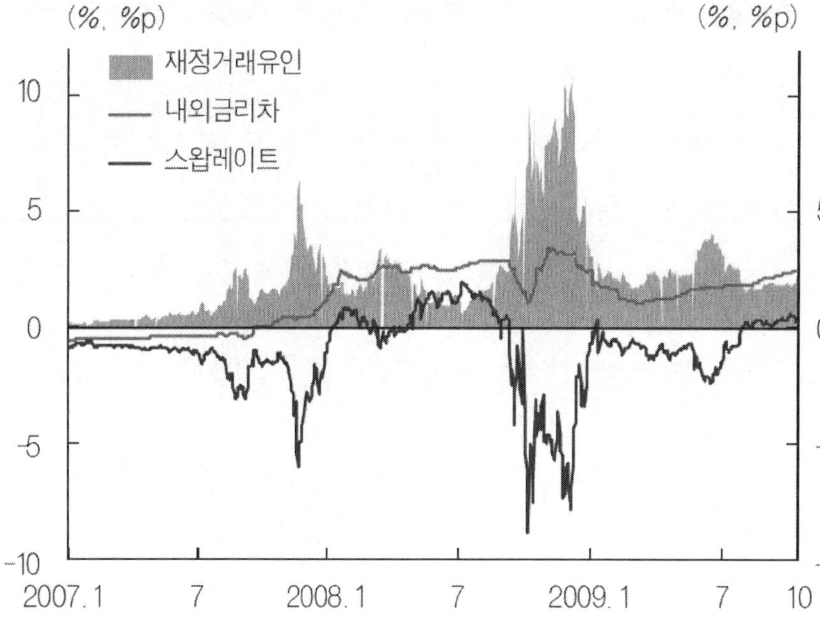

Source: 한국은행. 2009. 「금융안정보고서 제14호」 (09년 11월)

Figure 2에서 배경을 칠한 윗부분이 바로 '내외금리차 - 스왑레이트' 간의 괴리를 나타내는데 절정기에는 무려 10%가 넘었다는 걸 알 수 있을 거다... 이 뜻은 당시에 양국 간 금리차를 이용한 소위 '아비트리지' 거래를 할 수 있는 (그리고 할 용의가 있는) 양키 놈들이 있었다면 무려 10%를 넘는 (연환산된) 수익을 3개월 단기 거래로 누릴 수 있었다는 얘기다... 이거 뭐, 정말 당시 외국 놈들 쉽게 돈 벌어가지 않았겠나? 이러한 시장의 패닉 상황을 금융위기 이전의 고요했던 시절의 그래프와 비교해 보면 확연히 더 잘 느낄 수 있을 거다:

<Figure 3: 내외금리차 - 스왑레이트 추이; 2000년~2008년 상반기>

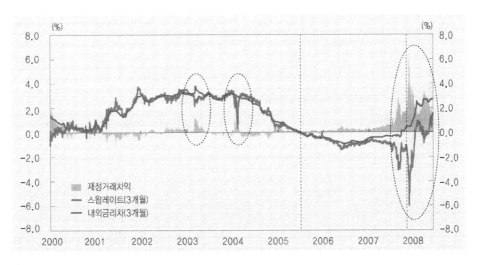

Source: 한국은행. 2008. 「우리나라 외환·통화스왑시장의 효율성 및 안정성 분석」(08년 10월)

2000년~2007년 기간이 상대적으로 너무나 고요해 보이지 않나? ㅎㅎㅎ 정말 2008년 이전에는 아비트리지 기회가 존재하더라도 그 수준이 매우 미미했었다... *(사실 Bid-Offer 스프레드와 기타 거래 비용 다 감안하면 아비트리지 수익이 보이더라도 '그닥', '별로'였을 거다...)* 그러다 2008년 금융위기가 고조되면서 시장은 극도로 날뛰기 시작했던 거고... 당시 한국의 금융 시장이 이렇게나 패닉 상황에서 벌벌 떨고 있을 때 한국에 롱(long) 포지션을 취할 한도를 가지고 있던 외국인들은 신났었지, 뭐... 생각해 봐라... 이런 위기 상황에서도 LIBOR 수준의 금리에 달러를 차입할 수 있는 기관이라면 이 돈으로 한국 자산에 투자하고 FX 헤지를 걸면 얼마나 짭짤했겠냐고... 그리고 이런 재정거래가 뭐 어려운 것도 아니잖나... 거래 구조도 간단하고 뭐 실행할 능력만 있으면, (그리고 대한민국이 안 망할 것 같다는 판단이 섰다면) 지르고 보는 거지, 뭐... 그래서 그 결과로 당시 아래와 같은 기사들이 쏟아져 나왔던 거다:

외국은행들, 국고채 투자로 '떼돈' – 한국경제

국내 외국은행들 짭짤했다 - 한겨레

외국銀 서울지점 '돈방석' - 연합인포맥스

외국은행지점 순이익 급증 - 한국경제

외은지점, 재정거래로 자산.수익 폭증 - 연합뉴스

필자가 지금까지 재정거래를 통한 차익을 이론상으로 추정함에 있어 국내 금리로 CD 금리를 사용했지만, 사실 외국인들이 국내 금융 시장에 들어와 매입하는 자산은 신용 리스크와 유동성 이슈 때문에라도 원화 국고채(Korea Treasury Bond; KTB)가 주를 이룬다 할 수 있다.*(물론 여기엔 통안채(MSB)도 포함된다.)* 3개월 국고채 금리는 은행 신용위험을 내포하는 3개월 CD 금리보다 낮은 것이 정상이므로, 엄밀히 따지면 '3개월 KTB 금리 vs. 3개월 LIBOR 금리'를 내외금리차로 간주하는 것이 더 현실(reality)에 가깝다고 말할 수 있겠다.*(= '외국인'의 입장에서 보면 말이다.)* 이는 다시 말하면 실제 외국 기관들이 평가하는 아비트리지 수익은 CD 금리에 기초한 이론적인 계산 값보다 사실은 더 작음을 의미하는 거고...

※ 잡담 1: 너무나 당연한 얘기지만 아비트리지가 가능하려면 외국계 기관은 LIBOR 수준으로 싸게 달러를 빌릴 능력을 가지고 있어야 했다. 당시 국내 시중은행들의 달러 차입 비용은 높았지만, 국내에 들어와 있는 외은 지점들은 본점으로부터 LIBOR 수준의 금리에 저렴한 달러 차입을 할 수 있었기에 가능한 일이었다.

※ 잡담 2: 위에서는 샘플로 3개월 만기 거래들을 살펴봤지만, 1개월이나 6개월, 1년 등 다른 만기들의 경우엔 이보다 더 높은 혹은 낮은 수준의 아비트리지(?) 기회가 존재했었을 수 있다. 심심하고 시간도 남고 또 호기심 많은 경제학·경영학 전공 학생들은 데이터를 구해서 직접 함 분석해보길 권한다. 간단한 산수만 할 수 있으면 분석이 가능하니깐.

※ 잡담 3: 이러한 아비트리지는 외환스왑의 이웃사촌 격인 통화스왑으로도 물론 가능하다. 통화스왑을 활용한 외국인의 재정거래에 관해서는 지난 14편에서 자세히 기술한 바 있다.

참고로 스왑포인트와 스왑 베이시스는 '금리평가이론'이라는 큰 틀하에서 서로 밀접하게 연관되어 같은 방향으로 움직이는 것이 정상이다.

아무튼 금융위기 당시 재정거래(?)로 떼돈을 벌어갔던 외국계 은행들에게 또 다른 패닉 상황과 원·달러 FX 스왑포인트의 과도한 디스카운트 현상은 대규모 수익 창출 기회를 다시금 제공할 것임이 분명하다... 근데 그런 위기 상황에서 이걸 과연 '아비트리지'라고 부를 수 있는 것일까? 그들은 또 그들 나름대로 '리스크 테이킹 (risk taking; 위험 감행)'을 했던 것이 아닐까?

서두에서도 언급했지만 서로 리스크가 다른 자산에 대한 차익거래를 과연 진정한 '아비트리지'라고 부를 수 있는 것일까? 외국 기관들은 비록 얄밉지만 한국 시장에 들어와 극도의 위기 상황에서도 국고채를 매입해 주며 나름 리스크 테이킹을 했고, 그에 상응하는 '리스크 프리미엄'을 얻어 간 것이 아닐까? *What do you think?* 너무 삐딱하게만 바라보지 말고 한번 생각해 볼 문제가 아닐까 싶다... 우리나라는 또한 '북한'이라는 치명적인 리스크 하나를 더 가지고 있으니깐 말이다... 이번 편은 여기까지다.

외환스왑(FX Swap)

제19편 외환 시장 짜투리 지식들

19편을 시작하기에 앞서서,,, 지난 18편에서 소개했던 원·달러 스왑레이트와 내외
금리차에 대한 분석과 관련해 갑자기 번쩍하고 든 생각인데, 혹시 심심하고 시간도
남고 또 호기심 만빵인 학생들은 3개월 말고 다른 만기들의 데이터들도 구해서 금
융위기 당시의 각 만기별 괴리 수준, 즉 무위험 차익거래 수익들을 직접 한번 계산
해 보는 것도 유익할 것 같다고 했던 필자의 '잡담' 기억나는교?

생각해 보니 이거 경제·경영 분야의 학부 졸업 논문에 꽤 어울릴만한 괜찮은 주제
같아 보임... 만약 1개월, 3개월, 6개월, 1년 만기, 이렇게 각각의 만기별로 환율,
스왑포인트, LIBOR/CD/KTB 금리 등등의 과거 약 20년간의 시계열(time series)
데이터를 구한 후 이를 다방면으로 분석해 보면 꽤 괜찮은 와꾸의 짧은 논문 하나
나올 수 있을지 않을까? 이에 더해 1년 이상 만기 쪽도 궁금하면 통화스왑(CCS)
가격 시계열 데이터를 사용해서 추가 분석도 가능할 거고... 어떤 방향으로 접근하
든 그 가능성은 무궁무진해 보인다.

뭐랄까, 2020년 코로나 사태 때의 경우를 과거의 위기 상황들 대비 상대적인 관점
에서 논해볼 수도 있을 거고, 이거 참 분석 거리도 많고 논할 거리도 많아 보이

네... 꽤 괜찮은 학부 수준 논문 하나 만들어 낼 수 있겠다. 물론 학부 말고도 '허접한' 석사 학위 논문까지도 커버되는 주제라 본다.*(물론 좀 복잡한 계량경제학적 모형과 분석이 들어간다면야 '괜찮은' 석사 논문 정도도 될 수 있겠지만...)* 요새 신문과 TV 뉴스를 보면 국내 일부 대학들은 중학생 수준의 논문으로도 박사 학위를 수여하는 세상이던데 이 토픽으로 그보다는 당연히 높은 수준의 페이퍼가 나올 수 있지 않을까?

※ 잡담: (-_-;) 참 안습이다. 안습... 이래서 국내 박사가 폄하되는 거... 일부의 부조리와 더러운 관행 때문에... 이보다 더 웃긴 건 이와 반대로 일부 고등학생들은 또 대학 교수랑 박사 과정 학생들과 같이 '공동저자'로 학술지에 논문을 발표해왔다는 사실이다. 그니깐 성인들의 박사 논문은 중·고등학생 수준이고, 오히려 중·고등학생들이 전문 학술지 논문을 쓰는 세상이라고??? 작작들 하자, 다들... 빽 없고 돈 없는 사람들은 어디 서러워서 살겠나... (-_-;) 필자는 요새 세상이 여러 방면에서 거꾸로 돌아간다고 생각하기에 마음 한켠이 자주 시리다... ㄲㄲㄲ ㄲㄲ

필자가 이렇듯 좋은 아이디어 하나 던져 줬으니 혹시라도 이 책을 읽고 관련 토픽으로 졸업 논문을 쓰는 젊은이가 생긴다면 사사문구(Acknowledgements)에 아래와 같이 한 문장만 넣어 주길 바라 본다:

A special thanks to Dr. HikiEconomist for sparking my interest in this particular topic.

ㅋㅋㅋㅋ ㅋㅋㅋㅋ ㅋㅋㅋㅋ 잡담은 이제 고만하고 이번 편에서는 외환 시장 관련 짜투리 지식들을 나눠볼까 한다. 먼저, 외환스왑 거래는 어떤 필요에 의해서 하게 되는 걸까? 다른 파생상품들과 마찬가지로 외환스왑은 여러 가지 다양한 용도로 쓰일 수

있다. 그중 하나는 미리 현물환 혹은 선도환 거래를 해놨는데, 기업의 자금 스케줄에 변화가 생겨 이를 앞으로 땡기거나(?) 아님 뒤로 미뤄야 할 필요가 발생하는 경우이다. 예를 들어 다음의 경우를 함 살펴보자:

Sell USD against KRW (for) value 1 Oct 2021

위에서처럼 어떤 기업에게 10월 1일 날 결제 예정인 USD Sell 방향 선도환 포지션이 존재한다고 가정해 보자. 만약 기업의 자금 스케줄에 변경이 생겨 결제를 1달 뒤로 미뤄야 할 니즈가 생길 경우, 아래처럼 해당 은행과 달러 'Buy & Sell' 방향의 외환스왑 거래를 체결함으로써 이 문제를 간단히 해결할 수 있다:

Buy/Sell USD against KRW (for) value 1 Oct 2021 against 1 Nov 2021

10월 1일 날 달러를 예정대로 매도(sell)하고, 또 새롭게 매입(buy)도 하므로 달러 현금 흐름(cash flow)은 서로 퉁쳐지고, 이제 남는 건 11월 1일 만기 선도환 포지션뿐이겠다:

~~Sell USD against KRW (for) value 1 Oct 2021~~

Buy/Sell USD against KRW (for) value ~~1 Oct 2021 against~~ 1 Nov 2021;

⇒ Sell USD against KRW (for) value 1 Nov 2021

물론 예전의 선도환 거래에서 적용됐던 환율과 새로운 스왑 거래에서 적용한 환율은 서로 다를 것이고, 당연히 이 환율의 차이(= 원화 금액의 차이)는 10월 1일 날 정산될 거다. 예를 들어 예전 거래에서 적용한 선도환율보다 이번 스왑의 'near leg' 환율이 더 낮다면(↓), 기업이 은행으로부터 그 차이만큼을 수취(receive)하게 되고, 반대의 경우(= 환율 ↑)엔 기업이 은행에게 그 차이만큼을 지급(pay)해야 할 거다. 이 뜻은 뭐냐면 USD 매도 방향 선도 포지션을 가지는 경우, 향후 환율이 하락하면 그만큼 이익을 보고, 반대로 환율이 상승하면 그만큼 손실이 난다는 얘기다. 물론 여기서 '환율'이라 함은 정확히는 거래의 'value date'에 대한 선도환율(= 현물환율 + 스왑포인트)을 의미한다. 'Value date'이 만약 'spot date'이라면 당연히 그냥 현물환율이 되는 거고... *넘 당연한 걸 얘기했나... 쩝.*

위에서 가르쳐준 건 사실 너무나 단순하면서 당연한 내용이라 할 수 있지만, FX에 익숙하지 않은 '문과생 마인드를 가진' 초보자들한테는 무척이나 헷갈리게 다가올 수 있는 부분이다. *특히 '태생적으로' 문과생인 사람들 ㅠㅠㅠ 당신 말여, 당신... (-_-;)* 천천히 다시 생각해 보자. 당신이 1달 뒤에 은행에다가 달러를 1,200원에 팔기로 (sell) 계약(= 약정)해 놨다 치자. 근데 1달 뒤에 가보니 시장 현물환율이 1,300원이 돼버렸다.(환율↑) 이는 당신이 이미 1,200원에 팔기로 약정을 해놔서 시장가보다 달러를 훨씬 더 '싸게' 팔아야 되는 안타까운 상황에 처했음을 의미한다. 그러니 이 경우 1달러당 100원만큼 손해를 본다 할 수 있겠다. 반대로 1달 뒤에 가보니 현물환율이 1,100원으로 내렸다면?(환율↓) 이 경우엔 당신이 시장가인 1,100원보다 더 높은 1,200원에 달러를 팔게 될 테니 당연히 달러당 100원의 이익을 보는 셈이다. 요게 헷갈리는 '문과생' 초보자들은 필자가 아래에 정리해 준 거 가지고 일단은 그냥 외워버리자:

달러 매도(Sell) 선도 포지션 ⇒ 향후 환율 하락(↓)하면 이익~

달러 매수(Buy) 선도 포지션 ⇒ 향후 환율 상승(↑)하면 이익~

위의 방향만 항상 머릿속에 새기고 있으면 앞으로 외환 관련 공부를 하거나 아님 외환 관련 신문 기사를 읽을 때 헷갈리지 않을 거다. 위에서 '이익'이라는 얘기는 선도환의 실제 결제일이 도래하기 전이라면 '막투막(Mark to Market: MtM) 이익'으로 간주하면 되겠다. 만약 실제 결제일이 도래한다면 그때는 이게 실현(realized) 이익이 되는 거고...*(뭐, 두말하면 잔소리지만 정확히는 결제일이 도래하기 전 선도환의 MtM 값은 미래 시점에 발생할 이익/손실을 할인(discount)해서 현재가치(present value)로 땡긴(?) 값이다.)*

암튼 그건 그렇고,,, 앞에서 예를 든 것처럼 기업의 자금 스케줄 변경에 따른 조정 목적 외에도 외환스왑은 또한 수출·수입으로 발생하는 자금 흐름과 환 거래를 일치시키기 위해서, 혹은 단기 외화 자금을 조달하려는 목적으로, 혹은 해외 자산 투자 관련 헤지(= 자산스왑; 에셋스왑; Asset Swap)를 위해서, 혹은 외국인의 재정거래(Arbitrage) 목적으로, 혹은 외국환은행이 대고객 선도환 거래 후 포지션 헤지를 위해서 등등등,,, 정말 많은 다양한 이유로 시장에서 거래되고 있다고 할 수 있겠다.

위에서 열거한 목적들 중 몇 가지의 경우만 좀 더 설명해 주자면, 먼저 외환스왑은 원화 기반의 국내 금융기관이 외화 자금을 손쉽게 조달할 수 있게 해주는 편리한 외화 펀딩(funding) 도구로 간주될 수 있다. 예를 들어 '3개월 달러 Buy & Sell 거래'를 이러한 자금 조달의 관점에서 본다면 아래처럼 해석해 볼 수 있다:

Buy/Sell USD against KRW (for) value spot against 3 months
= 3개월간 원화를 담보로 달러를 차입

즉, 달러 'Buy & Sell' 스왑 거래는 거래 초기에 원화를 주면서 동시에 달러를 가져오므로, 이를 '원화를 담보로 내어주고 달러를 차입'해 온다고도 생각할 수 있다는 얘기다. 3개월 후에 만기가 도래하면 내주었던 담보(= 원화)를 다시 돌려받고 빌렸던 달러는 다시 돌려주는 셈인 거고...

만약 3개월 후 국내 금융기관이 달러 자금을 더 오래 필요로 한다면 당연히 만기일 이전에 새로운 달러 'Buy & Sell' 거래를 통해 포지션을 계속 '롤오버(roll-over; 연장·이월 시킨다는 뜻)' 해나갈 수 있다. 여기서 알려주고픈 또 하나의 곁다리 지식은 이렇게 FX 시장에서 국내기관들이 외환스왑을 이용해 외화를 조달하려는 수요가 늘어나게 되면 그 가격인 스왑포인트는 쭈욱~ 떨어진다는 점이다. 그 정도가 심해지면 국내 금리가 달러 금리보다 월등히 높은 상황에서도 스왑포인트가 마이너스로 갈 수 있다. 이러한 역학관계(?)를 정리하자면,

달러 Buy & Sell 거래 ↑ ⇒ 스왑포인트 ↓
달러 Sell & Buy 거래 ↑ ⇒ 스왑포인트 ↑

위와 같이 나타낼 수 있겠다. 어려운 내용은 아니지만, 아마 아직 개념이 안 잡힌 초보자들에겐 이런 것들이 많이 헷갈리게 다가올 거다. 누가 옆에서 정답을 말해주지 않으면 혼자서 거꾸로 생각하며 삽질하다 시간 낭비할 수도 있으니껜,,, 그래서 필자가 대신 정리해 줘봤다.

외환스왑 거래의 여러 목적들 중 이번엔 해외 자산 투자와 관련된 헤지의 관점에서 한번 살펴보도록 하자. 사실 자산스왑 관련해서는 이미 지난 13편을 통해 그 흐름(flow)을 자세히 설명한 바 있다. 다만 13편에서는 통화스왑이라는 금융상품에 기

반해서 설명했었다. 이번엔 외환스왑의 경우에 기초해서 생각해 보자.

참고로 마켓 컨벤션을 알려주자면 외화 자산에 투자한 후 환헤지(FX hedge)를 걸 때 1년 이하의 경우는 외환스왑(FX Swap)을, 1년 이상의 경우엔 통화스왑(CCS)을 활용하는 것이 일반적이다.*(은행 간 시장에서도 외환스왑은 1년 이하 단기물 위주로 쿼트 되고, 통화스왑은 1년 이상의 중·장기물 위주로 쿼트되고 있다.)* 국내 보험사가 1년 만기의 해외 채권에 투자하는 경우를 함 가정해 보자. 해외 채권을 사려면 달러가 필요하므로 원화를 달러 원금으로 바꿔야 할 거고, 또한 1년 후 채권 만기가 도래하면 채권의 원리금(= 달러)을 다시 원화로 바꿔야 하기에 이에 대한 약정을 미리 해 놔야 할 것이다. 이는 보험사가 1년 만기 'USD Buy & Sell' 방향의 외환스왑 거래를 해야 함을 의미한다:

Buy/Sell USD against KRW (for) value spot against 1 year

※ 물론 만기에는 '원금+이자'까지 환전해야 하므로 이를 정확히 커버하려면 'near leg'와 'far leg'의 명목금액이 살짝 다른(uneven) 스왑 거래를 해야 한다. 이는 원금에만 스탠더드 한 외환스왑을 걸고 이자에는 선도환(FX Forward)을 걸어놓는 형식과 사실상 같다고 할 수 있겠다.

거래의 방향이 달러 'Buy & Sell'이므로 자산스왑은 국내 금융 기관의 FX 시장을 통한 외화 펀딩의 경우와 마찬가지로 스왑포인트의 하락(↓) 요인으로 작용할 수 있다. 즉, 역학관계를 다음과 같이 나타낼 수 있다:

자산스왑 수요 ↑ = USD Buy & Sell 거래 ↑ ⇒ 스왑포인트 ↓

이와는 반대로 지난 18편에서 심층적으로 다뤘던 것처럼 만약 외국인들이 국내 시장에 들어와서 실행하는 재정거래(Arbitrage; 무위험 차익거래)에 대한 수요가 늘어난다면??? 너무나 당연하게도 이 경우엔 스왑포인트의 상승(↑) 요인으로 작용할 거다:

외국인의 재정거래 수요 ↑ = USD Sell & Buy 거래 ↑ ⇒ 스왑포인트 ↑

다음으로 외국환은행이 대고객 선도환 거래 후 포지션 헤지를 위한 수단으로서의 외환스왑 거래를 함 살펴볼까나? 3개월 후 시점에 달러화로 대금을 수취할 예정인 어느 수출 기업이 환헤지를 위해 외국환은행과 선도환 매도 거래를 체결한다고 가정해 보자:

Sell USD against KRW (for) value 3 months

자, 기업이 은행에게 선도환을 매도(sell)했으니 은행 입장에서는 선도환 매수(buy) 포지션이 생겨버렸다. 이를 다시 헤지하기 위해서 은행은 시장에다가 선도환을 매도하면 제일 편할 거다. 그냥 고대로 '백투백(back-to-back)' 거래를 하는 셈이니깐 말이다. 근데 '은행 간(interbank)' FX 시장에서 가장 유동성 있게 거래되는 상품들은 외환스왑과 현물환, 이렇게 두 가지다: 한국은행의 2020~23년도 외환 거래량 자료에 의하면 '은행 간 시장'에서 외환스왑의 거래 규모가 선도환 거래 규모의 무려 9배에 달할 만큼 비교가 안 될 정도로 크단다. 따라서 대고객 선도환 거래를 헤지하는 도구로 유동성 면에서 월등한 외환스왑이 널리 쓰이고 있음은 어찌 보면 당연하다 할 수 있겠다. 근데 선도환 포지션을 스왑으로 어떻게 헤지하냐고? 어려운 거 하나 없다. '스왑 거래 + 현물환 거래' 이렇게 두 거래의 컴비네이션을 통해 선도환 포지션을 합성한다고 생각하면 된다:

외환스왑 거래:

Buy/Sell USD against KRW (for) value spot against 3 months

& 현물환 거래:

Sell USD against KRW (for) value spot

자, 3개월 'USD Buy & Sell' 스왑 거래를 하면서 'near leg'의 매수 포지션을 현물환(spot) 매도 거래로 그냥 꺾어 버린다. 그럼 이제 은행에게 남는 포지션은 'far leg' 하나뿐이겠다:(= 3개월 만기 선도환만 남는다)

~~Buy~~/Sell USD against KRW (for) value ~~spot against~~ 3 months
~~& Sell USD against KRW (for) value spot~~

⇒ Sell USD against KRW (for) value 3 months

따라서 이 경우 외국환은행의 선도환 헤지 물량이 외환스왑(FX Swap) 시장과 현물환(FX Spot) 시장 두 군데에 모두 직접적인 영향을 주게 된다 할 수 있다. 즉, 위의 경우 스왑 시장에서 'Buy & Sell' 거래를 통해 스왑포인트에 하락 압력을, 그리고 이와 동시에 현물환 시장에서는 'Sell' 거래로 현물환율에 하락 압력을 줄 수 있는 것이다. 너무나 당연한 얘기지만 만약 수입 업체가 외국환은행과 달러 선도환 매수(buy) 거래를 체결하게 되면 위와는 완전히 반대 방향들로 시장에 영향이 갈 거고 말이다.

선도환(FX Forward) 얘기가 나온 김에 짜투리 지식들 좀 더 던져주자면,,, 선도환 이란 현물환보다 먼 날짜에 정산되는 거래들을 지칭한다. 원·달러의 경우 'spot date'이 'T+2(= 익익일)'이므로 'value date'이 'T+3'인 거래부터 선도환으로 치며, 외환스왑 거래에 속한 하나의 다리(leg)로서의 선도환 거래와 차별을 두기 위해 'Outright Forward', 'Forward Outright', 혹은 그냥 'Outright' 등으로 부르기도 한다. 그니깐 누가 선도환 거래 얘기하면서 'Outright'이라 강조하면 이건 외환스왑 관련이 아닌, 그냥 '쌩' 포워드를 의미한다고 생각하면 되겠다. *ㅎㅎㅎ 참 복잡다단한 세상이다... (잡담: T+2가 '익익일'이니깬 T+5일 포워드는 그럼 한글로 '익익익익익일 결제물'이라고 부르면 되는겨? ㅋㅋㅋ ㅋㅋㅋ)*

마지막으로 선도환 관련한 짜투리 지식을 하나만 더 던져주자면,,, 비록 국내 '은행 간 시장'에서 선도환은 그 비중이 상대적으로 낮지만, 외국환은행과 '비거주자' 간의 NDF(Non-Deliverable Forward; 차익결제선도환) 거래 규모는 꽤 큰 편이다. 근데 잠깐, 'NDF'라는 건 또 뭐냐고? *생소하다고? ㅎㅎㅎ* 별 어려울 거 없다. 일단 NDF에서 'ND'는 '[실물의] 인도가 되지 않는(= non-deliverable)'의 의미로 간단히 해석하면 된다. 여기서 실물이란 당연히 원화(KRW)를 의미하는 거고... 그니깐 원화가 거래상대방 간에 실제로 왔다 갔다 하는 게 아니라 환율의 변동에 따른 이익/손실만 그냥 달러로 결제하고 끝난다는 얘기다. 그 외에는 우리가 알고 있는 선도환이랑 다를 바 없다. 이해를 돕기 위해 다음의 가상의 NDF 거래를 같이 함 살펴보자:

Sell USD 1 Mio against KRW (for) value 1 month @ 1,100.00

자, 위에서는 ND 형식의 1개월 만기 선도환 매도 거래를 가정했다.(@ 선도환율 = 1,100.00) 만약 1개월 후에 원·달러 현물환율이 1,200원으로 상승했다면, 이는 위의 거래를 체결한 기관에게 이익일까, 손해일까? *ㅎㅎㅎ 헷갈리제?* 당연히 'USD Sell' 포지션이므로 손해다. 만기 시점 현물환율 대비 달러당 100원씩 싸게 파는 셈이므로 손실 보는 금액만큼을 거래상대방에게 달러로 지급하면서 거래가 끝나게 될 거다. 따라서 1개월 후 만기 시점의 정산금액은 다음과 같다:

$$\text{정산금액} = \text{명목금액} \times (\text{계약 선도환율} - \text{만기 현물환율}) \div \text{만기 현물환율}$$
$$= USD\ 1,000,000 \times (1,100 - 1,200) \div 1,200$$

$$\therefore Pay\ USD\ 83,333.33$$

원·달러 NDF의 경우 만기 정산을 위한 현물환율로 만기 시점 하루 전날의 매매기준율(= MAR; Market Weighted Moving Average Rate; 혹은 그냥 'Market Average Rate'이라고도 하며 거래량에 의거한 '가중평균'이라고 간단히 생각하면 된다; '마'라고 부른다)을 가져다 쓰는 것이 스탠더드다. 그런데 정말 헷갈리는 건 만기 하루 전날의 요 매매기준율이란 놈(?)이 사실은 그 전날(= 만기 이틀 전) 산출된다는 점이다... ㅋㅋㅋ ㅋㅋㅋ 그니깐 10월 30일이 NDF 만기라면 만기 정산을 위한 환율은 10월 29일 자 MAR로 정해지는데, 이 10월 29일자 MAR는 사실상 10월 28일 오후에 정해진다는 얘기되겠다... *ㅋㅋㅋ ㅋㅋㅋ 나참, 진짜 드럽게도 헷갈리네... 그래서 필자가 FX를 싫어하는 겨... 이게 도대체 다 뭐대니... What a mess!!!*

여기서 추가적인 헷갈림은 환율을 관찰해서 정하는 행위를 '픽싱(Fixing)'이라 부르는데, 일부에서 '픽싱'을 '정산'으로 번역해버리는 데서 발생한다... *ㅜㅜㅜ ㅜㅜㅜ* 많은 금융 분야들에선 '정산'이라고 하면 그냥 '결제'와 동일한 의미로 받아들이곤 한다. 즉, 영어로 'Settlement Date'를 '결제일' 혹은 '정산일' 둘 중 어느 하나로 번역해도 상관없이 자연스럽다는 얘기다. 그런데 만약 '픽싱'을 굳이 '정산'이라 번역해버리면, 「정산일(fixing date?) ≠ 결제일(settlement date; or value date)」이 돼버리기에 정말 쓸데없는 헷갈림이 발생하게 된다... 필자는 그냥 Fixing은 '픽싱'이라고 영어로 놔둠이 맞는 듯한데... *쯧쯧... 사람들 진짜.., 비록 일부지만 헷갈림을 극대화시키지 못해 환장한 듯...* 정말 우리 모두는 '쓸데없이' 헷갈리는 세상을 힘겹게 살아가는 듯하다... (-_-;)

외환스왑(FX Swap)

제20편 외전: 환헤지와 극강의 마바라 ㅋㅋㅋ

아... 필자 벌써부터 빵~ 터지려 한다. '극강의 마바라'를 떠올리니 벌써부터... *큭덕... ㅎㅎㅎ ㅎㅎㅎ* 이번 편에서는 지금까지 배운 지식들을 실제 투자 상황에도 함 적용시켜보고, 또한 필자 삶에서 경험한 정말 재미진 얘기도 함께 들려주는 매우 유익한(?) 시간을 가져보려 한다. '환헤지(FX hedge)'와 '교차환율(Cross Rate)'과 관련한 기초 지식, 그리고 잼민이초딩 수준의 산수 능력만 있으면 누구든지 이해 가능한 쉬운 내용이다. 기억력이 나쁜 금융 초보자라면 지난 9편 및 15~17편들은 꼭 다시 복습하고 오길 바란다. *사실 별 어려운 것 하나 없지만서도...*

오케바리, 그럼 이제 시작해 볼까? 당신이 달러(USD) 표시의 'Fixed Income' 자산에 투자를 한다고 가정해 보자. 심플함을 추구하기 위해 만기는 1년이고 쿠폰과 원금이 만기일에 같이 지급된다는 추가 가정을 해보자. 만약 이 달러 자산의 쿠폰이 5%라면, '원화(KRW) 기반 투자자'인 당신의 입장에서는 이걸 몇 %의 수익률로 인식해야 할까? 물론, '외환스왑(FX Swap; 혹은 현물환 + 선도환)' 거래를 통해 투자 시점에 100% 환헤지를 걸어놓는다는 전제하에서다.

위의 질문에 대한 정확한 답을 알려면 어떤 정보들이 필요할까? 뭐, 깊게 생각 안

해도 당연히 두 가지만 알면 될 거다: 첫째, 원·달러 현물환율(Spot Rate)을 알아야 하고, 둘째로는 1년 만기 원·달러 스왑포인트(Swap Point; 포워드포인트)를 알아야 한다.*(or 그냥 선도(forward)환율을 알아도 되고...)* 그럼 현재의 원·달러 현물환율과 1년 만기 스왑포인트가 아래와 같이 형성되어 있다는 추가 가정을 해보자: *누가 경제학자 아니랄까 봐 맨날 가정(assumption)만 드립다 해댄다고? ㅎㅎㅎ ㅎㅎㅎ*

USD/KRW 현물환율: 1,250.00

1년 만기 USD/KRW 스왑포인트: -10.00

이제 환헤지를 걸어 놓은 5%짜리 달러 자산이 '원화 기반 투자자'의 입장에서 얼마만큼의 개꿀 수익을 제공하는 건지 계산해 볼 수 있겠다. *초보자라 아직 감이 안 온다고??? But no worries... 친절한 필자가 step-by-step으로 설명해 줄 테니...* 먼저 'Buy & Sell' 방향 원·달러 외환스왑의 'near leg'를 통해 당신(= 투자자)은 1,250원의 현물환율에 기초해 원화 투자금을 달러로 환전하게 된다. 또한 동시에 외환스왑의 'far leg'를 통해 당신은 「달러 투자금 + 쿠폰」 금액을 1년 후 만기 시점에 1,240원(= 1,250 - 10)의 선도환율을 적용, 원화로 다시 환전하기로 하는 약정을 맺게 된다.*(= 즉, 자금은 1년 뒤에 주고받지만, 미래에 적용할 환율 및 금액은 오늘 미리 정해놓는다는 뜻)*

따라서 원화 기반 투자자(= 여보당신) 입장에서의 투자 및 헤지 거래들에서 발생하는 현금 흐름들을 단계적으로 정리하면 다음과 같다:(투자금액 1백만 달러 가정 시)

① KRW 1,250,000,000 을 USD 1,000,000으로 환전 (@현물환율 1,250.00)

② 환전한 USD 1,000,000을 달러 자산에 투자

③ 1년 후 만기일에 총 USD 1,050,000을 수취 (= 원금 + 5% 쿠폰)

④ USD 1,050,000을 다시 KRW 1,302,000,000으로 환전 (@선도환율 1,240.00)

태생적 문과생에겐 다소 복잡하게 보일진 몰라도, '원화 기반 투자자'는 투자금 <u>12억 5천만 원</u>을 상기의 거래들을 통해 1년 만에 <u>13억 2백만 원</u>으로 불릴 수 있다고 간단히 정리할 수 있겠다. 따라서 여보당신 입장에서의 실제 수익률은 심플하게 다음과 같이 계산된다:

$$
\text{원화 수익률} = (1,302,000,000 - 1,250,000,000) \div 1,250,000,000
$$
$$
= 4.16\%
$$

어떤가, 별 어려운 것 없었지 않나? *사실 넘 간단해서 깜놀했을 수도... ㅎㅎㅎ ㅎㅎㅎ* 원·달러 FX 시장에서 스왑포인트의 디스카운트가 심한 상황을 가정했기에 5%의 수익을 주는 달러 자산에 투자하더라도 환헤지 후엔 사실상 4.16%의 원화 수익률밖에 얻지 못하는 것이다. 어, 그럼 이 경우 손해니 환헤지를 안 하면 되지 않겠냐고??? *ㅋㅋㅋ ㅋㅋㅋ* 물론 안 할 수도 있겠지만, 그럼 그건 안정적인 투자가 아니라 그냥 환투기가 되는 거겠다... 만기까지 달러가 엄청 절상되면 수익률이 두 자릿수가 될 수도 있고, 반대로 급 절하되면 완전 쪽박 차게 되고.... *ㅠㅠ ㅠㅠ*

휴우... 넘 간단한 걸 넘 오래 설명해버린 듯하다... 이제 살짝 더 복잡한 이종통화의 경우로 함 넘어가 보자. 달러화가 아닌 다른 외화 표시 자산 투자의 경우 수익성 계산이 이보다 살짝 더 복잡해질 거다. 교차환율(Cross Rate) 계산 때문에라도 입력 값이 2개 더 필요하기 때문이다. 그럼 백문이 불여일견이라고, 바로 예제로 들어가 볼까? G7 통화들 중... 흠... 이번엔 영국 파운드(GBP)화로 된 자산에 대한 투자를 함 가정해 보자. 이 경우엔 USD/KRW 환율들에 더해서 GBP/USD 현물환율과 GBP/USD 스왑포인트 값들 또한 알아야 수익성 계산이 가능할 것이다. 그럼 아래와 같이 현재 외환 현물 & 스왑 시장이 형성돼있다고 가정해 보자:

GBP/USD 현물환율: 1.2750

1년 만기 GBP/USD 스왑포인트: +0.0050

이제 함 가볼까? 물론 교차환율(= GBP/KRW)들을 먼저 산출한 후 한 번에 GBP에서 KRW로 바로 껑충 뛸 수도 있겠지만, 처음이니깐 일부러 천천히 한번 가보자. 만약 여보당신이 5%의 쿠폰을 제공하는 1년 만기 파운드화 자산(명목금액: 1백만 파운드)에 투자할 경우, 100% 환헤지를 걸어놓는다는 전제하에 달러(USD)로 환산되는 수익률은 먼저 얼마나 될까?*(원화 말고 달러 먼저 보도록 하자...)* 이 경우 달러 기반 투자자 입장에서의 단계적 현금 흐름들을 다음과 같이 정리해 볼 수 있겠다:

① USD 1,275,000을 GBP 1,000,000으로 환전 (@현물환율 1.2750)

② GBP 1,000,000을 파운드화 자산에 투자

③ 1년 후 만기일에 총 GBP 1,050,000을 수취 (= 원금 + 5% 쿠폰)

④ GBP 1,050,000을 다시 USD 1,344,000으로 환전 (@선도환율 1.2800)

따라서 5%의 수익을 제공하는 1년 만기 GBP 자산은 '환헤지 후' 달러 투자자에게 다음의 수익성을 제공한다 할 수 있겠다:

$$\text{달러 수익률} = (1{,}344{,}000 - 1{,}275{,}000) \div 1{,}275{,}000$$
$$\approx 5.41\%$$

오오... 그렇다. GBP/USD 스왑포인트가 플러스인 상황이기에, 환헤지 행위가 달러 기반 투자자에게 약 '0.41%'의 수익률을 추가적으로 제공하는 것이다. 즉, GBP 5%짜리 자산의 수익성은 USD 5.41%짜리 자산의 그것과 동일하다.*(= 외환스왑을 통해 환헤지를 건다는 전제하에)* 이는 반대로 생각하면, GBP 기반 투자자가 USD 자산에 투자할 만한 매력을 느끼기 위해서는 [리스크 프로필이 비슷한] USD 자산의 쿠폰이 적어도 GBP 자산의 그것보다 대략 0.41%p는 높아야 한다는 얘기 되겠다. 아니면 굳이 영국 놈(?)이 USD 자산에 투자할 이유가 없을 것이다... 물론 서로 비슷한 자산이라는 전제하에... *헷갈린다고? 초보자가 안 헷갈리면 그게 비정상이다... So, no worries...*

그럼 원화 기반 투자자인 여보당신 입장에서 GBP 5%짜리 자산이 주는 매력, 아니 수익성은 어떻게 계산하면 될까? ㅋㅋㅋ 어떻게 계산하긴, 아래처럼 중간에 USD를 거쳐서 하면 되지, 뭐:

① KRW 1,593,750,000 → USD 1,275,000 → GBP 1,000,000 환전
(@ USD/KRW 1,250 & @ GBP/USD 1.2750)
② GBP 1,000,000을 파운드화 자산에 투자
③ 1년 뒤 총 GBP 1,050,000을 상환 받음 (= 원금 + 5% 쿠폰)
④ GBP 1,050,000 → USD 1,344,000 → KRW 1,666,560,000 환전
(@ GBP/USD 1.2800 & @ USD/KRW 1,240)

위의 흐름을 정리해 보면, 5% 수익률의 GBP 자산이 원화 기반 투자자에게 제공하는 수익성은 심플하게 다음과 같다:

$$원화 수익률 = (1{,}666{,}560{,}000 - 1{,}593{,}750{,}000) \div 1{,}593{,}750{,}000$$
$$\approx 4.57\%$$

맨 처음에 살펴봤던 5% 달러 자산의 경우(= 4.16%)보다는 그나마 더 높은 수익률을 제공하는 셈이다... *GBP 투자가 좀 더 개꿀인 격??? ㅎㅎㅎ* 지금까지 한 계산 결과들을 보기 쉽게 다시 정리해 보자면:

리스크 프로필과 만기(1년)가 똑같은, 통화만 다른 아래의 자산들 사이에서 투자자들은
<u>무차별(indifferent)하다</u>:(수익성이 동일하다)

5.00% 쿠폰의 GBP 자산
5.41% 쿠폰의 USD 자산
4.57% 쿠폰의 KRW 자산

물론 당연히 자산이 중간에 부도가 난다든가 하면 환헤지 포지션이 붕 뜨게 되므로, 가능하면 환헤지 안 해도 되는 자국 통화 자산이 더 선호되긴 하겠다... 근데 그런 부도 리스크 같은 건 일단 안 따지고 단순무식하게 그냥 FX 시장을 통한 환헤지 후의 수익성으로만 비교하자면 그렇다는 얘기다... Again, 위의 예에서 환헤지를 통하면 5.00%의 GBP 자산은 5.41%의 USD 자산과 동일한 경제성을 지니고,

이는 또한 4.57%의 KRW 자산과 동일한 경제성을 지닌다고 정리할 수 있겠다... *이해 가느교???*

마지막으로, 위의 예에서 GBP/KRW의 현물과 선도 '교차환율'들은 아래와 같이 계산될 수 있다:

$$GBP/KRW \text{ 현물환율} = 1.2750 \times 1{,}250.00 = 1{,}593.75$$
$$1\text{년 만기 } GBP/KRW \text{ 선도환율} = 1.2800 \times 1{,}240.00 = 1{,}587.20$$

정말 뭐 어려운 거 없지 않았나? 해외 자산에 투자하고 싶은데 5%짜리 GBP 표시 자산이 도대체 원화로는 수익률이 얼마나 될지, 5%짜리 USD 표시 자산은 또 원화로 수익률이 얼마나 될지 하는 궁금증들이 좀 풀리셨나, 다들? *원래 궁금하지도 않았다고라? 쿨럭... (-_-;)* 근데 이렇게나 쉬운 거를... '초딩 레벨' 산수만 하면 가능한 거를... 경력이 10년이 넘는 자칭 금융 전문가가 이해를 못 하는 경우를 필자는 봤더랬다... *ㅎㄷㄷ... ㅎㄷㄷ... 농담 아니고 진짜로...*

필자는 세상을 살면서 참으로 다양한 사람들을 접해봤었기에,*(both good AND bad!)* 대가리를 장식으로 달고 다니는 바보와 맞닥뜨리더라도 웬만하면 놀라지 않고 그런가 보다 했었다. 세상엔 참 다양한 사람들이 존재하니깐... 근데, 그런 필자조차도 '엇? 이놈은 도대체 뭐지? 여긴 어뒤? 얘는 누규?'라는 생각이 들 정도로 엄청나게 심각한 '극강의 마바라' 땜시 당황했던 적이 몇 번 있었다. 그중 하나가 바로 「이소룡 마바라(주연)」, 그리고 「홍금보 마바라(조연)」와 조우했던 때였다...

이 마바라들과 옛날에 실제로 나눴던 대화들을 앞의 예와 관련되게 필자가 재미지게 '각색'해봤으니, 독자들은 어서 팝콘 하나씩 들고 와 관람 준비하시기를... *빨리*

이소룡 마바라: 쩌기요... 그니깐 GBP 5%면 원화로 4.57%라고예???

Dr. HikiEconomist: 응. 스왑포인트 땜시 좀 많이 디스카운트 되는 상황이네... 수익률을 원화로 전환하면 좀 많이 깎임. 참고로 이거 USD로 따지면 반대로 5.41% 정도 됨.

이소룡 마바라: 아, 알겠어예...

(다음 날)

이소룡 마바라: 쩌기요... 누가 그러는데 GBP 5%면 USD 5.41%가 아니라 USD 5.71% 정도 된다는데예? 그럼 원화로 대충 4.87% 아닌가예?

Dr. HikiEconomist: 헉. 그래? 입력 값들이 잘못됐나? 더블 체크해 보고 알려줄게.

[Narration: 필자는 누가 틀렸다고 말하면 일단 먼저 필자가 실수했을 가능성을 1순위에 두고 문제 해결을 하려 노력한다. 그게 정상 아닌감? 각종 데이터를 새롭게 다시 다 받아서 더블 체크하고, 또한 프라이싱(pricing) 시스템을 통해서도 트리플 체크까지 해봤는데, 결론은 역시나 '마바라의 횡설수설'이었다... (-_-;)]

(다음 날)

Dr. HikiEconomist: 어이, 이소룡... 이거 함 봐봐. GBP/USD, USD/KRW, 현물환율

(Spot Rate), 선도환율(Forward Rate), 각각 입력 값이 이렇게 되고, 이거 실거래 가격(Live)이랑 시스템 상의 예시적 가격(Indi)이랑도 거의 차이 없더라고... 현재 레벨이 GBP 5% = USD 5.41% = KRW 4.57%인 거 맞음.

이소룡 마바라: 아... 그런가예... 알겠어예....

(다음 날)

이소룡 마바라: 쩌기요... 누가 그러는데 USD 5.71%가 맞다는데예? 그럼 원화로 대충 4.87% 아닌가예? (전과 똑같은 주장의 반복 (−_−;))

Dr. HikiEconomist: ??? ??? 아니래니, 입력 데이터까지 다 줬잖옹...

[Narration: 필자가 입력 값(input)들을 준 이유는 실제 본인이 손으로 직접 계산해 보고 틀린 점이 있으면 지적해라였었다... 그 과정을 통해 도대체 어디서 차이가 발생하는지 알 수 있으니깐... 그런데 ㅋㅋㅋ 초딩 산수만 해보면 알 수 있는 상황에서 이 극강의 마바라가 뭐라 하는지를 함 들어보자...]

이소룡 마바라: 아, 근데 지가 아니라,,, 쩌기 [마바라3]이 그러더라고예... USD 5.71% 라고...

Dr. HikiEconomist: ㅋㅋㅋ ㅋㅋㅋ ㅋㅋㅋ 아니 그놈은 암 것도 모르는 놈 아니여... (마치 니 같은...) 그니껜 니가 가르쳐줘야지... ㅋㅋㅋ

이소룡 마바라: 아, 네네...

(다음 날)

Dr. HikiEconomist: (어케 됐는지 궁금해서) 그래, 좀 가르쳐줬어?

이소룡 마바라: 아, USD 5.71%이 맞대예... [마바라3]이 그러더라고예...

Dr. HikiEconomist: ??? ??? ??? ㅋㅋㅋ ㅋㅋㅋ 아니, 그놈은 아무것도 모르니깐 니가 가르쳐주라니깐!

이소룡 마바라: 아, [마바라3]이 그러는데, 본인이 한 게 아니고, [마바라4]가 그렇게 알려줬대예.

Dr. HikiEconomist: .... (이런... ㅂㅅ...)

[Narration: [마바라3]과 [마바라4]란 놈들은 필자가 모르는 인물들이기에 이놈들하고 직접 얘기할 수도 없는 노릇이고... 일단 말이 안 통하니 대화를 중단했다. 이거 참... 어디 이런 놈이 다 있나... 한 번만 더 물어보면 '엄마한테 들었다'고 할 기세였다... (-_-;)]

(다음 날)

Dr. HikiEconomist: (또 궁금병이 도져서) 니 혹시 [마바라3]이랑 얘기하던 거는 어케 됐어?

이소룡 마바라: 아, 그거 관련해서 제가 [홍금보 마바라]한테 또 물어봤어예... [홍금보 마바라]가 USD 5.71%가 맞는 것 같다고 얘기하네요...

Dr. HikiEconomist: 아, 그려? (이제 포기...)

[Narration: 결국, 이소룡 마바라는 본인 스스로 초딩 수준의 산수도 못 하는 수준이었던 것이다... 오호통재라... 필자 기억으론 금융 경력이 10년이 넘는 놈이었는데... 게다가 이제는 [홍금보 마바라]한테 물어봤다라니... 참고로 [홍금보 마바라]는 이소룡보다 훨씬 더 어리고 경험도 미천한 마바라였다... 아니, 어떻게 본인보다 경력도 짧고 마바라끼리도 만만찮은 어린애(?)한테까지 이걸 물어볼 생각을 다했을까... 쪽팔리지도 않나... 그래도 [홍금보 마바라]는 우연찮게도 필자가 개인적으로 아는 인물이었기에 연락을 해봤다.]

Dr. HikiEconomist: 어이, 홍금보. [이소룡 마바라]가 니한테 뭐 물어봤대매... 혹시 GBP 환헤지 관련해서 안 물어보든?

홍금보 마바라: 네, 뭔가를 물어보신 것 같은데 잘 기억이... 어버버버...

Dr. HikiEconomist: 아니, 무슨 계산 값 같은 거 안 물어봤어? 니가 뭔 수익률 계산이 맞다고 했다는데? 그런데 그게 맞다면 그건 엄청난 '아비트라지(arbitrage)'인데?... 무슨 단기물 FX에 그런 큰 아비트라지가 존재하겠어?

홍금보 마바라: 어버버버... 뭔가를 얘기하긴 했는데, 그게 계산은 아니었던 것 같고... 뭔지는 잘 기억이... 어버버버...

Dr. HikiEconomist: ... ... (생각해 보니 아비트라지가 뭔지도 이해 못 할 수준이라

대화 중단...)

[Narration: 마바라끼리는 서로 뭔 얘기를 하는지 몰라도 지네들끼리 대화가 된다는 사실을 다시 한번 뼈저리게 느끼는 계기였다 할 수 있다. 아니, 이런 초딩 산수도 못 하고 논리적인 대화 자체가 안 되는 '무뇌한'들이 금융인이라니... 그 당시에 필자가 이 극강의 마바라들로부터 받았던 충격의 강도는 정말 엄청났더랬다...]

그래서 필자는 본인 돈은 본인이 알아서 지키고, 무슨 자칭 금융 전문가라고 하는 업계 놈들한테 맡기지 말라고 주변 사람들에게 얘기하곤 한다. 저런 수준의 '무뇌한'들(*물론 위는 정말 '극강'의 하드 케이스지만...*)을 금융계에서 자주 봐왔기 때문이다... 아비트라지(arbitrage)의 개념은 차치하고서라도, 연환산(annualization)의 개념 또한 자세히 설명해 보라면 '어버버' 할 이들이 수도 없이 많은 것이 금융계의 현실이다. 게다가 '정신승리'의 강도가 오죽했으면 초딩 수준의 산수만 알면 가능한 계산도 스스로 못 하면서 저렇게 말도 안 되는 얘기를 당당하게 해나갈 수 있겠나... 오늘날 그런 극강의 마바라들한테 취업 인터뷰를 당할지도 모를 '제대로 된' 요즘 젊은이들이 필자는 안쓰럽기까지 하다... *바보가 감히 정상인을 인터뷰... 쿨럭... ㅋㅋ ㅋㅋ*

무식한 것 자체가 죄는 아니다... 그치만 무식한데 신념까지 더해져 타인에게 폐를 끼치게 되면 그때는 얘기가 달라진다... 사이비 종교를 믿는 것은 개인의 자유지만, 만약 잘못된 신념 때문에 아픈 자녀의 수혈을 막는 등의 짓거리들로 인해 타인의 삶에 해를 끼친다면 당연히 그건 죄스러운 일일 게다... 앞에서 소개한 극강의 마바라들 또한 [금융에 대한] 무지 그 자체가 죄는 아니지만, 금융계에 일하면서 그들이 가진 '마바라 신념'으로 인해 타인에게 피해를 줄 가능성이 농후하기에 매우 우려스럽지 않을 수 없다. *그들의 수 또한 너무 많... 쿨럭...*

ㅎㅎㅎ 더 황당한 사실은 이런 마바라들이 대부분 억대 연봉을 받는다는 사실이며, 많은 수가*(이소룡과 홍금보도 포함해서)* 경영학 혹은 경제학을 대학에서 전공했다는 사실이다. ~~경영학은 그러려니 하는데, 경제학을 하고도??? 쿨럭. (-_-;)~~ 이들은 또한 겉멋을 좋아해서 대부분 IW* 급 이상의 시계를 차고, BM*/아우* 등의 독일 차만 타고 다닌다. 오늘도 출근길에 거울을 보며 조용히 읊조리겠지... '나는 전문 금융인이다...'라고.... *ㅎㄷㄷ... ㅎㄷㄷ... 공포영화의 한 장면임...*

필자 책으로 열심히 공부해 나가는 젊은이들은 금융계에 향후 발을 들이더라도 절대 저런 틀딱마바라들의 모습을 닮아가지 않았으면 하는 바람이다. 세상에 어느 것 하나 쉬운 건 없다. 항상 겸손한 자세로 공부해 나가도 모자랄 판이다. 병자들의 '정신승리'는 이제 구세대 유물로 남기를 진심으로 바라 본다... *Can I count on you guys?*

알쓸 금융 상식

제21편 비드와 오퍼를 알려주마!

이번 「알쓸 금융 상식」 편들은 20편까지 쉬지 않고 이어진 어려운 지식들의 홍수로 인해 머리가 깨져버릴 것만 같은 초보자들을 위해 준비한 잠시 쉬어가라는 의미의 편들 되겠다. 여기서 '알쓸'은 '알아두면 쓸데없는'의 뜻이 아니라, 반대로 '알아두면 쓸모 있는'의 뜻이니 초보자들에겐 꽤 유익한 지식들이 될 거라 감히 장담해본다. *비록 책임은 못 지지만 말이다... 쿨럭.*

'비드(Bid)'와 '오퍼(Offer)'... 다들 어디선가 많이 들어본 단어들일 거다... 그런데 금융에 있어 이 단어들의 쓰임새를 완벽하게 알고 있는 이들의 수는 매우 적을 거라 본다. *필자도 옛날 옛적에 이 용어들이 도대체 무슨 뜻인지 너무나 궁금했었다...* 이번 편에서 궁금증 만빵 초보자들을 위해 이 두 단어들이 실제 업계에서 어떤 때 쓰이는지 자세히 알려주려 한다... 친절한 필자만 믿고 함 따라와 보시길~

먼저, 대부분의 초보자라면 처음 듣는 영어로 된 금융 용어를 이해하기 위해서 아마도 사전을 먼저 찾아보게 될 거다. 영한사전에서 'Bid'란 단어를 검색해보면 아래와 같이 나온다:

BID:

[경매에서] 값을 부르다[제의하다]

입찰에 응하다, 응찰하다

그렇다, 'Bid'라는 영단어는 '응찰하다'란 뜻으로 평상시에 많이 쓰이곤 한다. 근데 금융에서 흔히 말하는 'Bid Price'를 이것만 보고는 어떻게 해석해야 할지 감이 안 올 거다. '응찰가'? '입찰가'? 뭘로 해석해야 하지? 물론 상황에 따라 그런 뜻으로 해석되기도 한다. 하지만 일반적으로 금융상품의 'Bid Price'가 뜻하는 바는 이와는 살짝 성격이 다르다. 그럼 이번에는 영영사전을 한번 같이 디벼볼까?

BID:

offer (a certain price) for something, especially at an auction

ㅋㅋㅋ ㅋㅋㅋ 'Bid'의 의미가 'Offer'랜다... *이건 도대체 뭥미?* 초보자는 아예 안 읽음만 못하다. 오히려 사전을 찾으므로 해서 헷갈림이 두 배가 돼버렸다... *ㅠㅠ ㅠ ㅠ...* 세상 참 만만치 않다. 그렇다, 슬프지만 세상은 당신에게 어느 것 하나 쉽게 알려주지 않는다... *(-_-;)*

이제 영어사전 찾아보는 수고는 안 해야겠다. 점점 더 산으로만 가고 있으니... 근데 사전 안 찾아봐도 'Offer'는 아마도 많은 사람들이 'Provide'의 동의어로 '제공하다'란 뜻을 가진다고 이미 알고 있을 거다.*(아님 말고...)* 뭐, 「Provide A with B = Offer B to A」, 이런 말도 안 되는 수학 공식 같은 거를 외운 적도 가물가물 생각날 거고 말이다.*(이것도 아님 말고... ㅎㅎㅎ)* 그래서 'Offer'의 경우도 영어 사전은 별 도움이 안 될 거라는 건 굳이 말 안 해도 느낄 거다. 사실 필자는 'Offer'라고 하면 추억의 명화인 「대부(The Godfather)」 1편에서 마피아 두목 역할을 맡은 말론 브란도(Marlon Brando) 형아가 뱉었던 명대사 하나밖에 생각 안 난다:

"I'm gonna make him an offer he can't refuse."
"그가 거절할 수 없는 제안을 하겠어."
– 말론 브란도 –

금융 시장의 비드와 오퍼를 완벽 정리해 주겠다고 하고선 *지면 아깝게* 지금 뭐 하는 짓이냐고? 그 말이 맞다... 미안타. ㅠㅠ ㅠㅠ 필자 급 반성하고 이제 본론으로 들어가 주겠다. 지금까지 찾아본 건 다 잊어버리고, 다음만 기억하자: 금융 분야에서 'Bid Price', 'Offer Price'란 용어는 각각 '매수 호가', '매도 호가'라는 뜻이다. 따라서 '비드'는 뭔가를 사려는 행위, '오퍼'는 뭔가를 팔려는 행위와 연관되어 있다 할 수 있겠다.*(참고로 'Offer Price'는 'Ask Price'라고도 많이들 한다. 둘 다 똑같은 뜻이다.)*

금융상품을 취급하고 가격을 내는 딜러(Dealer)가 해당 상품의 Bid Price와 Offer Price(= Ask Price)를 제시하곤 하는데, 여기서 중요한 점은 전자는 '딜러가 매수 하는 가격', 그리고 후자는 '딜러가 매도하는 가격'을 뜻한다는 점이다. 즉, '가격(Price)'이라는 꼬리표가 뒤에 붙으면 당신이나 고객의 입장에서 비드나 오퍼라는 용어가 쓰인 게 아니라 '딜러'의 입장에서 쓰였다고 생각해야 한다. *헷갈리지 말자!*

주식이나 채권 같은 단순한 금융상품의 경우는 해당 개념을 적용하는 데 큰 어려움이 없을 거다. 예를 들어 딜러가 특정 채권에 대한 Bid Price 와 Offer Price를 각각 $99, $101이라 고시한다면 이는 딜러가 해당 채권을 $99에 사거나 $101의 가격에 팔 용의가 있다는 뜻으로 알면 된다. 즉, 당신(= 고객)이 딜러로부터 해당 채권을 사고 싶다면 $101이라는 금액을 지불해야만 하고, 반대로 해당 채권을 딜러에게 팔고 싶다면 $99를 받고 팔 수 있다는 뜻이다. 만약 사려는 고객과 팔려는 고객이 한 명씩 있다면 딜러는 이들과 거래를 함으로써 $2(= $101-$99)의 수수료를 챙길 수 있고 말이다. 참고로 두 가격의 차이는 '비드-오퍼 스프레드(Bid-Offer Spread)'라는 이름으로 불린다. 그리고 두 가격의 중간인 $100을 'Mid Price'라고 부르고... 어떤가, 살짝씩 헷갈리지만 이해하기는 어렵지 않을 거다. 아래의 룰(rule)만 기억하면 된다:

Bid Price: 딜러의 '매수' 호가

(= 고객이 '매도'할 수 있는 가격)

Offer/Ask Price: 딜러의 '매도' 호가

(= 고객이 '매수'할 수 있는 가격)

대부분의 금융상품들은 위의 간단한 룰만 기억하면 뭐 어렵지 않게 이해하고 넘어갈 수 있지만, 외환이나 일부 파생상품들의 경우에는 좀 간단치 않은 면들이 존재하는 관계로, 필자가 이런 상품들은 각각 어떻게 이해해야 하는지 일일이 가르쳐 주려 한다.*(참 친절하기도 하지...)* 자, 그럼 하나씩 알아볼까나~

① 현물환(FX Spot) 거래의 경우:

Bid	Offer
1,250.00	1,251.00

위는 예시적인 원·달러 현물환의 호가 테이블이다. 눈썰미가 좋은 사람들은 바로 눈치 챘겠지만 왼쪽의 환율이 딜러가 '달러(USD)를 매입'하는 가격(= 환율)을 나타내고 오른쪽이 '달러를 매도'하는 가격을 나타낸다. 즉, 딜러가 고객한테 USD를 살 때는 좀 더 싸게, 반대로 팔 때는 좀 더 비싸게 팔고 있음을 볼 수 있다. 물론 여기서 1원의 차이는 '비드-오퍼 스프레드'로 불린다.

한 가지 강조하고 싶은 점은 특정 통화쌍(Currency Pair)에 있어 Bid Price와 Offer Price는 두 개 통화 중 앞에 나오는 기준 통화(Base Currency)를 기준(?)으로 한다는 점이다. 즉, 'USD/KRW' 통화쌍에 있어 Bid Price라는 것은 딜러의 입장에서 '원화'가 아니라 '달러'를 매입하는 가격을 뜻하는 것이다. *근데 'USD/KRW'인데 왜 반대로 '원·달러'라고 부르고 자빠져 있냐고? 이에 대한 답은 지난 8편에 나와 있으니 놓친 사람들은 함 읽어보길 권한다... 참 드럽게 헷갈리는 세상이다... (-_-;)*

② 외환스왑(FX Swap) 거래의 경우:

Bid	Offer
-600	-500

위의 테이블은 3개월 원·달러 스왑포인트(Swap Point; 단위: 전)의 예시적 호가를 나타낸다. 만약 현재 원·달러 현물환율이 간단히 1,250원이라 가정한다면 위의 호가들이 의미하는 바는 다음과 같다:

Bid Price:
딜러가 1,250.00원에 USD 현물 매도(Sell) 및 **1,244.00원**에 3개월 만기 USD 선도 매수(Buy)

⇒ 고객의 입장에서는 'USD Buy & Sell' 방향

Offer Price:

딜러가 1,250.00원에 USD 현물 매수(Buy) 및 **1,245.00원**에 3개월 만기 USD 선도 매도(Sell)

⇒ 고객의 입장에서는 'USD Sell & Buy' 방향

즉, 외환스왑에서는 비드와 오퍼의 기준이 두 개의 다리(leg) 중 'far leg'가 된다 할 수 있겠다. Bid Price의 경우 딜러가 'far leg'에 기준 통화를 '매수(buy)'하는 가격, Offer Price의 경우 딜러가 'far leg'에 기준 통화를 '매도(sell)'하는 가격으로 이해하면 되겠다. 초보자들은 그냥 외우자... 가까운 다리(?)가 아니라 <u>먼 다리</u> <u>(?)</u> 기준이라고! ㅎㅎㅎ

③ 금리스왑(Interest Rate Swap) 거래의 경우:

Bid	Offer
3.00%	3.30%

위의 테이블은 5년 만기 원화 금리스왑(IRS)의 예시적 호가를 나타낸다. 근데 IRS 에서는 뭐가 Bid고 뭐가 Offer냐고? 헷갈린다고? 이것도 그냥 닥치고 외워야한 다... 금리스왑에 있어 Bid라고 하면 고정금리(Fixed Rate) 지급(pay) 방향을 의미

한다. 반대로 Offer라고 하면 고정금리(Fixed Rate) 수취(receive) 방향 되겠다. 따라서 위의 호가들이 의미하는 바는 다음과 같다:

Bid Price:

딜러가 변동금리(CD) 수취(Receive Floating) 및 **3.00%** 고정금리 지급(Pay Fixed)

⇒ 고객의 입장에서는 고정금리 수취(Receive Fixed) 방향

Offer Price:

딜러가 변동금리(CD) 지급(Pay Floating) 및 **3.30%** 고정금리 수취(Receive Fixed)

⇒ 고객의 입장에서는 고정금리 지급(Pay Fixed) 방향

④ 원·달러 통화스왑(Cross Currency Swap) 거래의 경우:

Bid	Offer
1.70%	2.30%

마지막으로 위의 테이블은 5년 만기 원·달러 통화스왑(CCS; CRS)의 예시적 호가를 나타낸다. 원·달러 통화스왑 시장에서 Bid라고 하면 원화 금리 지급(pay) 방향을, Offer라고 하면 원화 금리 수취(receive) 방향을 의미한다. 원·달러 시장의 컨벤션은 원화 '고정금리'와 달러 '변동금리'를 서로 맞바꾸는 형식이므로 위의 호가들이 의미하는 바는 다음과 같다:

Bid Price:

딜러가 USD 변동금리 수취(Receive USD Floating) 및 KRW **1.70%** 고정금리 지급 (Pay KRW Fixed)

⇒ 고객의 입장에서는 원화 고정금리 수취(Receive KRW Fixed) 방향

Offer Price:

딜러가 USD 변동금리 지급(Pay USD Floating) 및 KRW **2.30%** 고정금리 수취 (Receive KRW Fixed)

⇒ 고객의 입장에서는 원화 고정금리 지급(Pay KRW Fixed) 방향

휴우... 대충 정리됐다. 그럼 마지막으로,,, 금융 전문 일간지들을 보다 보면 "시장에 비드가 많다", "시장에 오퍼가 없다", 요런 식으로 쓰인 기사들을 종종 찾아볼 수 있을 거다. 만약 원·달러(USD/KRW) 시장에 비드가 우세하다고 하면 기준 통화인 달러를 사려는 수요가 많다는 뜻으로 해석하면 되겠고,,, 반대로 오퍼가 우세하다고 하면 달러를 팔려는 수요가 더 많다고 이해하면 되겠다. 현물환이 아닌 외환스왑 시장의 경우에는 이것이 'far leg' 기준이란 것만 머리에 새기면 되겠고... 또한 IRS 시장에 "비드가 실종됐다"고 하면 고정금리를 '지급(pay)'하려는 참여자들이 거의 없다는 뜻으로, CRS 시장에 "오퍼가 강했다"고 하면 원화 고정금리를 '수취'하려는 수요가 상대적으로 많았다는 뜻으로 이해하면 된다. *어떤가. 이제는 쉽제? 필자 덕분에 벌써 다 마스터 해브렸다! ㅎㅎㅎ*

그럼 예를 들어 시장에 비드가 실종되면 스왑 가격에는 어떤 영향을 미칠까? 고정

금리를 지급하고 싶은 곳은 없고 수취하고 싶은 곳만 존재하니 '스왑 금리(= CD와 맞바꾸는 고정금리)'가 뚝~ 떨어질 거다. 반대로 시장에 오퍼가 없으면 지급하려는 곳은 많고 수취하려는 곳이 적으니 스왑 금리가 다시금 쭈욱~ 올라갈 거고... 이해 가나?(바로 안 가도 다시 천천히 읽어보면 갈 거다. 실망 말자... 고정금리를 주려는 사람은 많은 반면 받으려는 사람이 없다면 당연히 고정금리가 올라가야 정상 아닌걱? 안 받으려 하니 더 높은 금리로 꼬셔야할 거 아녀... ㅎㅎㅎ)

뭐, 이해는 했지만 그래도 정말 헷갈릴 거다. 이렇게 헷갈리는데도 이 각박한 세상은 초보자에게 절대 친절하지 않다. 아무도 자세히 가르쳐주지 않을 것이고 그래서 금융 초보자는 항상 두려움에 떨어야 한다. 근데, 운 좋게 필자 책으로 여기까지 공부했다면 더 이상 초보자라 볼 수 없다. 금융 전문지의 많은 기사들을 이제 두려움 없이 이해할 수 있을 거기 때문이다.(내용의 다는 아니더라도..) 이 시점 이후로 초보자 신분에서 사실상 벗어났음을 자랑스러워하자. 충분히 자랑스러워해도 된다! Hurray!!! 다만 '자만'하면 바로 '마바라'로 전락... 쿨럭...

※ 환율(exchange rate)이나 이자율(interest rate) 등은 끝에 'price'대신 'rate'을 붙여서 'bid rate', 'offer rate'이라 부르기도 한다. 별 중요한 건 아니지만 참고하라는 의미에서 알려준다... 정말 넘 친절한 책이다... ㅎㅎㅎ

알쓸 금융 상식

제22편 롱과 쇼트를 완벽 정리해주마!

지난 21편에 맞먹는 수준의 건방진 제목을 뽑아봤다. 왜냐면 그 어느 책에서도 이 '롱(long)'과 '쇼트(short; 숏)'란 용어에 대해 이렇게까지 자세하게 알려주지는 않을 것이기 때문이다. *필자밖에는 없을 거다. ㅋㅋㅋ* 이 편을 읽으면 롱과 쇼트라는 단어를 보통 어떤 상황에 쓰는지, 어떤 형식으로 써야 하는지에 대한 '감'을 초보자들도 충분히 얻을 수 있을 거라 자신한다. 다만 평소에 '롱'과 '쇼트'라는 단어를 아무 때나 남용하는 이들은 좀 조심하도록 하자. '레버리지'라는 단어를 동사(verb)로 남용하는 사람들과 같이 뭔가 말만 번지르르하고 실속이 없는 사람일 가능성이 농후하기 때문이다. *(물론 인생은 복불복이니 그렇지 않은 사람도 당연히 있을 거다... 각자 잘 판단하자. ㅎㅎㅎ)*

주식이나 채권 같은 단순한 상품들에 있어 '롱'과 '쇼트'의 용법은 사실 크게 어렵진 않다. 단지 조금 헷갈리는 면이 있을 뿐이다. 예를 들어 내가 어떤 금융상품을 매수(buy)한다고 가정해 보자. 나는 매수 행위를 통해 해당 상품에 대한 '롱 포지션(long position)'을 구축한다고 할 수 있겠다. 이를 영어로는 다음과 같이 표현한다:

I am taking a long position in [a stock, bond, etc.]

I am long in [a stock, bond, etc.]

I am long [a stock, bond, etc.]

위의 세 가지 문장들 다 외국인들이 실제 쓰는 표현들이다. 어느 게 맞고 틀리다 할 수 없다. 다 쓰인다. 참고로 첫 두 개의 예문들에서 전치사 'in' 대신 'on'을 쓰는 경우도 많이 찾아볼 수 있다. 물론 전치사 없이 마지막의 예처럼 그냥 쓰는 경우도 많고... 또한 'be long' 대신 'go long'이라 표현해도 아무 문제없다.

금융에서 '포지션'을 가진다는 뜻은 매수 혹은 매도 계약을 체결함으로 인해서 본인이 그 계약의 가치에 노출된다는 뜻으로 해석하면 된다. 즉, 예를 들어 삼성전자 주식을 매수하면, 그 주식을 들고 있는 동안 본인은 그 주가의 움직임에 노출되므로, 다시 팔고 나가기(= 포지션의 unwinding) 전까지는 삼성전자 주식에 '롱 포지션'을 가진다고 표현할 수 있다는 얘기다.

그럼 '쇼트(short; 숏) 포지션'의 경우는? 반대 방향을 생각하면 되지만, 요기는 롱 포지션의 경우와는 달리 부가 설명이 살짝 더 필요하다. 일반적으로 위의 롱 포지션을 '꺾는' 행위를 쇼트 포지션을 구축한다고 표현하지는 않는다. 왜냐하면 그 행위는 이미 산 것을 다시 시장에 팔아서 아예 포지션 자체를 '없애는' 행위이기 때문이다. 그렇지 않나? 삼성전자 주식을 샀다가 다시 팔아버리면 본인은 아무 포지션이 안 남아 있으니까 이를 쇼트 포지션 구축이라고 할 수는 없는 거다.

그럼 언제 쇼트 포지션 구축이 가능할까? 현물의 경우엔 '공매도(short selling)'를 생각해 볼 수 있다. 공매도 세력들의 경우 언젠가는 주식을 어떻게든 구해서 대여자에게 다시 돌려줘야 하는 의무가 있으므로 이 경우 제대로 된 쇼트 포지션을 구

축한다고 볼 수 있다. 영어로는 이 쇼트 포지션 구축 행위를 다음과 같은 표현들을 써서 나타내곤 한다:

I am taking a short position in [a stock, bond, etc.]

I am short in [a stock, bond, etc.]

I am short [a stock, bond, etc.]

I am shorting [a stock, bond, etc.]

I am short selling [a stock, bond, etc.]

I am selling [a stock, bond, etc.] short

어째 롱 포지션의 경우보다 예문들이 훨씬 더 많아진 느낌이지 않나? 그렇다 ㅎㅎ ㅎ 세 개가 더 늘었다; 'short'는 'long'과는 달리 그냥 동사로서도 종종 쓰이곤 한다. 위의 네 번째 예문에서처럼 말이다. 그리고 마지막 두 개의 예문에서와 같이 'short sell' 혹은 'sell short' 이렇게 short를 앞에 붙이거나 뒤에 붙이거나 상관 없이 '공매도'라는 행위를 강조해서 표현하는 것이 가능하다. *쩝... 근데 어째 영어 회화책을 쓰고 있는 것 같은 이 느낌은 도대체 뭐징... (-_-;) ㅋㅋㅋ*

이번에는 현물이 아니라 선물(혹은 선도), 옵션(혹은 워런트), 기타 파생상품 등의 경우에는 혹시나 다른 점이 있는지 알려주겠다. 먼저 선물, 옵션의 경우는 간단하다. 선물·옵션을 매수(buy)하면 그게 바로 롱 포지션(long position) 구축인 거고, 선물·옵션을 매도(sell)하면 그게 바로 쇼트 포지션(short position) 구축이 된다. '공매도'란 표현은 이런 상품들의 경우엔 '일반적으로' 적용하지 않는 개념이라 말해주고 싶다. 따라서 위의 'short' 예문들에서 마지막 두 문장은 '공매도'를 특정하므로 선물 혹은 옵션을 거래할 때는 굳이 쓰지 않는다고 보면 된다.*(그런데도 불구하고,,, ㅋㅋㅋ,,, 정말 헷갈리게도 선물, 옵션의 경우에도 위의 5, 6번째 문장처럼 말하는 사람들이*

존재한다. ㅠㅠ 그냥 그런가 보다 하자...)

※ 참고로 더 헷갈리는 점은 풋옵션(put option)의 경우, 매수자는 옵션에 대해선 'long position'을 갖지만 기초자산(underlying asset)에 대해서는 사실상의 'short position'을 갖는다는 점이다... ㅎㅎㅎ 참으로 복잡한 세상이다... ㅎㅎㅎ

사실 롱·쇼트가 정말 헷갈려서 문제가 되는 상품 분야는 바로 '금리스왑(IRS)'일 거다. 지난 비드·오퍼 편에서는 그냥 닥치고 외우라고 필자가 말했었는데, 이번 롱·쇼트의 경우도 사실상 닥치고 외우는 수밖에는 없을 거다... ㅎㅎㅎ ㅎㅎㅎ 그럼 금리스왑에 있어 뭐를 롱 포지션으로 부르고 뭐를 쇼트 포지션으로 부르냐고? 인터넷 검색 조금만 해보면 알 수 있겠지만 대부분의 교재나 학교에서는 다음과 같이 가르친다:

Long a Swap = Pay Fixed Rate (고정금리 지급)

Short a Swap = Receive Fixed Rate (고정금리 수취)

그렇다, 대부분의 경우 위와 같이 가르친다. '고정금리를 지급'하고 변동금리를 수취하는 포지션을 바로 '롱 포지션'이라 칭한다고 말이다. 반대로 '고정금리를 수취'하고 변동금리를 지급하는 쪽은 '쇼트 포지션'인 거고... 근데 이와 관련해서 인터넷을 한참 돌아댕기다 보면 많은 사람들이 이를 거꾸로 알고 있는 경우도 많고(예를 들어 어떤 CFA 시험 준비 사이트에서는 준비생들이 서로 "어? 이거 반대였어? 도대체 뭐가 맞는 거여?"하며 매우 당황해하는 모습들을 볼 수 있다...) 또한 대학에서도 반대로 가르치는 교수들을 종종 찾아볼 수 있으며, 실제 현장에서 뛰는 일부 업계 종사자들마저도 이게 아니라고 주장하는 경우들이 발견된다. 예를 들어 미국의 지식인 사이트인 quora.com에 올라온 질문에 대한 답변에 아시아 헤지펀드의 파트너라는 사람이 "금리 분야에서는 '고정금리 수취'를 '롱 포지션'으로 간주한다"라며 반대 의견을 낸 것을 볼 수 있고, 또한 어느 금융 전문 교육 사이트의 한 스왑 교재에서 저자는 실무 강의를 듣던 어느 트레이더가 위의 '롱·쇼트'의 정의가 틀리다고 강하게 반발하기도 했다는 일화를 소개하기도 했다.

그럼 왜 이런 상반된 의견들이 나오는 걸까? 곰곰이 생각해 보면 그 이유는 스왑 '롱·쇼트' 포지션의 방향이 채권(bond)의 그것과 정반대이기 때문이다. 채권은 일반적으로 고정금리가 많으니*(물론 변동금리부채권(FRN)도 존재하지만 고정금리부채권이 다수이다)* 채권에 '롱 포지션'을 갖는다는 일반적인 의미는 채권의 매수, 즉 고정금리(= 쿠폰)를 수취하는 포지션 구축을 의미한다. 따라서 '롱'이라고 하면 스왑의 경우도 채권의 경우와 마찬가지로 '고정금리 수취' 방향으로 간주하는 게 사실 더 편하긴 할 거다... 그런데 앞에서 소개한 스왑 '롱 포지션'의 정의는 정말 헷갈리게도 이와는 정반대 방향인 것이다...

그럼 도대체 어떤 게 100% 맞는 걸까? 불행히도 정답은 없다. 어떤 게 '맞고' '틀리다'라고 할 수가 없는 문제이다. 왜냐면 어떤 권위 있는 협회나 정부 차원에서 이건 이렇게 부르고 저건 저렇게 부르라고 정한 적이 없기 때문이다. 그냥 대다수의 교재와 학교에서는 앞에서 소개한 정의와 같이 가르치지만, 일부 업계 사람들은 편의상 스왑 포지션을 같은 금리 계열 상품인 채권 포지션에 대입해서 생각하는 것뿐이다. 물론 그렇지 않은 사람들도 많고...

근데 이렇게 통일되지 않고 서로가 다르게 생각한다면 업계가 어떻게 돌아가냐고? ㅎㅎㅎ ㅎㅎㅎ 돌아갈 수 있다. 왜냐면 '롱·쇼트'라는 표현은 거래할 때 안 쓰기 때문이다. 거래할 때는 비드(bid) 가격, 오퍼(offer) 가격에 거래하면 되고, 또 일반적으로 'Pay Fixed', 'Receive Fixed' 이런 식으로 표현하므로 사실 헷갈릴 게 없기 때문이다. 굳이 거래할 때 헷갈리게 '롱·쇼트'라는 표현을 쓰지 않는 것이다. 그럼 결론은 뭐냐고? 대부분의 교재나 학교에서 'Long = Pay Fixed' & 'Short =

Receive Fixed'로 가르치므로 머리 넘 아파하지 말고 그냥 이렇게 외우면 된다. 단, 이는 채권의 경우와 방향이 정반대의 개념이라 실전에서는 좀 많이 헷갈릴 수 있다는 점을 항상 염두에 둬야 한다. 필자의 개인적인 생각은,,, 스왑에 있어서는 그냥 롱·쇼트라는 표현을 자제했으면 좋겠다. 대신 'Pay Fixed(= Bid)', 'Receive Fixed(= Offer)'라는 더 좋은 표현들이 있지 않은가...

이와 비슷하게 신용부도스왑(Credit Default Swap; CDS)이라 불리는 또 다른 파생상품의 경우에도 헷갈림은 자주 발생하고 있다. 곧 등장할 CDS 편들에서 자세히 알려주겠지만, CDS에 있어서는 롱과 쇼트를 '보장(protection)'이 아닌 '신용위험(credit risk)'을 기준으로 해서 표현하는 경우가 많다. 그래서 이 또한 사람들을 많이 헷갈리게 만들곤 한다. *무슨 소리인지 모르겠다고? ㅎㅎㅎ 당연하다. CDS 편에서 자세하게 설명해 주겠다. 좀만 참자.*

이번 편을 끝내기 전에,,, 혹시 '쇼트 커버링(short covering; 숏 커버링)', 그리고 '쇼트 스퀴즈(short squeeze; 숏 스퀴즈)'란 표현들 들어 봤나? 금융 분야 뉴스들에 자주 등장하는 용어들이다. 보너스로 이 두 용어에 대해 설명해 주고 끝마치려 한다. 먼저 '쇼트 커버' 혹은 '숏 커버'라는 표현은 일반적으로 공매도 포지션의 만기가 도래하거나 혹은 그전에 포지션을 청산하기 위해서 시장에서 주식을 매수하는 행위를 뜻한다. 따라서 '쇼트 커버' 행위들이 많아지면 그 주식의 가격은 좀 오르게 된다. 이런 표현은 채권이나 외환 등 다른 금융상품 쪽에서도 많이 쓴다. 단, 외환(FX)의 경우는 현물 공매도가 아니라 일반적으로 선도환 매도(= 쇼트) 포지션을 청산하는 행위를 '쇼트 커버링'이라고 부른다는 점이 다르다.

마지막으로 '쇼트 스퀴즈'는 이러한 쇼트 커버 행위가 과도하게 일어 시장의 일시적인 왜곡(= 자산 가격의 급상승)을 일으키는 경우를 말한다. 예를 들어 시장의 예상과는 반대로 어떤 이유에서든 해당 자산의 가격이 너무 올라버려 쇼트 포지션을 취한 세력들이 막투막(MtM) 손실을 견디지 못 하고 한꺼번에 포지션 청산에 나서

면서 안 그래도 높아진 자산 가격이 더욱더 뛰어 버린다든지 하는... 바로 2021년
초 세상을 떠들썩하게 했던 '게임스탑(GameStop)' 사태를 떠올려보면 되겠다...

휴우... 필자 머릿속에 맴돌던 롱·쇼트 관련 지식들을 모두 다 정리한 것 같아서 보
람스럽다. 서점에 가서 수많은 책들을 뒤져도, 인터넷에서 검색을 아무리 많이 해
도 필자만큼 자세하게 'long'과 'short'를 논하는 글은 찾지 못 할 거다...*(근데 이게
이렇게나 길게 논할 만한 주제이긴 한 건가? (-_-;))* 이 책을 읽고 있는 금융 초보자들,
당신네들은 정말 행운아들이 아닐 수 없다! *ㅎㅎㅎ 자화자찬의 끝판왕... 쿨럭... 친구·
동료들한테도 책 추천... 쿨럭...*

알쓸 금융 상식

제23편 사람 미치게 만드는 용어 'Margin'

'마진(margin)'... 필자가 정말 대놓고 싫어하는 단어들 중 하나이다. 귀에 걸면 귀걸이, 코에 걸면 코걸이 식으로, 그 쓰임이 너무나 중구난방이라 증말 드럽게도 헷갈리기 때문이다. 경제·금융 분야 내에서도 상황에 따라 완전히 다른 의미로 쓰이고 있음은 말할 필요도 없고... 따라서 슈퍼 울트라 전문가(?)라 할 수 있는 필자조차도 상대방이 뜬금없이 'margin'이라는 단어를 꺼낼 경우 정확히 어떤 컨텍스트로 사용된 건지 파악하기 위해 그 다음 문장들에 귀를 기울여야 하는 쓸데없이 귀찮은 상황과 마주하게 된다. 아마 초보자들은 누가 정리해 주지 않으면 '마진'의 여러 다른 쓰임새에 대한 정확한 이해를 득하기가 힘들 것이다. 정말 중구난방이다, 중구난방... 암튼 이놈의 사람 복장 터지게 만드는 요물, '마진'이란 단어의 쓰임새를 이번 편에서 함 같이 알아볼까 한다... *알아보다 같이 복장 터질 수 있음에 주의하자... 쿨럭. (-_-;)*

먼저, 언제나 그렇듯이 생소한 영단어의 기초적인 뜻에 대해 차근차근 알아보려면 영한사전부터 뒤져보는 것이 자연스런 순서일 게다. 어디 그럼 초보자의 입장에 서서 영한사전을 함 뒤져볼까나?

MARGIN:

(책 페이지의) 여백

(시간, 득표 수 등의) 차이

판매 수익(= profit margin)

흠~~ 어디 보자... 그렇다. 뭔가 마진이라고 하면 첫 번째로 떠오르는 이미지가 종이(paper)의 구석탱이에 있는 빈 여백이 아닐까 싶다... 사실 필자도 이 단어를 맨 처음 접했던 그 옛날 옛적 호랑이 담배 피우던 시절엔 '여백'이라는 생각밖에는 떠오르지 않았더랬다. 그러다 또 다른 뜻이 있다고 해서 곧 외웠던 게 저 위의 두 번째 뜻이었고... 보통 선거 같은 데서 굉장히 큰 표 차이로 승리하면 "won by a wide margin"이라 표현하고, 반대로 2022년에 치러진 어느 변방의 나라(?) 대선의 경우처럼 매우 적은 표 차이로 승리하면 "won by a narrow(or razor-thin) margin"이라 표현하곤 한다.

그럼 이번엔 뭔가 경제/금융/재무 쪽과 관련 있어 보이는 영한사전의 세 번째 뜻으로 넘어가 볼까? 사실 일반인들도 대부분 "그거 팔면 마진이 얼마나 남지?"라는 식으로, 마진이 자연스레 '중간 이윤' 비스무리한 뜻으로 사용되는 상황들을 직접 접해 봤을 거다. *아님 말고~ ㅋㅋㅋ* 그렇다,,, 이처럼 마진이라는 단어는 통상 총매출액에서 매출원가를 차감한 '매출총이익'의 뜻으로 널리 쓰이고 있다.

근데 좀 더 살펴보면, 그냥 매출금액에서 매출원가를 뺀 값 그대로가 아니라, 이를 다시 매출금액으로 나눈 '비율(ratio)' 형태로 정의되는 경우가 많음을 볼 수 있다. 예를 들어 기업의 'Gross Profit Margin'이나 'Net Profit Margin' 등은 퍼센티지 형태로 표시되는 것이 일반적이며, 각각 '[매출]총이익률', 그리고 '순이익률' 등으로 번역되곤 한다.

휴우... 여기서 끝이 아니다. 다른 뜻이 또 있다. 이번엔 영한사전 1, 2, 3번에서 커버하지 않은, 경제학(economics)에서의 쓰임새를 알려줄까 한다. 재밌게도 이 마진이란 요물단어는 경제학이란 학문에 들어와서는 완전히 다른 의미로 쓰인다. 굳이 경제학 전공자가 아니더라도 아마 많이들 들어봤을 거다: '한계대체율(Marginal Rate of Substitution)', '한계효용(Marginal Utility)', '한계비용(Marginal Cost)', '한계소비성향(Marginal Propensity to Consume)', '한계생산물(Marginal Product)' 등등등... 요렇게 'margin'은 보통 형용사 형태로 뭔지도 모를 각종 단어들 앞에 붙어서 '한계'라고 번역된다. *ㅋㅋㅋ ㅋㅋㅋ*

'한계'라... 그 옛날 누가 번역했는지 몰라도 참 불친절한 번역이다... *그 사람 좀 반성해야 할 듯...* 친절한 필자가 [비전공자들의 눈높이에서] 간략하게 정리해 주자면, 경제학에서 '한계'라는 단어가 앞에 붙으면, '추가의/추가적인(additional; extra)'의 의미를 지닌다고 단순히 생각하고 넘어가면 된다. 예를 들어 'Marginal Cost'라고 하면 재화 하나 '더' 생산할 때 드는 추가 비용을 의미하고, 'Marginal Utility'라고 하면 재화 하나 '더' 소비할 때 얻는 추가적인 효용을 뜻한다고 생각하면 쉽다. 물론 전공자들을 위해 여기서 학문적으로 살짝만 더 깊게 들어가자면, 함수의 '연속성(continuity)'과 '미분가능성(differentiability)'의 가정하에서는 재화의 생산이나 소비의 '무한히 작은(infinitesimally small)' 증가분에 대한 비용 혹은 효용의 변화 비, 즉 '순간변화율'을 나타낸다고 얘기하는 게 좀 더 정확한 표현이겠다. *뭔 소린지 몰겠다고??? 이건 그냥 pass해도 된다. 별 중요하지 않은 얘기였다. Sorry, sorry여~~ 갑자기 경제학원론 교재로 변할 뻔... 쿨럭.*

그리고 참고로 경제학 이론들에서 최적의 선택점(optimal choice)을 찾는 데 필요한 조건들이 'marginal'한 형태로 표현되는 경우가 많은 관계로, e.g. MR = MC, 경제학자들은 이를 "choices are made at the margin"이라 표현하기도 한다. 경제학자들은 또한 항상 "think at the margin"하는 인간들이라는 표현도 책이나 인터넷 같은 데서 종종 찾아볼 수 있다... 아이코, 필자가 너무 나간 듯... 경제학원론 강의는 이쯤에서 멈추기로 하겠다... *쿨, 쿨럭... (-_-;)*

물론 이뿐만 아니라 마진은 금융 분야에서 자주 사용되는 또 다른 뜻을 가지고 있다; 아마 많은 사람들이 '마진론(Margin Loan)'이나 '마진콜(Margin Call)' 같은 단어를 살면서 한 번은 들어봤을 거다... 여기서의 'margin'은 도대체 무얼 의미할까?

"Margin in investing contexts refers to the collateral that investors must deposit with their broker when trading securities on borrowed funds. Margin can also be defined as the difference between the total value of an investment and the amount lent by the broker."

위는 인터넷에서 쉽게 찾을 수 있는, 해외 유력 미디어 사이트에서 제공하는 '마진'에 대한 정의이다. 그렇다. 금융·투자 분야에서 마진이라 함은 위의 설명처럼 투자자가 소위 레버리지(leverage)를 일으켜 투자하기 위해 브로커에게 맡기는 '담보(증거금; collateral)'를 지칭하는 것이 일반적이다.

주식 '마진계정(Margin Account)'의 경우를 예로 들어 보자. 만약 브로커가 요구하는 증거금률(Margin Requirement)이 60%라면, 총 $100어치의 주식을 자기 돈 $60만 가지고 살 수 있다는 뜻이 된다. 나머지 $40은 브로커한테 빌려오는 거고... 따라서 이 경우 빌려온 금액은 $40이 되고, 'margin'은 $60이 된다 할 수 있겠다. 이런 식으로 레버리지를 일으켜 주식 거래하는 행위, 즉 신용거래 행위를 영어로는 'Buying on Margin', 'Trading on Margin' 혹은 'Margin Trading' 등으로 표현하곤 한다.

※ *잡담: 현물 시장과는 달리, 장외(OTC)파생상품 시장에서는 비록 「2001 ISDA Margin Provisions」라는 documentation이 존재하긴 하였지만 'margin'이라는 단어를 잘 쓰지는 않았다. 그러다 2015년도에 BCBS/IOSCO가 '비청산' 장외파생상품 거래의 시스템 리스크를 경감시키기 위한 증거금 관련 주요 원칙과 요구 조건들을 발표하고 각국의 규제 당국들이 이를 강제하는 조치들을 도입하는 과정에서 '변동증거금(Variation Margin)', 그리고 '개시증거금(Initial Margin)' 등의 용어들이 자연스레 쓰이기 시작하였다. 이러한 단계적 규제 변화에 발맞춰 국제스왑파생상품협회인 ISDA는 2016년에 「Credit Support Annex for Variation Margin (2016 VM CSA)」을, 2018년엔 「Credit Support Annex for Initial Margin (2018 IM CSA)」을 발표한 바 있다. 근데 쓰고 보니 미안타. 초보자들에겐 좀 과한 TMI였을 듯하다... (-_-:)*

증거금 의무는 보통 개시(위탁)증거금(= Initial Margin) 의무와 유지증거금(= Maintenance Margin) 의무로 나눌 수 있는데, 투자 개시 후 주식 가치가 하락하여 혹시라도 요구되는 유지증거금(률) 수준을 맞추지 못한다면 투자자는 '마진콜(Margin Call)'이라는 걸 받게 된다. 마진콜은 담보 가치가 요구되는 수준 미만으로 떨어질 경우, 돈(= 추가 증거금)을 더 채워 넣으라는 브로커의 최후통첩(!)이라 할 수 있겠다. 그리고 당연한 얘기지만 마진계정을 이용해 현물에 투자하는 경우뿐 아니라 선물(futures) 등의 장내 파생상품 거래에 있어서도 이러한 'margining' 메커니즘은 기본적으로 엇비슷하다. 단, 파생상품의 경우엔 더 높은 수준의 레버리지를 제공하고 마진콜이 발생할 경우 증거금을 다시 개시증거금 수준으로 요구하는 것이 일반적이다.

여기서 모두가 환장할 만한 사실 하나를 알려주자면,,, *Are you ready??? Brace yourselves..,* 'margin'이란 단어가 차입하는 데 필요한 '증거금'의 뜻으로가 아니라 아예 그 반대 개념이라 할 수 있는 '차입금'의 뜻으로 쓰이는 경우들 또한 있다는 점이다... ㅎㄷㄷ... ㅎㄷㄷ.... 욕나온다. 진짜... ㅎㅎㅎ 인터넷 조금만 뒤져봐라... 해외 사이트들에서 '마진'이 그냥 '차입금'의 의미처럼 쓰인 경우들을 찾을 수 있을 거다. 이는 아마도 'Margin Loan'이라는 조금은 더 넓은 의미의 용어를 뒷단의 'loan'은 생략하고 그냥 'margin'이라 짧게 표현하는 와중에 발생하는 헷갈림이지 않을까 싶다... *아님 말고...* 암튼, 정말 징하디 징한 헷갈림을 선사하는, 절로 욕 나오게 만드는 용어라 할 수 있겠다...

마지막으로, 마진은 또한 'ARM(Adjustable Rate Mortgage; 변동금리형 주택담보대출)'에 있어 기준이 되는 금리 인덱스에 더하는 가산 금리를 의미하기도 한다... *ㅋㅋㅋ 이건 또 뭥미??? 나는 누규??? ㅋㅋㅋ* 그니깐 이 경우 「Index + Margin」이 소비자에게 최종적으로 적용되는 주택담보대출 금리라는 얘기다. 이외에도 은행권의 수익성 지표인 '예대마진'이나 '순이자마진(Net Interest Margin; NIM)'의 경우에도 마진이라는 용어가 쓰이고 있고... *ㅋㅋㅋ ㅋㅋㅋ* 아, 진짜 끝이 없다, 없어... 그래서 필자가 오지게도 싫어하는 단어가 요 '마진'이란 요물 되시겠다... 증말 마귀 같은 '마(魔; 마귀 마)~~~진'이 아닐 수 없다... *싫다. 싫어~~~*

신용부도스왑(CDS)

제24편 니들이 CDS를 알어?

참 재미진 점 한 가지는, 금융계의 마바라들한테 선형 파생상품들 중 어느 상품이 가장 쉽냐고 물어보면 매우 높은 확률로 CDS를 꼽는다는 사실이다. *ㅋㅋㅋ ㅋㅋㅋ 증말 재미진 세상이다, 세상이여...* 사실 CDS는 가격결정모형(Pricing Model) 면에서도 타 스왑 상품들보다 적어도 한 단계는 더 복잡하고, 다큐멘테이션(Documentation) 면에서도 타 스왑 상품들보다 몇 배는 더 어렵고 복잡다단한데도 말이다... *무식한 자가 용감하다...*

적어도 CDS에 대해 '쫌 안다'라고 본인이 말할 수 있으려면, 뭐랄까,,, '2009 Big Bang/Small Bang Protocol'이 가진 함의, 'Mod-R'과 'Mod-Mod-R' 간의 차이, 'Risky Level(= Risky PV01)'의 의미, '위험률(Hazard Rate; λ)'의 수학적 정의 등등... 필수 기초 개념들에 대한 이해는 적어도 가져야 한다고 본다. 그런데 기반 지식이 전무한 이들마저 "CDS는 내가 쫌 알쥐~"라며 '정신승리'하는 모습들에 정말 코미디가 따로 없을 정도다... *다들 스탠드업꽁트 전문 코미디언으로 전업하는 게 더 나은 커리어 선택일 수도...* ㅎㅎㅎ 아마도 초보자들은 도대체 이게 왜 그런지 궁금할 거다...

왜 수많은 금융계 마바라들이 CDS가 쉽다고 착각하냐면, CDS의 매우 단순해 보이는 디지털(digital; 모 아니면 도)적인 겉모습 때문이다. CDS가 뭐의 약자였더라? '신용부도스왑', 즉 'Credit Default Swap'이 아니었던가. 그니깐 '부도'가 나냐 안 나냐의 여부에 따라 경제성이 확 달라지는 상품인 것이다. 평상시에는 수수료만 야금야금 수취하다가 혹시라도 '준거기업(Reference Entity)'에 부도가 발생하면 거래상대방이 손해 보는 금액만큼을 대신 보상해 주면서 계약이 조기 종료되는 구조다.

그니깐 부도만 안 나면 만기까지 소정의 수수료를 수취하며 끝나게 되지만, 혹시라도 중간에 부도 사건 발생 시엔 그로 인한 손실액을 보상해 줘야 하는, 뭔가,,, 보험(insurance)과 같은 성격의 파생상품 되겠다. 근데 마바라들은 딱 여기까지만 아는 거다... ㅋㅋㅋ ㅋㅋㅋ "아, 그거? 부도 안 나면 수수료 먹고, 부도 나면 돈 물어주는 거?" ㅋㅋㅋ ㅋㅋㅋ 딱 여기까지만 알기에 '쉽다'고 '정신승리'하는 거다... *정말, again, "무식한 자가 용감하다"라는 말이 딱 들어맞는 상황이 아닐 수 없다. *Sigh**

더 재밌는 얘기 들려줄까? 일단, CDS는 원화 시장이 활성화되어있지 않기 때문에 국내에 전문가라 할 수 있는 이들의 수가 매우 적을 수밖에 없다.*(Don't get me wrong... 어디에나 숨은 고수들은 존재한다. 그 수가 다른 분야보다 '상대적으로' 적다는 얘기다...)* 이는 활성화된 국내 파생상품 시장인 원·달러 외환스왑, 원·달러 통화스왑, 그리고 원화 금리스왑 시장 등에서 많은 수의 전문 트레이더들이 활동하는 것과는 대조적이다. 따라서 국내에서는 CDS 혹은 CDS가 가미된 구조화상품(structured product) 등의 거래에 있어 'Seller'도 'Buyer'도 서로 뭐가 뭔지 잘 모른 채 거래가 이루어지는 황당한 경우들이 많이 발생하곤 한다. *'마바라'끼리의 거래... 쿨럭... 이는 무식한 국내 기관 놈들뿐 아니라 해외지점과 백투백(back-to-back)만 주구장창 해대는 외국계 금융기관의 국내지점 마바라들의 경우도 매한가지다. 신용파생 계약서 작성(drafting)은커녕, 제대로 읽지도 못하는 안습 인간들이 대부분이니겠... (-_-;)*

휴우... 이쯤에서 정리하자면, 비록 마바라들에게는 쉬운(?) 상품일 줄 몰라도 뭘 좀 아는 사람들에겐 사실 제일 어려운 상품이 바로 CDS라 할 수 있겠다. *요물이다, 요물이여~~~* 파생상품 변호사(derivatives lawyer)들 중에서도 신용파생상품을 전문으로 다루는 이들이 젤 똑똑하고 아는 게 많은 경우가 대부분이고...*(이는 특히나 앞에서 언급한 'documentation-heavy'한 신용파생상품의 특성 때문이겠다.)* 자, 그럼 이제 그만 닥치고 CDS가 뭔지 알고 싶은 초보자들을 위해 기초부터 들어가 보련다.

CDS는 '보장매도자(Protection Seller)'와 '보장매입자(Protection Buyer)', 이렇게 양자 간의 계약으로 볼 수 있다. 보장매도자는 평상시 'CDS 프리미엄(Premium)'을 수취하는 대신 특정 '준거기업(Reference Entity)'에 '신용사건(Credit Event)'이 발생하면 보장매입자의 손실을 대신 보상해주는 약정을 하게 된다. 이러한 구조의 특성상 '보장매도자'는 스왑 계약서에 '변동금리지급자(Floating Rate Payer)'로, '보장매입자'는 '고정금리지급자(Fixed Rate Payer)'로 표현되곤 한다.

※ 참고: 보장매도자가 수취하는 수수료 격인 'CDS 프리미엄(CDS Premium)'은 업계에서 'CDS 스프레드(CDS Spread)'라는 이름으로도 불리고 있다. 이는 CDS 프리미엄이 'Asset Swap Spread'나 'Z Spread'와 비슷하게 자산의 크레딧 리스크를 나타내는 '신용 스프레드'의 성격을 띠기 때문이다. 따라서 CDS 스프레드라고 하면, 뭐에서 뭘 뺀 건지 고민할 필요 없이, 그냥 단순히 CDS의 가격(= CDS 프리미엄)을 의미한다고 생각하고 넘어가면 되겠다. 휴우~~~ 참으로 헷갈리는 세상이다... 친절한 필자 책 아니면 아무도 이런 자잘한 것들 안 갈쳐줄 거다...

그럼 아래의 예시를 통해 CDS 거래의 구조를 조금만 더 자세히 살펴보도록 하자:

보장매도자: 영국 은행
보장매입자: 스위스 은행

명목금액: USD 10 million

만기: 5년

준거기업: 미국 기업

CDS 프리미엄: 1%

자, 거래가 체결된 후 준거기업인 미국 기업이 나름 아주 잘 굴러가고 있다고 가정해 보자...*(사실 CDS 프리미엄이 100bps밖에 안 된다는 것 자체가 준거기업이 꽤 우량한 놈임을 뜻한다...)* 계속 미국 기업이 잘 굴러간다면 이 CDS 계약 당사자들 사이의 현금 흐름은 어떻게 될까? 간단하다. 바로 아래와 같을 것이다:

매 분기(quarterly), 스위스 은행이 영국 은행에게 USD 25,000을 지급

즉, USD 25,000(= USD 10 mil × 1% × 1/4) 상당의 CDS 프리미엄을 보장매입자가 보장매도자에게 매 분기 지급하게 된다. 언제까지? 5년 뒤 만기가 도래하는 날까지 계속...*(위의 예에서는 연간 금액을 심플하게 4로 나눴지만, 실제로는 계약서상의 'day count fraction'에 따라 분기별 금액이 살짝씩 다를 수 있다. 마켓 스탠더드는 'Act/360'이다.)*

그럼 보장매도자는 아무것도 지급(pay) 안 하냐고? 미국 기업이 부도만 안 나면??? ㅎㅎㅎ 맞다, 맞어. 이게 바로 CDS가 가진 매력(유혹?)이다. 위의 예에서 보장매도자인 영국 은행은 미국 기업이 '살아 있는 한' 스위스 은행에게 아무것도 지급할 필요가 없는 것이다! 영국 은행 입장에서는 주구장창 받기만 하는 개꿀(?) 계약으로 비쳐질 수도 있겠다... *그야말로 'too good to be true'인 거??? ㅎㄷㄷ.... ㅎㄷㄷ...*

ㅎㅎㅎ 하지만,,, 비록 표면적으론 개꿀(?)로 보일지 모르나, 혹시라도 미국 기업이 갑자기 부도가 난다면? 5년은 꽤 긴 시간이 아니던가... 강산이 반 정도 변하는... 향후 코로나·전쟁 같은 위기 상황이 또 닥칠 수 있고, 지금은 잘나가더라도 특정 위기 상황 발생 시 재무적 타격을 입을 수 있는 비즈니스라면??? 물론 프리미엄 레벨로 보아 그 가능성은 낮아 보이지만, 미국 기업이 채무를 갚지 못하는 상황, 즉 '신용사건(Credit Event)'이 계약 기간 도중 발생했다고 가정해 보자. 이 경우 더 이상의 이자(= CDS 프리미엄)는 축적되지 않으며, 이제는 반대로 꿀 빨던 영국 은행이 스위스 은행에게 큰돈을 물어줘야 할 처지에 놓이게 될 거다. 근데 얼마를? 1천만 달러 전부를???

뭐, 상황에 따라 명목금액인 1천만 달러 전부를 다 물어줘야 할 수도 있겠다. 하지만 그 가능성은 낮다. 왜냐하면 CDS 계약에서 보장매도자가 물어줘야 하는 금액은 부도난 준거기업의 채권으로부터 회수 가능한 액수만큼은 제외한 금액으로 산출되기 때문이다.

준거기업에 대한 익스포저(exposure)를 헤지(hedge)하기 위해 CDS 거래를 하는 보장매입자의 입장에서 한번 생각해 보자. 만약 준거기업이 부도를 낸다면 현재 들고 있는 [준거기업이 발행한] 채권의 가치가 뚝~ 떨어질 것이다. 그래도 회사가 회생 가능성이 있거나 혹은 채권자들이 회사 자산을 팔면 원금 일부는 회수할 수 있을 거라는 전제하에선 채권의 가치가 제로(= 0)까지는 가지 않을 것이다.

부도난 준거기업 채권의 가치가 원금의 40% 선에서 거래된다고 가정해 보자. 이 경우 이 채권을 들고 있는 보장매입자가 입게 되는 사실상의 손실액은 원금의 60%(= 1 - 40%) 상당이겠다. CDS 계약은 이렇게 보장매입자 입장에서의 손실 금액인 '원금의 60%'만큼을 보장매도자가 보상해 주는 방식이 스탠더드이다. 참고로 여기서 40%는 채권으로부터 회수할 수 있는 원금 비율을 뜻하므로 '회수율(Recovery Rate)'이라는 이름으로 불린다. 정리하자면, 위의 CDS 계약 예시에서

미국 기업에 신용사건이 발생하면 보장매도자에게 다음과 같은 안습 상황이 도래해 버린다:

영국 은행이 스위스 은행에게 일시불로 6백만 달러
(= 명목금액 x (1- Recovery Rate)) 지급 및 계약의 조기 종료

뭐, 영국 은행의 입장에서는 매 분기 USD 25,000씩 야금야금 꿀 빨아가다가 갑자기 6백만 달러의 거액을 날려버리는, 그야말로 날벼락 같은 상황이 발생하는 거다... *자업자득... 쿨럭...*

'왕'초보자들도 여기까지는 기본 구조를 이해하는 데 어려운 건 없었을 거라고 본다. *하지만 점점 더 어려워질 테니 방심은 금물...* 다음 편에서 이어진다...

신용부도스왑(CDS)

제25편 현물정산과 빅뱅(?)

지난 편에서 공부한 내용의 엑기스만 다시 한번 정리해주자면, '준거기업'에 '신용 사건'이 발생하지 않는 이상, CDS 계약의 현금 흐름은 「보장매입자 → 보장매도자」 방향의 일방향(one-way) 흐름이라 할 수 있다:

〈Figure 1: "보장매도자 개꿀~~~"〉

신용사건이 발생하지만 않으면:

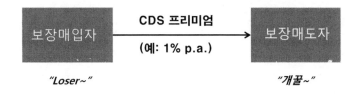

근데 정말 운 나쁘게도 준거기업에 만기 전 신용사건이 발생하면, 보장매도자의 입장에서 '개꿀'이 갑자기 '날벼락'으로 변해버린다:

〈Figure 2: "보장매입자 개개~~~꿀!"〉

신용사건이 발생하면?

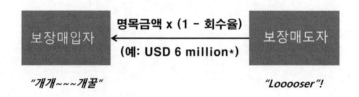

```
                    명목금액 x (1 - 회수율)
   보장매입자    ←─────────────────────   보장매도자
                    (예: USD 6 million*)

   "개개~~~개꿀"                              "Looooser"!
```

* Notional $10 mil; Recovery Rate 40% 가정

Figure 1 & 2를 만들어 놓고 쳐다보다 웃겨서 잠시 빵 터져브렸다... *재미진 필자... ㅋㅋㅋ 쪼께 유치하지만 초보자 머리에 쏙~ 들어오는 그림들이네그려~~~ ㅎㅎㅎ ㅎㅎ ㅎ* 이제 그만 반성·각설하고, 여기서 한 가지 짚고 넘어가야 할 점은, 예전에는 신용사건 발생 시의 정산방법이 위와 같지 않았고, '현물정산(Physical Settlement; 실물정산)'이란 것이 마켓 스탠더드였다는 사실이다. 그러니깐, 원래 CDS 거래는 신용사건 발생 시 보장매입자가 보장매도자에게 현물(= 실물; Bond or Loan)을 넘겨주고 그 대가로 CDS 명목금액 전액을 받아 가는 구조였던 것이다.(다음 페이지 Figure 3 참조)

이는 CDS가 태생 초기에는 '보장매입자가 보유한 채권(현물)의 신용 리스크를 헤지(hedge)하기 위한 도구'로서의 의미가 컸기 때문이다.*(순수 트레이딩 목적도 있었지만...)* 뭐랄까, 준거기업에 신용사건 발생 시 보장매입자는 이미 들고 있던 채권을 거래상대방에게 그냥 던져넘겨주기만 하면 되는 편리한(?) 구조였다 할 수 있다... *쓰레기가 돼버린 채권 던져주고 원금의 100%를 냉큼 받아먹는 꿀 거래~~ 오예~~~ ㅎㅎㅎ*

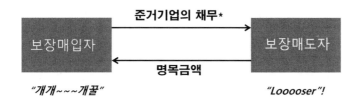

〈Figure 3: 옛날의 정산 스탠더드〉

신용사건이 발생하면?
(현물정산; Physical Settlement)

준거기업의 채무*

보장매입자 → 보장매도자

명목금액

"개개~~~개꿀"   "Looooser"!

* 명목금액 전액 정산을 위해서는 인도하는 준거기업 채무의 잔액(principal balance)이 CDS 명목금액과 같거나 커야 함

※ **잡답**: 이쯤에서 초보자 헷갈림 방지를 위해 [찰진] 잡답을 좀 하자면.., Figure 3에서는 '채무'라고 표현해 놓고, 본문에서는 자꾸 '채권', '실물', '현물'이라고 표현하는 거가 헷갈리는 초보자들이 분명 있을 거라 본다. 필자가 좀 더 세심했어야 하는데 미안탸... 요 부분은 다음과 같이 설명하고 넘어가련다: 먼저, 준거기업이 발행한 채권(Bond)이나 혹은 은행에게 빌린 대출(Loan) 등은 준거기업의 '채무(Obligation)'에 속한다 할 수 있다. 따라서 CDS 시장에서는 Bond. Loan, 혹은 그 밖의 차입금(Borrowed Money; 포함 유무는 지역에 따라 다름) 등을 모두 준거기업의 '채무(Obligation)'라 부르며, 위의 현물정산의 예에서 보장매입자가 보장매도자에게 ~~먼저주는~~ 교부(인도)하는 Bond or Loan을 고상하게 '교부대상채무(Deliverable Obligation: 인도가능채무)'라는 공식 명칭으로 부르고 있다. (그니깐 여기서는 「채권자(Creditor) ↔ 채무자(Debtor)」의 경우처럼 '채권(Bond)'과 '채무(Obligation)'가 서로 반대되는 의미로 쓰인 게 아니니 쓰잘데기 없이 헷갈리지 말라는 게 요지임..)

사실 생각해 보면 2009년도 이전의 마켓 스탠더드와 오늘날의 스탠더드는 경제적으로 동일함을 알 수 있다. 예전의 스탠더드하에서 보장매도자는 비록 CDS 거래

명목금액(예: USD 10 million)에 해당하는 금액 전체를 보장매입자에게 보상해 주지만, 그 대신 부도난 채권 실물(현물)을 보장매입자로부터 받아오지 않나... 만약 해당 채권의 시장가가 원금의 40% 수준에서 거래된다면, 보장매도자는 이 채권을 받자마자 시장에 다시 매도해버림으로 해서 'USD 4 million(= USD 10 mil × 40%)' 상당의 현금을 되찾을 수 있다.(회수율(Recovery Rate) = 40%) 따라서 이 경우 보장매도자에게 '현물정산'의 경제성(economics)은 사실상 지난 편의 예제에서의 '6백만 달러의 손실'과 동일하다고 볼 수 있다.

근데 도대체 왜 이렇게 간편하게 보이는(?) 메커니즘을 버리고 어느 순간 새로운 스탠더드를 도입했냐꼬? *궁금하다꼬???* 그 이유는 바로 CDS 시장이 시간이 흐르며 너무나 거대해져버린 데서 찾을 수 있다. 당시 CDS 정산 스탠더드 전환의 필요성은 2005년도 델파이(Delphi)라는 美 자동차 부품업체의 파산보호(Chapter 11)신청 케이스를 통해 부각되기 시작했다: 델파이가 발행한 채권들 중 만기가 도래하지 않은 것들의 총액은 원금(principal) 기준 약 20억 달러 상당이었으나,,, 요 델파이社를 준거기업으로 하는 CDS 계약들의 총액(total notional outstanding)이 당시 뉴스 보도에 따르면 무려 271억 달러에 달해브렸던 것이다... ㅎㄷㄷ... ㅎㄷㄷ...

해당 기업이 발행한 채권의 무려 13배가 넘는 금액이 CDS로 거래되었던 상황... *요런 상황을 '배보다 배꼽이 더 크다'고 하는 겨??? ㅎㄷㄷ. ㅎㄷㄷ.* 2005년도 당시의 파이낸셜타임스紙 기사를 보면 이로 인해 꽤 재미진 현상이 발생했음을 알 수 있다: 10월의 파산보호신청 직후 델파이의 채권들은 원금의 58% 선에서 거래됐지만, 얼마 지나지 않아 11월 초엔 원금의 72% 레벨까지 가격이 급등해버렸던 것이다! ㅋㅋㅋㅋ ㅋㅋㅋㅋ 아니, 회사가 지금 망하기 직전이라고 선언하며 '파산보호신청' 절차에 들어갔는데, 요놈이 발행한 채권 가격이 급등한다??? *이건 뭠미??? 여긴 어뒤???*

그 이유는 물론 너무 거대해져버린 CDS 시장에 있었다... 당시엔 '현물정산(Physical Settlement)'이 CDS 정산의 태세스탠더드였지 않나... 그니깐 보장매도자한테 델파이가 발행한 채권을 어떻게든 넘겨줘야만 CDS 정산이 완료되므로*(= 원금 100%를 다 받아 처먹을 수 있으므로)* 해당 부도 채권을 시장에서 매입하려는 CDS 보장매입자들의 수요가 넘쳐났던 거다. 근데 채권 발행량은 상대적으로 너무 적으니, 「수요 〉 공급」의 원칙에 따라 오히려 파산신청을 한 회사의 채권 가격이 급등해버리는 정말 코미디 같은 상황이 도래했던 거고... 재밌지 않나??? 참고로 지난 22편에서 소개했었던, 주식 시장에서도 많이 쓰이는 '쇼트 스퀴즈(Short Squeeze)'라는 용어가 CDS 시장에서는 바로 요런 상황을 나타낼 때 쓰이곤 한다.

이와 비슷한 '쇼트 스퀴즈' 상황은 또 다른 美 자동차 부품업체인 데이나(Dana)가 2006년도에 파산보호신청에 들어갔을 때도 발생했다. 당시 잔존하는 채권보다 대략 10배나 많은 CDS가 거래되었던 데이나社의 경우, 유통되는 채권의 가격이 파산보호신청 즈음의 원금 60% 수준에서 나중에는 CDS 정산을 위한 수요의 증가로 인해 원금의 77% 선까지 급등해버렸던 것이다... *참 재미진 세상이다, 세상이여...* 암튼 델파이 케이스를 시작으로 시장의 왜곡 현상을 바로잡아야겠다는 필요성을 느낀 국제스왑파생상품협회(ISDA)는 CDS 시장 참여자들이 현물정산(Physical Settlement) 대신 현금정산(Cash Settlement)을 하도록 유도하려 노력하기 시작했다.

그런데 만약 거래상대방 양자 간에 알아서 '현금정산'을 하라고 권하는 데서 얘기가 끝난다면 혼란은 쉽게 가라앉지 않을 것이다... 예를 들어 부도난 채권의 가격이 매일 같이 널뛰기하는 혼돈의 상황 속에서는 CDS 정산이 정확히 언제 이루어지냐에 따라 그 경제성 또한 널뛰기할 수 있고, 또한 실물(= 채권)의 가격 쿼트를 어떤 딜러들한테 받는지도 정산 금액에 무시할 수 없는 영향을 미칠 수 있기 때문이다.

이러한 불확실성들을 가능한 한 줄이고 시장 전반적으로 좀 더 '투명하고 질서 있는' CDS 정산을 가능케 하기 위해 ISDA는 CDS 관련 '경매(Auction)'들을 2005년도부터 주최해오고 있다. 그리고 이 경매 절차를 통해 정해지는 하나의 통일된 가격(= Final Price)에 시장참여자들이 일괄적으로 CDS 현금정산을 하는 형식이 오늘날에는 마켓 스탠더드로 자리매김하게 되었다. *물론 ISDA 경매는 현물정산을 원하는 CDS 거래자들을 위해 그들의 '순 오픈 포지션(Net Open Position)'의 한도 내에서 '현물정산요청(Physical Settlement Request)' 또한 허용하고 있다.*

ISDA가 주최하는 경매 결과에 의거해 현금정산을 하는 방식을 업계 용어로 '경매정산(Auction Settlement)'이라 부르고, 이는 2009년 ISDA가 발표한 CDS 업계의 큰 변혁이라 간주되는 '2009 빅뱅 프로토콜(Big Bang Protocol)'의 가장 크고 중요한 축이라 할 수 있다. 따라서 2009년의 '빅뱅 프로토콜' 적용 이후 시점부터 공식적으로 CDS 시장의 정산 스탠더드가 '현물정산'에서 '경매정산'으로 전환됐다고 정리해 볼 수 있겠다.

※ *참고로 2014년에도 신용파생상품 정의집인 「2014 ISDA Credit Derivatives Definitions」가 새롭게 발간되면서 또 다른 변화들이 있었으나, 그것이 가진 의미와 시장에 미친 영향 면에서 2009년의 Big Bang(& Small Bang) Protocol과 비교될만한 수준의 것은 아니라고 본다... 근데 갑자기 필자 입에서 "뱅뱅뱅~~♪♬♪ 빵야빵야빵야~~~ ♪♬♪"가 자꾸 맴도는 건 왜일까... 쿨럭.*

어떤가? 이번 편 내용 어렵지만 쪼끔이나마 흥미롭지 않았나? 흥미진진 CDS 스토리는 다음 편에서 계속된다~~~

신용부도스왑(CDS)

제26편 비드·오퍼와 신용사건의 정의

지난 21편에서 CDS 'Bid'와 'Offer'의 의미에 대해서는 자세히 설명 안 하고 넘어간 것 같아 이번 편에서 이 부분을 커버해 볼까 한다. 먼저, 'Bid'는 뭔가를 '사려는' 행위와 연관되어 있고, 'Offer'는 뭔가를 '팔려는' 행위와 연관이 돼있다는 필자의 설명을 다들 기억하시는교? *기억 안 남 말고~~~ ㅠㅠ* 즉, 'Bid Price'는 딜러(dealer)가 뭔가를 사들일 용의가 있는 가격(= 매수 호가)을, 그리고 'Offer Price'는 딜러가 뭔가를 내다 팔 용의가 있는 가격(= 매도 호가)을 가리킨다고 지난 21편에서 설명했었다. 그런데 CDS에 있어서는 비드와 오퍼를 어떻게 해석해야 할까? *헷갈리제? 아마 안 헷갈리면 그게 비정상일 것이다. ㅎㅎㅎ*

친절한(?) 필자가 답을 바로 알려주자면, CDS 시장에서 'Bid Price'라고 하면 딜러가 '보장을 매입(Buy Protection)'하는 가격을 뜻하고, 'Offer Price'라고 하면 딜러가 '보장을 매도(Sell Protection)'하는 가격을 뜻한다. 따라서 딜러가 아닌 고객 입장에서 볼 때, 특정 준거기업에 대한 보장을 매도하려면 딜러의 'Bid Price'가 얼만지 물어봐야 할 것이고, 반대로 보장을 매입하려면 딜러의 'Offer Price'를 요청해야 할 것이다.

Bid Price: 딜러의 '보장매입' 호가

(= 고객이 '보장매도'할 수 있는 가격)

Offer Price: 딜러의 '보장매도' 호가

(= 고객이 '보장매입'할 수 있는 가격)

※ *여기서 '가격'은 CDS Premium(= CDS Spread)을 뜻함*

그런데 'Long'과 'Short'는? CDS에서는 뭐가 Long이고 뭐가 Short일까나? *ㅠㅠ ㅠ ㅠㅠㅠ* 정말 정말 아쉽게도 앞의 '비드/오퍼'의 경우와는 달리, '롱/쇼트(숏)'는 그 쓰임새가 명확히 통일되지 않은 채 쓰이고 있다... *참 복잡하고 헷갈리는 세상이래 니... 이놈의 불친절한 세상!!!...* 지난 22편에서도 잠깐 언급했었지만, 필자는 사실 CDS의 'Long Position'이라고 하면 'Long Credit Risk', 즉 '보장매도' 방향으로, 'Short Position'이라고 하면 'Short Credit Risk', 즉 '보장매입' 방향으로 쓰인 전문적인 업계 리서치들을 꽤 많이 봐왔었다. 그래서 대충 요걸 스탠더드로 심플하게 간주해도 무리 없지 않나 생각해왔었는데, 이 헷갈리는 세상은 꼭 그렇게 말할 수는 없다는 결론을 짓게 만들더라... *휴우...*

인터넷 검색 쪼끔만 해보더라도 '롱'과 '쇼트'의 의미를 서로 완전히 반대로 쓰는 상반된 경우들을 쉽게 찾아볼 수 있다; 필자에게 친숙한 「Long a CDS = Sell Protection = Long Credit Risk」의 의미로 쓰인 경우들뿐 아니라, 이와는 정반대인 「Long a CDS = Buy Protection = Short Credit Risk」의 의미로 쓰인 경우들 또한 인터넷에서 쉽게 검색된다. *ㅠㅠㅠ ㅠㅠㅠ*

인터넷의 한 FRM/CFA 시험 준비 사이트에서는 둘 중 도대체 어느 게 맞는지에 대한 토론이 벌어지기도 했다: CDS의 'Long'은 '보장매입'을 의미하지만 CDS 인 덱스에 있어서의 'Long'은 반대로 '보장매도'를 의미한다는 어느 강사의 글에 '그 렇지 않다'는 반대 의견이 붙고 참고문헌까지 찾아서 올리며 서로 자기가 맞다고 다투는 재미난(?) 광경들도 목격된다. 이는 CDS 관련 전문 도서들에서마저 '롱'과 '쇼트'라는 용어들이 책마다 서로 다른 의미로 쓰이고 있기 때문으로 사료된다... ㅋ ㅋㅋ ㅋㅋㅋ 결국 이 논란은 어떤 이가 해당 사이트에 단 찰진 댓글 하나로 정리해 볼 수 있겠다:

"That's very weird. All these guys are talking about being long or short without knowing what this really means and are trading or investing billions of dollars? Scary!"

(참 이상하다... 이 사람들 모두가 '롱'과 '쇼트'의 의미도 잘 모르면서 이런 용어들을 떠들어대고, 또 수십억 달러 상당을 트레이딩 혹은 투자해댄다고? 무섭다, 무서워!)

ㅋㅋㅋ ㅋㅋㅋ 이게 현 금융계의 '안습' 상황을 꽤 잘 묘사하고 있는 찰진 글이지 않나 싶다. 어떤 권위 있는 단체가 나서서 '롱·쇼트'란 용어는 어떨 때 써야 한다고 공표하지 않았기에 이러한 공식 스탠더드의 부재가 만들어낸 쓸데없는 혼란과 헷갈 림이라 할 수 있겠다... 필자는 사실 '롱'과 '쇼트'라는 표현이 일부 파생상품 분야 에 들어와서는 굉장한 헷갈림을 선사하므로 아예 쓰지 않았으면 하는 스탠스이다. 그래도 쓰려면 'Long Credit Risk'처럼 뒤에다가 도대체 뭘 'Long'하는지를 명확 하게 붙이면 좋지 않을까?... *휴우... 이런 건 정말 빙산의 일각... 이런 쓸데없는 헷갈림 땜시 초보자들만 죽어나는 세상이래니...*

암튼 그건 그렇고,,, 이번엔 CDS 계약의 조건들에 관해 초보자가 꼭 알아야 할 세부 내용들을 짚어보려 한다. 먼저, 계약의 조기 정산을 트리거(trigger)할 수 있는 '신용사건(Credit Event)'에 관해서 알려주겠다. 계약을 조기에 종료시키고 '경매정산(Auction Settlement)' 혹은 '현물정산(Physical Settlement)'을 일으키는 사건을 업계에서는 '신용사건'이라 부르는데, 이것의 정확한 정의는 과연 뭘까? 2014년도에 ISDA 신용파생상품 정의집(ISDA Credit Derivatives Definitions)이 새롭게 개정되기 전까지 '신용사건'이라 하면 전통적으로 다음의 4가지를 뜻하는 것이 일반적이었다:

신용사건(Credit Event)이란?

1. 파산 (Bankruptcy)
2. 채무부인/모라토리엄 (Repudiation/Moratorium)
3. 지급불이행 (Failure to Pay)
4. 채무조정 (Restructuring)

※ 물론 실제 세상은 좀 더 복잡하다. 위에 더해서 '채무이행기 조기도래(Obligation Acceleration)'라는 신용사건을 추가시켜 거래하는 것이 스탠더드인 지역 또한 존재한다...

아마도 촉이 좋은 사람들의 눈엔 바로 들어왔겠지만, 2번의 '채무부인/모라토리엄'은 국가(Sovereign) CDS의 거래에 있어 1번의 '파산(Bankruptcy)' 사건을 대체하는 신용사건이라 할 수 있다. 국가(정부)가 기업처럼 자국 내 파산절차를 밟지는 않기 때문이다.

그럼 먼저 '파산'의 정의부터 함 살펴볼까? '파산'이란, 준거기업이 해산(dissolved) 혹은 지불불능(insolvent) 상황에 빠진 경우를 포함해 파산법 등에 따라 파산 관련

재판 또는 기타 구제를 구하는 법적 절차가 개시되는 경우, 혹은 해산 또는 청산을 위한 결의가 통과된 경우, 등등의 사건들을 모두 포괄하는 조항이다. 즉, 어떤 특정한 '채무(Obligation)'에 관해 일어나는 사건이라기보다는 해당 '준거기업(Reference Entity)'에 발생하는 사건이라 볼 수 있겠다.

만약 준거기업이 '국가'일 경우엔 위의 '파산' 대신에 '채무부인/모라토리엄(Repudiation/Moratorium)'을 적용하는 것이 일반적인데, 이는 국가가 나서서 채무의 유효성을 부인 혹은 거부하고, 이후 실제로 채무에 대한 지급을 불이행하거나 혹은 채무조정을 하는 행위로 정의된다. 일반적으로 모라토리엄 선언하는 것 자체가 신용사건의 조건을 다 충족시키지는 못하고, 실제로 선언 이후 채무 불이행 상황으로 이어져야만 신용사건이 성립하게 된다. 참고로 일부 이머징마켓(EM) 지역에 속한 기업(corporate)들은 '모라토리엄'과 '파산'이 모두 적용돼서 거래되고 있기도 하다.

다음으로, '파산'의 경우와는 다르게 '지급불이행(Failure to Pay; 지급실패)'은 특정한 조건을 만족하는 준거기업의 '채무(Obligation)'에 발생하는 신용사건으로 정의된다. 즉, 유예기간(Grace Period)을 감안한 후에도 준거기업이 특정 채무의 이자 혹은 원금 지급을 이행하지 못할 경우를 의미하는 것이다. *(물론 1달러 안 갚았다고 신용사건 시비 거는 건 아니고 불이행 금액이 최저 1백만 달러는 돼야 적용하는 것이 보통임...)* 여기서 짚고 넘어가야 할 점은 과연 무엇을 이 '채무'의 범주에 포함시키느냐 일 거다. 필자가 헷갈림 방지를 위해 좀 더 명확히 표현하자면, 사실 CDS 계약에 있어 앞에 아무것도 안 붙고 그냥 'Obligation'이라고만 하면, 이는 신용사건이 발생했는지 여부를 판단하는 대상이 되는 채무를 의미한다. 이를 제외한 다른 채무나 지급의무 등에 발생하는 사건들은 CDS 계약에 아무런 영향을 주지 않는다.

예를 들어보자. 관찰 대상이 되는 '채무의 범주(Obligation Category)'를 '채권(Bond)'으로 한정시킨다면, 해당 준거기업이 은행 대출금(Loan) 상환을 빵꾸내더라도 이는 CDS상의 지급불이행 사건으로 간주되지 않을 것이다. 채무의 범주는 더 세분화시켜 그 범위를 더 좁혀 나갈 수도 있다. 예를 들어 '채무의 특성 (Obligation Characteristics)'에 '자국 통화가 아닌(Not Domestic Currency)'이란 조건을 넣게 되면, 준거기업이 해외 통화로 발행한 채권에 신용사건이 발생해야만 CDS 정산이 트리거될 수 있다. 우리나라를 예로 들어보면, 우리나라 기업이 국내에서 원화로 발행한 채권들은 상환에 문제가 생기더라도 *향후 기업의 '파산'으로 이어지기 전까지는* 해외에서 발행한 달러 채권만 제때 상환하면 CDS 신용사건으로 이어지지는 않는다는 얘기 되겠다... *휴우... 복잡하다, 복잡해... 엄밀히 말하면 위의 단순 예에서는 국내에서 달러 혹은 타 해외 통화로 발행한 김치본드(Kimchi Bond) 상환까지도 문제가 없어야만 CDS 신용사건에 안 걸린다 할 수 있겠다... (물론 실제로는 김치본드는 제외하는 것이 마켓 스탠더드이다...)*

참고로 아래는 CDS 계약에 적용하는 '채무(Obligation)'의 범주와 특성에 있어 '미국 vs. 아시아' 지역 스탠더드의 비교 표이다:

〈Table 1: CDS 'Obligation' 스탠더드의 차이: 북미 vs. 아시아〉

	북미 기업	아시아 기업(ex-Japan)
채무의 범주 (Obligation Category)	차입금 (Borrowed Money)	채권 혹은 대출 (Bond or Loan)
채무의 특성 (Obligation Characteristics)	없음 (None)	후순위가 아닌 (Not Subordinated) 국가가 채권자가 아닌 (Not Sovereign Lender) 자국 통화가 아닌 (Not Domestic Currency) 자국 내 발행이 아닌 (Not Domestic Issuance) 자국 법 적용이 아닌 (Not Domestic Law)

Source: 「Credit Derivatives Physical Settlement Matrix」 published on 2 May 2022.

ㅋㅋㅋ ㅋㅋㅋ 북미 쪽 스탠더드는 그냥 '차입금' 하나로 정의가 끝나는 반면, 아시아 쪽 스탠더드는 뭐가 주저리주저리 막 붙어있는 게 보일 거다. 이게 보면 재밌는 게 북미나 유럽 같은 선진국[으로 취급받는] 금융 시장들에서는 조건들이 상대적으로 간단한데, 금융 시장의 영원한 EM 취급을 받는 한국을 비롯한 아시아 시장의 기업들에는 저렇게 주저리주저리 조건들이 길게 붙는다는 점이다. ㅎㅎㅎ ㅎㅎㅎ 저것만 봐도 한국은 금융 선진국으로 취급받으려면 한참 멀었대니... 시장 Player들이 안 쳐줌... 쿨럭. (-_-;)

참고로 위에서 '차입금(Borrowed Money)'이란, 채권과 대출은 물론이고 은행이 수신하는 예금(deposit), 그리고 신용장(letter of credit) 관련 상환 의무 등을 모두 포괄하는 개념이다. Table 1을 좀 자세히 보면, 아시아 기업 CDS는 채무의 범주를 '채권 or 대출(Bond or Loan)'로 일단 한번 좁혀놓고, 추가적으로 또 자국 내에서 발행한 것이 아닌, 해외에서 해외통화로 발행한 것들만으로 한정시킴을 알 수 있다.

또한 혹시 후순위(Subordinated) 채무에 신용사건이 발생하더라도 선순위만 살아 있으면(?) 신용사건을 부르지 않고 좀 더 지켜보겠다는 업계의 스탠스도 보이고... 보장매도자 입장에서는 이러한 '안전장치(?)'들이 물론 좋아 보일 수는 있겠지만, 사실 이는 한국의 크레딧 시장이 국제적으로 활성화돼있지 않은 관계로 해외에서 발행된 채권들 위주로만 CDS 시장이 형성되어 선택적으로 돌아가기 때문이기도 하다. 지난 편들에서 언급했듯이, 원화 CDS 시장은 활성화돼있지 않으며, 해외 딜러들 사이에서 거래되는 한국 달러물의 경우도 사실 거래되는 준거기업이 몇 개가 안 된다... 안습 수준임... 뭐, 그래도 [CDS가 거래되는] 몇몇 한국 기업에 대한 '보장매도'를 하고 싶은 사람한테는 현재의 시장 스탠더드가 크게 나쁠 건 없겠지만 말이다...

마지막으로 남은, 가장 복잡한 신용사건인 '채무조정'에 대한 설명은 다음 편에서 이어진다...

References

ISDA. 2003. *2003 ISDA Credit Derivatives Definitions.* International Swaps and Derivatives Association, Inc.

ISDA. 2009. "2009 ISDA Credit Derivatives Determinations Committees and Auction Settlement Supplement to the 2003 ISDA Credit Derivatives Definitions (published on March 12, 2009)." International Swaps and Derivatives Association, Inc.

ISDA. 2014. *2014 ISDA Credit Derivatives Definitions.* International Swaps and Derivatives Association, Inc.

신용부도스왑(CDS)

제27편 채무조정 & 교부대상채무

가끔씩 '신용사건(Credit Event)'이라는 이름 때문에 이것이 준거기업의 '신용등급 (credit rating)'과 관련이 있다고 착각하는 바보마바라들을 볼 수 있는데, 이는 당연히 틀린 생각이다. CDS 시장에서는 신용등급이 특정 등급 이하로 떨어진다고 해서 이를 신용사건 발생으로 간주하거나 하지는 않기 때문이다. 지난 26편에서 나열한 1~4번의 사건들만이 CDS 정산을 트리거(trigger)할 수 있다. 그런데 인터넷을 돌아다니다 보면 잘못된 정보를 전달하는 사이트나 영상들이 가끔 보이더라... 예를 들어 어느 국내 금융자격시험 강사가 CDS 신용사건에는 신용등급이 떨어지는 경우까지 포함한다며 잘못된 설명을 한다든지 하는... *다만 해당 강사는 영상에서 시험 준비생들을 위해 나름 열심히 강의하는 사람으로 비쳐졌기에 그냥 非전문가의 귀여운 실수라 생각하고 넘어가련다. 초딩 산수도 못 하면서 극강의 정신승리나 하고 자빠져있는 이소룡·홍금보 마바라 같은 금융계 '마바라'들과는 차원이 다릉계~~~ 쿨럭. (20편 참조 바람) ...(-_-;)...*

각설하고, 지난 편에서 소개한 신용사건들 중 1, 2, 3번은 이미 커버했으니, 이번 편에서는 4번 '채무조정(Restructuring)'에 관해 썰을 풀어볼까 한다. CDS 계약에 있어 '채무조정'이란 다음 중 하나 이상의 사건이 발생하는 경우를 뜻한다:

채무조정(Restructuring)이란?

1. 이자율 혹은 이자 금액의 축소
2. 만기에 상환될 원금의 축소
3. 이자 혹은 원금 지급일의 연기
4. 채무의 우선순위 하향 조정(후순위化)
5. CAD, JPY, CHF, GBP, USD, EUR [& 이들의 계승 통화] 이외의 통화로 지급 통화를 변경

※ 참고: 2014년 ISDA 정의집부터는 EU 회원국의 유로화 탈퇴 결정으로 인해 EUR 표시 채무의 통화 변경 사건이 발생하더라도 두 통화 간에 자유 시장 환율이 존재하고, 시장 환율 적용 후 이자율/이자금액 혹은 원금이 감소하지 않았다고 판단되면 '채무조정'으로 간주하지 않는다는 예외 조항이 삽입.

물론 여기에는 추가적인 조건이 하나가 더 붙는다: 바로 '채무조정'이 준거기업의 신용도 혹은 재무 상황의 '악화(deterioration)'에 의해 발생해야 한다는 조건이다. 한마디로 준거기업이 멀쩡한 상태에서 채권자들과 자질구레한(?) 조정을 하는 행위까지 굳이 신용사건으로 간주하지 않겠다는 얘기이다. 참고로 '채무조정'은 신용사건들 중 'Soft'한 신용사건으로, '파산'과 '지급불이행'은 'Hard'한 사건으로 분류되고 있다... *당연히 공식적인 분류는 아니고, 시장에서 지들끼리 그렇게 부르고 있다는 소리다...*

근데 세상 참 복잡하다. 여기서 끝이 아니다... 더 알아야 할 것이 있다. CDS의 채무조정 사건의 정산과 관련해 시장에는 다음의 세 가지 다른 스탠더드가 존재한다는 사실 말이다:

1. Full Restructuring (Full-R; Old-R)
2. Modified Restructuring (Mod-R)
3. Modified Modified Restructuring (Mod-Mod-R)

뭐라꼬? 하얀 건 좋이고, 검은 건 그냥 글씨라고??? 갑자기 이 요상한 용어들은 도대체 뭐냐꼬? ㅠㅠㅠ ㅠㅠㅠ 'Mod-R'이란 건 2001년에, 'Mod-Mod-R'이란 건 2003년에 각각 도입된 개념들이다. 보통 요런 요상한 것들이 도입되는 데는 다 그만한 이유나 계기가 있을 수밖에 없을 거다. 개념 설명에 앞서 우선 그 도입의 계기를 제공했던, 실제로 발생한 어떤 재미난 사건에 대한 썰을 먼저 풀어볼까 한다. *두~~둥...* 때는 바야흐로~~ 2000년 9월이었다. Conseco라는 이름의 미국의 한 금융회사는 곧 만기가 도래하는 은행 대출(Bank Loan) 중 5억 7100만 달러의 상환을 15개월 뒤 시점으로 미루기로 채권단과 합의한다. 이는 전 페이지에서 나열한 '채무조정' 정의의 3번에 해당하므로 당연히 CDS의 정산을 트리거시켰음은 물론이다.

근데 아이러니하게도 당시 Conseco와 채권단(대출은행들)과의 합의는 시장으로부터 단기적으론 꽤 '긍정적인' 사건으로 평가받기도 했다. 채권단과의 합의 사항에는 Conseco가 공격적인 자산 매각을 통해 현금을 마련하고 향후 3년간 30억 달러 상당의 부채 축소를 해나간다는 내용이 담겨져 있었기 때문이다. 또한 채무 상환일 연장을 대가로 은행들은 금리를 전보다 더 '상향' 조정시키기도 했다. *(따라서 처음에 소개했던 채무조정 사건들 중 1, 2번이 아니라 3번이 CDS를 트리거시켰다 할 수 있다.)*

여기서 문제는,,, 채권단에 속한 은행들 중엔 Conseco社를 준거기업으로 하는 CDS 계약의 '보장매입자'들도 있었다는 사실이다. 그리고 'Hard'한 신용사건의 경우와는 달리 이런 'Soft'한 신용사건의 경우, 준거기업의 채무는 그 만기에 따라 시장에서 평가하는 가치가 크게 차이가 날 가능성 또한 높다: Conseco의 경우, 예정된 자산 매각만으로 당장의 급한 불은 끌 수 있다고 예상됐으므로 해당 기업의 단기 채무들은 그 가치가 Par(= 원금의 100%)에 근접한 반면, 만기가 긴 것들은 가격이 [비록 일부 상승했더라도] 여전히 많이 할인되어 'Deep Discount'에 거래되는 상황이 이어졌다. O'Kane, Pedersen, and Turnbull (2003)의 분석에 따르면, 만기가 1년 내로 도래하는 Conseco의 채권(bond)들은 당시 원금의 92~97% 수준에서 거래됐으나, 3년~6년물의 경우엔 그보다 월등히 낮은 66~73% 수준밖에 쳐주지 않았다고 한다.

이런 상황하에서 진짜 문제는,,, CDS 신용사건 발생 시 보장매입자가 보장매도자에게 던져줄 수 있는 채무, 즉 '교부대상채무(Deliverable Obligation; 인도가능채무)'에 대한 제한이 '최장 만기 30년 이내'라는 조건 외에는 딱히 없었다는 점이다. 당시엔 '파산', '지급불이행(지급실패)', 그리고 '채무조정'의 경우들에 있어 교부대상채무의 조건이 모두 동일하게 적용되었던 것이다. 따라서 이 회사에 대출을 해준 (그리고 CDS 보장매입까지 한) 은행에게는 CDS를 트리거해서 시장에서 거래되는 것들 중 가장 싼 채권(bond)을 줍줍(?)한 후, 보장매도자에게 던져주고 대신에 원금의 100%를 받아 처먹는, 개~~꿀 거래의 기회가 만들어졌다 할 수 있겠다!!! ㅎ ㅎㅎ ㅎㅎㅎ *정말 'too good to be true'가 'true'가 되는 순간!... Oh yeah~~ 땐, 땐, 땐, 땐, 땐스~~~* 만기가 짧은 은행 대출(loan)의 경우엔 원금을 잃을 가능성이 상대적으로 작은 상황이었으니, 보장매입자(대출은행)의 입장에서는 [예상되는] 손실보다 훨씬 더 큰 금액을 보상받게 되는, 참으로 개꿀 기회였던 셈이다.

어케 보면 이런 캐꿀상황은 은행들의 도덕적 해이(moral hazard)를 심화시켜 향후에도 비슷한 상황들이 재발될 수 있다는 우려를 제기시켰다. 그래서 당시 국제스왑파생상품협회(ISDA)가 도입한 게 'Mod-R(= Modified Restructuring)'이라 불리는 정산 스탠더드였다. Mod-R은 간단히 말하면 준거기업에 '채무조정' 사건이 발생할 경우 교부대상채무의 만기가 너무 길어지지 않도록 제한시키는 조항이다. 조금 더 자세히 설명하자면, Mod-R이 적용되면 교부대상채무의 만기가 A) 채무조정

일로부터 30개월 후, 그리고 B) 채무조정 사건이 발생한 채무의 가장 늦은 만기일, 이렇게 둘 중에 더 이른 날짜보다 더 나중에 도래해선 안 된다. *물론 남은 CDS 만기가 A), B)보다도 더 길 경우엔 CDS 만기일을 바로 교부대상채무의 '최장' 만기일로 대체한다는 등의 추가 조건이 존재한다.*

두 번째로 도입된 'Mod-Mod-R(= Modified Modified Restructuring)' 조항은 Mod-R보다 쪼끔 더 완화된 조건들을 적용한다 할 수 있다; 만약 'Mod-Mod-R'이 명시된 CDS 계약이라면, '채무조정' 사건 발생 시 교부대상채무의 만기가 A) 교부대상채무가 '채무조정'된 것일 경우엔 채무조정일로부터 60개월 후, 그리고 B) 교부대상채무가 '채무조정'된 것이 아닐 경우엔 채무조정일로부터 30개월 후 시점보다 더 나중에 도래해선 안 된다. *물론 Mod-R의 경우에서와 같이 CDS의 남은 만기가 A)나 B)보다도 더 길다면, 교부대상채무의 '최장' 만기일은 CDS 만기일로 대체된다.*

휴우... 참 복잡하기도 하다... 암튼 Conseco 사건은 CDS 시장에 이러한 여러 가지 보완책들이 도입되는 계기를 제공했으며, 당시 Mod-R은 미국 기업에, Mod-Mod-R은 유럽 기업에 각각 적용되어 해당 지역들의 CDS 스탠더드로 자리매김하게 된다. 그리고 이에 더해 2003년 발간된 ISDA 정의집을 통해 새롭게 도입된 채무조정관련 조건이 또 하나 있었는데, 바로 채무조정 사건이 발생한 채무가 '다수가 보유한 채무(Multiple Holder Obligation)'여야만 한다는 조건 되시겠다. 즉, 적어도 3개를 초과하는 서로 연관되지 않은 채권자들이 존재하고, 채무조정을 하려면 적어도 66⅔% 이상의 동의를 얻어야 하는 채무(Obligation)에 '채무조정' 사건이 발생해야만 신용사건으로 본다는 예외 조항이다. 이는 '개별 대출(bilateral loan)'처럼 양자 간의 합의에 의해 쉽게 발생할 수 있는 매우 Soft한 채무조정 사건이 CDS 신용사건으로 간주되는 걸 미리 차단하기 위함이다. *(참고: 오늘날에는 이 'Multiple Holder Obligation' 조항을 더 세분화시켜 Bond의 경우는 제외하고 Loan에 대해서만 적용하기도 한다. 물론 아예 적용하지 않는 곳도 있고 스탠더드는 지역별로 천차만별임을 숙지하자.)*

그러다 또 2009년엔 '빅뱅(Big Bang)'이라 불리는 CDS 시장 변혁의 일환으로 미국 기업에 한정해서 아예 채무조정 자체가 신용사건에서 제외되어 버린다. 이에 따라 오늘날 미국 준거기업에 적용하는 신용사건은 일반적으로 '파산'과 '지급불이행', 이렇게 두 가지뿐이다. 이는 미국의 경우 재무적으로 문제가 있는 회사들은 대부분 파산보호(Chapter 11)신청을 택하게 되고, 또한 그런 법적 절차의 진행 과정에서 채무조정이 자연스레 이루어지는 경우가 대부분이라는 시장의 견해 때문인 것으로 사료된다. *(다시 말하면 Chapter 11을 통하지 않는 채무조정의 경우는 드물다는 판단... 물론 그 외 또 다른 중요한 이유로는 트레이딩의 편의를 위한 거래 표준화 및 단순화를 이루기 위함을 들 수 있겠다. 사실 채무조정 조건이 들어가면 쓸데없이 복잡해지고 정산 시 변수들도 많아지니... 딜러들의 이기심이 여기에 분명 한몫을... 쿨럭...)*

아래는 오늘날 적용되는 각 지역별 '채무조정' 정산 스탠더드를 정리한 표 되겠다:

〈Table 1: 준거기업이 속한 지역별 채무조정 스탠더드〉

채무조정 스탠더드	적용 지역
No Restructuring	북미
Old-R (= Full-R)	일본, 아시아, EM 유럽, 라틴 아메리카
Mod-R	호주, 뉴질랜드
Mod-Mod-R	유럽

Source: 「Credit Derivatives Physical Settlement Matrix」 published on 2 May 2022.

채무조정과 관련된 예를 보며 이미 느꼈겠지만, 보장매입자는 여러 '교부대상채무'들 중 가장 싼 놈(?)만을 골라 보장매도자에게 던져주는 게 이익일 것이다. 이를 업계에서는 보장매입자가 'Cheapest-to-Deliver Option'을 가졌다고 표현하곤 한다. 그리고 이런 옵션은 'Hard'한 신용사건보다는 'Soft'한 신용사건의 경우에 더 악용될 소지가 있기에 ISDA에서 위와 같은 일종의 '안전장치'를 도입하였다고 정리해 볼 수 있겠다.

※ **추가 잡담**: *2009년 3월 발표된 Big Bang Protocol의 가장 큰 의의는 경매정산 (Auction Settlement)의 시장 전반적인 도입이었으나, 당시엔 '파산'과 '지급불이행' 발생의 경우에만 적용될 수 있었고, Mod-R이나 Mod-Mod-R 채무조정 사건 발생 시의 복잡함을 감안하지는 못하였었다. 그러다 같은 해 ISDA는 Small Bang Protocol을 발표하며 Mod-R 과 Mod-Mod-R 경우들에 적용할 수 있는 추가적인 경매정산 스탠더드 - CDS 잔존 만기 별로 구간을 나누어 하나의 준거기업에 대해서 사실상 여러 개의 경매를 여는 방식 - 를 도입하게 된다...*

휴우... 지친다, 지쳐... 이래서 스왑 상품들 중 CDS가 맨 뒤에 나오는 거다... 디테일이 너무 많아서리... *하지만 마바라들은 CDS가 가장 쉽댄다... 쿨럭...* 이번 편 끝내기 전에 마지막으로 한 가지 더 얘기해 주고 싶은 점은 2014년에 들어 CDS 신용 사건에 다음의 경우가 하나 더 추가됐다는 사실이다:

<u>신용사건:</u>

5. 정부개입(Governmental Intervention)

이건 또 뭐냐꼬??? ㅎㅎㅎ 이걸 왜 추가시켰을까 생각해 보자... *Think, think!* 당연히 그럴만한 중요한 계기가 또 있었지 않았을까? *맞다. 맞어.* 때는 바야흐로 2013년이었다... *(이러다 필자도 조만간 'too much talker'로 발돋움하는 격??? ㅎㄷㄷ ㅎㄷㄷ...)* 'TMI'는 다음 편에서 이어진다...

References

ISDA. 1999. *1999 ISDA Credit Derivatives Definitions.* International Swaps and Derivatives Association, Inc.

ISDA. 2003. *2003 ISDA Credit Derivatives Definitions.* International Swaps and Derivatives Association, Inc.

ISDA. 2009. "2009 ISDA Credit Derivatives Determinations Committees and Auction Settlement Supplement to the 2003 ISDA Credit Derivatives Definitions (published on March 12, 2009)." International Swaps and Derivatives Association, Inc.

ISDA. 2014. *2014 ISDA Credit Derivatives Definitions.* International Swaps and Derivatives Association, Inc.

O'Kane, Dominic, Claus M. Pedersen, and Stuart M. Turnbull. 2003. "The Restructuring Clause in Credit Default Swap Contracts." Fixed Income Quantitative Credit Research, Lehman Brothers.

신용부도스왑(CDS)

제28편 SNS Bank 국유화 사태의 파장

지난 편에서 필자는 시장에서 통용되는 대표적인 신용사건(Credit Event)들 중 가장 복잡한 '채무조정(Restructuring)' 사건에 관해 자세히 기술한 바 있다. 그런데 2013년, 이 채무조정 사건을 포함해 기존의 ISDA 신용파생상품 정의집(Credit Derivatives Definitions)으로 커버하기에 꽤나 애매한 사건이 하나 발생해 버린다... 바로 네덜란드 SNS Bank의 국유화(nationalization) 사건이었다.

내용은 이랬다: 2013년 2월, 네덜란드 정부는 시스템 리스크를 우려해 당시 자산 순위 4위 은행이면서 '부실' 기관이었던 'SNS Bank'와 그 지주회사인 'SNS Reaal'을 국유화시키기로 결정했다. 그 과정에서 SNS Reaal과 SNS Bank가 발행한 주식들(shares) 및 후순위 채권들(subordinated bonds)이 모두 정부에 의해 강제로 수용(Expropriation; 몰수)돼버린다. 이는 해당 금융기관의 주주들(shareholders) 뿐만 아니라 후순위 채권자들에게까지 부실의 책임, 즉 손실을 분담케 하는 '베일인(Bail-in)' 성격의 강제적 조치였다 할 수 있다.

CDS 계약에서 주식은 채무(Obligation)의 범주에 들어가지 않으므로, 중요한 건 바로 정부에게 수용된 채권(bond)에 신용사건이 발생했는지 여부, 그리고 이것이 교부대상채무에 포함될 수 있는지 여부, 이렇게 두 가지로 볼 수 있겠다. 먼저, 전자와 관련해서 당시 전문가들 사이에서는 의견이 분분했었다. '파산' 사건은 당연히 발생하지 않았고, '지급불이행' 사건이 아직 발생한 상황도 아니었으며, '채무조정' 조항을 적용하기에도 여러 가지 걸리는 점들이 있었던 것이다.

정부가 강제적으로 채권을 수용(Expropriation)하는 행위를 명확히 커버하는 문구는 당시의 [2003년도] 신용파생상품 정의집에는 삽입되지 않았었다. 게다가 [수용된] 후순위 채권은 현재 정부의 손에 넘어가 있기에 향후 확실한 채무조정 사건이 발생하더라도 이것을 다수가 보유한 채무, 즉 'Multiple Holder Obligation'으로 간주할 수 없지 않느냐는 견해들 또한 존재했던 상황이었다... *어렵다, 어려워... 이놈의 세상~ (세상이 그저 쉽기만 한 마바라들은 참 좋겠다, 좋겠어... (-_-;))*

암튼 여러 가지 애매모호한 점들이 많았으나, ISDA 결정위원회(Determinations Committee; CDDC or DC)는 결국 정부가 채권자들에게 아무런 보상도 없이 채권을 빼앗아 간 행위가 '사실상의(de facto)' 원금 축소 행위, 즉 '채무조정' 사건에 해당한다는 해석을 내리며 신용사건의 발생을 공식화했다. *당시 CDS 신용사건 해석상의 애매모호함은 파이낸셜타임스 기사인 Pollack (2013)에 잘 정리돼있다.*

이제 빨래~ 끝? 모든 문제 해결?? *ㅠㅠㅠㅠ* 하지만 안타깝게도 논란은 여기서 끝이 아니었다. 또 다른 큰 골칫거리가 있었더랬다. *두둥~~~* 바로 앞에서 언급했던 '교부대상채무(Deliverable Obligation)'와 관련된 문제였다! 자, 생각해 보자... 정부가 후순위 채권들을 전부 수용(몰수)해버렸다. 그럼 이 채권들은 시장에서 매입해서 거래상대방에 인도(deliver)할 수 있는 성격의 교부대상채무라 볼 수 있을까? 물론 답은 "아니올시다~"였다. 이는 곧 열리는 ISDA 주최 CDS 경매에서 시중에서 구할 수 없는 *(따라서 delivery도 불가능한)* 후순위 채권들은 제외하고, 시장에서 자유롭게 거래되는 '선순위(senior)' 채권들에만 의거해 어쩔 수 없이 가격이 결정될 수밖에 없는 상황임을 의미했다. *ㅎㄷㄷ... ㅎㄷㄷ...*

이런 상황에서 가장 손해 보는 자들은??? 바로 SNS Bank '후순위' CDS 보장매입자들이겠다. 이들이 SNS Bank가 발행한 후순위 채권을 실제로 보유한 '헤저(hedger)'였다고 함 가정해 보자. 갑자기 채권을 정부한테 뺏겨버린다. 그리고 아무런 보상도 받지 못한다. 그럼 손실률은? 100%가 된다... *ㅎㄷㄷ... ㅎㄷㄷ...* 따라서 헤지 목적으로 걸어 놓은 CDS 계약을 통해 '충분한' 보상을 받기 위해선 다가오는 경매에서 해당 채권에 대한 가격, 즉 회수율(Recovery Rate)이 0%로 계산되어야만 할 것이다...

그런데 말이다... CDS 거래에 있어 '교부대상채무'는 계약서에 명시된 몇몇의 조건들을 충족시키는 모든 'Bond or Loan'을 포괄하는 것이 마켓 스탠더드이다. 교부대상채무에는 일반적으로 '후순위가 아닌(Not Subordinated)'이란 조건이 적용된다. 이는 CDS 계약상의 '준거채무(Reference Obligation)'와 적어도 '동순위(Pari Passu)'인 채무들만 거래상대방(= 보장매도자)에게 인도 가능하다는 얘기다. 이는 다시 말하면 SNS Bank의 후순위 CDS 거래의 정산(settlement)에 있어 후순위뿐 아니라 선순위 채무까지 인도 가능하다는 뜻이 된다! *그니겐 후순위 보장매도자에게 던져줘야 될 '교부대상채무'는 후순위 '이상'으로 정의된다는 뜻...*

이 상황을 좀 더 직관적으로 이해하기 쉽게 2009년 이전의 마켓 스탠더드였던 현물정산(Physical Settlement)의 경우에 빗대서 함 생각해 볼까? 일반적으로 후순위 CDS 보장매입자는 당연히 가격이 비싼 선순위 채권보다는 가격이 더 싼 후순위 채권을 인도하는 것이 최적의 선택일 것이다. *Do you guys remember the Cheapest-to-Deliver Option???* 그러나 SNS Bank의 경우엔 인도할 후순위 채권이 아예 없어져 버렸다. 정부에 의해 강제로 '수용'됐으므로... 근데 이 상황에서 후순위채를 구할 수 없다고 아무것도 전달하지 않는 것보담*(그럼 정산 실패로 인해 아무런 보상도 받지 못하게 된다)* 선순위 채권이라도 구해서 던져주고 보상을 받는 게 이들에겐 그나마 이익이지 않을까?... *으휴 불쌍한 놈들... 참말로 안습~한 상황이었던 것*

이다.

따라서 SNS Bank의 선순위 CDS와 후순위 CDS 경매들은 당시 한꺼번에 같이 열릴 수밖에 없었다; 결국 그해 4월에 개최된 경매에서 단기물들은 원금의 95.5% 선에서, 장기물들은 원금의 85.5% 수준에서 가격이 결정됐고, 후순위 CDS 거래들 또한 이런 높은 가격에 의거해 일괄적인 정산이 이루어졌다. 이는 비록 소수였지만 SNS Bank의 후순위 보장매입자들이 작게는 원금의 4.5%, 많게는 원금의 14.5% 수준의 매우 작은 보상밖에 받지 못하였음을 의미한다. *참으로 재미진 세상이 아닐 수 없다. In other words, 개판 오 분 전 파생시장... 선진 금융은 무슨... ㅎㅎㅎ*

※ 잡담: 근데 정말 세상은 오래 살고 볼 일이다... 사실 후순위 채권자들은 루저(loser)가 아니었다!!!! 돈 달라고 정부한테 계속 개긴 결과, 2021년 2월에 드디어 SNS Bank 후순위 채권자들이 원금 및 경과 이자까지 포함하는 보상금을 받아야 한다는 판결이 항소법원에 의해 내려진 바 있다. 이러한 판결은 2023년 4월에 대법원에 의해 확정되었고, 네덜란드 정부는 결국 보상 절차에 돌입하였다고 한다. Does it mean '존버' ultimately wins??? ㅎㄷㄷ... ㅎㄷㄷ...

위에서 설명한 SNS Bank와 관련된 일련의 사건들은 다음 해인 2014년 ISDA 신용파생상품 정의집이 새롭게 개편되며 정부에 의한 수용의 경우까지 명시한 '정부개입(Governmental Intervention)'이란 새로운 신용사건 조항이 CDS 계약에 추가되는 주요 계기로 작용했음은 물론이다. 정부개입은 다만 모든 준거기업들에 적용되는 것은 아니며, 금융(financial)기관의 경우에만 적용하는 것이 현재의 스탠더드이다. *그렇다고 또 모든 지역의 금융기관 CDS에 적용되는 것은 아니고 북미와 일부 지역에서는 아직까지 적용되지 않고 있다. 참 복잡다단한 세상이 아닐 수 없다... 마바라들한테는 쉽겠지만... 쿨럭.*

'정부개입'의 정의는 '채무조정'과 겹치거나 유사한 부분들이 많으나 이 둘 사이에는 세 가지 의미 있는 차이점이 존재한다. 첫째, 채무조정에 적용되는 '다수가 보유한 채무(Multiple Holder Obligation)' 조항은 정부개입에는 적용되지 않는다. 둘째, 채무조정 사건은 신용도의 악화(deterioration)에 의해 발생해야 한다는 전제 조건이 붙지만, 정부개입에는 이러한 전제 조건이 붙지 않는다. 마지막으로 정부개입 사건은 채무(Obligation)의 조건에 그러한 사항이 이미 명시돼있다 하더라도 상관없이 신용사건으로 간주할 수 있다.

'정부개입' 신용사건의 추가와 함께 2014년도에 시장에 새롭게 도입된 또 다른 주요 변혁으로 '에셋 패키지 인도(Asset Package Delivery)' 조항을 들 수 있다. 이 조항은 준거기업이 국가(Sovereign)일 경우엔 '채무조정' 사건 시, 준거기업이 금융기관일 경우엔 '채무조정' 혹은 '정부개입' 사건 발생 시 적용될 수 있으며, 위에서 설명한 SNS Bank 국유화의 경우처럼 교부대상채무 선정에 있어 혹시나 발생할지 모르는 불합리함을 보완하기 위한 조항으로 해석된다. *사실 이 조항은 2012년 그리스 정부에 신용사건이 발생했던 때의 채무 교환(debt exchange)과 관련된 혼란 상황 때문에 삽입됐다고도 할 수 있다. 'Sovereign Entity'의 경우까지 필자가 자세히 들어가지는 않으련다...*

정부개입에 의해 금융기관의 후순위 채권을 강제로 주식으로 교환받는 사건이 발생했다고 가정해 보자. 교환받은 주식은 2014년도 이전에는 CDS 정산에 당연히 사용할 수 없었으나, '에셋 패키지 인도' 조항의 도입 이후엔 이를 교부대상채무에 포함시킬 수 있게 되었다. 따라서 후순위 채권 보유자의 실제 손실에 가깝게 CDS가 정산되는 것이 이제는 가능해진 것이다. 이는 강제 교환이나 전환되기 '전' 시점에 교부대상채무의 정의를 충족시켰었는지 여부를 중요하게 보기 때문이다... 그리고 만약 수용 등의 사유로 인해 아예 후순위 채권이 없어지고 아무것으로도 교환받지 못한 경우, 그 에셋 패키지의 가치는 제로(0)로 간주된다; 예를 들어 SNS Bank의 후순위 CDS와 관련해 당시 2014년 정의집에 도입된 새로운 조항들이 적용됐더라면 회수율은 당연히 0%로 결정됐을 것이란 견해가 지배적이다.*(Gavan 2014 참조)*

그 외에도 2014년에 도입된 새로운 스탠더드들로 A) 금융기관의 신용사건 판단에 있어 선순위와 후순위 CDS 간의 분리*(단. 정부개입 혹은 채무조정 사건에 한정)*, B) '표준 준거채무(Standard Reference Obligation)'의 도입, C) '계승자(Successor)' 조항의 수정 등등, 여러 가지 다른 보완책들 또한 있었으나, 앞에서 설명한 두 가지 조항들이 그중 가장 중요한 변혁들이라 정리할 수 있겠다.

휴우... 이번 편에서는 '투머치토커(TMT)'에서 벗어나려고 노력했는데도 쓸 내용이 많고 복잡해서 쓰다가 지쳐브렸다... 필자 젊을 땐 하루 20시간 키보드를 두드리며 논문 써도 쌩쌩했었는데... *라떼는... 쿨럭...* 역시 집중이란 건 젊을 때 해야 가장 효율적인가 보다. 금융에 대해 제대로 알고픈 젊은이들은 꼭 새겨듣고 한 살이라도 젊을 때 제대로 된 지식을 얻으려 열심히 노력해 나가길 바라 본다. *물론 ·대부분은 맨날 술 쳐먹고 노느라 스카 갈 시간도 없겠지만서도... (-_-;) 그러다 나이 먹고 '마바라' 된대니... 농담 아니여... Time flies very fast...* 이제 거의 다 온 듯하다. 나머지 기초 필수 지식들은 다음 편에서 정리하련다...

References

Gavan, Nolan. 2014. "The Changing Face of CDS." Markit Group Limited.

ISDA. 2010. *2003 ISDA Credit Derivatives Definitions. (incorporating (a) the 2009 ISDA Credit Derivatives Determinations Committees, Auction Settlement and Restructuring Supplement to the 2003 ISDA Credit Derivatives Definitions, published on July 14, 2009 and (b) the May 2003 Supplement to the 2003 ISDA Credit Derivatives Definitions).* International Swaps and Derivatives Association, Inc.

ISDA. 2014. *2014 ISDA Credit Derivatives Definitions.* International Swaps and Derivatives Association, Inc.

Pollack, Lisa. 2013. "The non-precedent setting, own-law making, secretive CDS committee is having a seriously bad month." *Financial Times.* 13 February.

신용부도스왑(CDS)

제29편 아는 사람만 아는 지식들...

어케 하다 보니 벌써 여섯 번째 편... ㅎㄷㄷ... ㅎㄷㄷ... CDS 기초를 거진 마무리하기 직전이네그려... 이번 편에서는 아는 사람만 알고 있는(?) CDS 관련 지식들을 나열해 볼까 한다. 여기서 필자가 가르쳐 주는 내용 중 일부는 잡지식이지만, 다른 일부는 꽤 중요한 내용일 수 있으니 CDS에 관해 '쫌 안다'라고 하려면 필수적으로 머릿속에 넣어 두어야 할 지식들이 섞여있음을 미리 알리는 바이다. *그니껜 지루하다고 여기서 책 덮지 말고 마지막까지 제대로 공부하란 얘기임~~~^^*

① 오늘날 CDS는 「Upfront Payment + Standard Fixed Coupon」 형식으로 거래된다.

ㅋㅋㅋ ㅋㅋㅋ 이게 도대체 갑자기 무슨 강아지송아지 소리냐꼬? 사실 오늘날의 마켓 스탠더드로의 전환은 2009년 CDS 시장의 빅뱅(Big Bang)과 함께 이미 오래전에 발생하였다: 당시 시장 전반적인 거래 표준화(standardization) 작업의 일환으로 북미 준거기업 CDS 거래들부터 컨벤션이 새롭게 바뀌기 시작했던 것이다. 그 이전

에는, 만약 5년 만기 CDS 가격(= CDS Spread or CDS Premium)이 200bps였다면, 보장매입자가 매 분기 50bps(= 200bps ÷ 4) 상당의 쿠폰을 보장매도자에게 그대로 지급하는 방식이 스탠더드였다 할 수 있다. 오늘날에도 대부분의 초보자는 이렇게 알고 있다... 하지만 2009년 이후부터는 이러한 거래 방식이 싹 바뀌어 버린다...

어떻게 바뀌었냐고???   지급하는 쿠폰의 연이율을 100bps와 500bps, 이렇게 두 가지로 획일화시켜버렸다. 그니깐 모든 북미 준거기업 CDS의 쿠폰(coupon)이 연 100bps 아니면 500bps가 되도록 강제로 고정시킨 것이다. 아니, 그럼 이 경우 준거기업 고유의 CDS 스프레드(= CDS 프리미엄)는 거래에 어떤 식으로 반영하냐꼬? **정답:** 매년 지급하는 쿠폰을 억지로 고정시켜 놓았으니, 각 준거기업별 스프레드의 실질적인 차이는 'Upfront Payment(업프론트; 거래 시점 즈음해서 미리 지급하는 선불금을 뜻함)'란 것을 통해 반영하게 된다. *아직 뭔 소린지 몰겠다꼬? Don't worry yet...*

참고로 스프레드가 낮은 투자적격등급(investment grade) CDS는 100bps의 고정 쿠폰에, 하이일드(high yield; 투기등급)물들은 500bps의 고정 쿠폰에 거래되는 것이 북미 지역 스탠더드이다. 암튼,,, 안 그래도 복잡한 세상에 초보자들에게 더더욱 복잡한 불친절한 상황이 도래해버린 것이다. 그래도 나름 친절한 필자가 초보자들을 위해 새로운 컨벤션에 대해서 살짝 디벼주자면, *흐음~ 심호흡 한 번 하고...* 음, 먼저 5년 CDS 프리미엄이 200bps인 준거기업을 함 가정해 보자. *경제학자라 가정만 더럽다~~ (-_-;)* 원래라면 단순히 보장매입자가 거래상대방에게 매년 200bps씩을 5년간 지급하면 됐을 것이다. 그런데,,, 이젠 쿠폰이 무조건, 억지로 100bps 고정으로 바뀌어 버렸네? 여기서 머리를 쬠만 굴려보면, 이는 보장매입자가 거래상대방에게 원래보다 100bps씩 '덜' 지급하게 될 것임을 의미한다. 따라서 보장매도자는 매년 100bps씩 덜 받는 부분에 대한 보상을 받아야 할 것이다. *makes sense?* 그럼 보상은 어떻게 이루어질까?

먼저, 보장매입자가 5년간 연 100bps씩을 덜 주는 셈이므로 「100bps × 5년」해서 명목금액의 5%를 보장매도자에게 'Upfront(선불금)'로 땡겨주면 될 거란 단순무식한 생각을 해 볼 수 있겠다. *스스로 여까지만 생각했더라도 대단한 초보자라 필자는 칭하고 싶다... 진짜 인정~ 스스로 생각해냈다면... 짝짝짝... 칭찬 잘 안 하는 필자로부터 박수를...* 근데 물론 이건 살짝 심플한 생각이고, 조금만 더 머리를 굴려본다면, 이것의 제대로 된 현재가치(Present Value; PV)를 계산하기 위해 매 분기별 현금 흐름을 현물이자율(Spot Rate)들로 할인하는 과정이 필요하므로 Upfront가 5%보다는 좀 더 낮은 값으로 계산될 거란 생각을 자연스레 할 수 있을 것이다. 또한 이에 더해서 준거기업의 향후 부도확률/생존확률까지 감안한다면 「100bps × 5년」의 실제적인 PV는 그보다 더 낮아야 함이 정상이겠다. 이는 연 100bps라는 현금 흐름이 준거기업이 생존해야만 발생하는 성격의 것이기 때문이다.(아래 잡담 1 & 2 참조)

※ ***잡담 1:*** *이렇게 이자율 커브에 기초한 할인(discounting) 및 준거기업의 생존확률 (survival probability)까지 모두 감안한 미래 현금 흐름의 현재가치를 CDS에서는 'Risky PV'라 표현하곤 한다. 또한 CDS 스프레드의 1bp 변화에 대한 Risky PV의 민감도 (sensitivity)를 'Risky Level', 'Risky PV01', 혹은 'Risky Duration'이라는 용어들로 부르고 있다. 위의 예에서 만약 Risky PV01이 4.5라면, Upfront Payment는 4.5% 상당으로 계산될 수 있다...*

※ ***잡담 2:*** *'Upfront Payment'는 또한 'Upfront Fee', 'Upfront Premium', 혹은 'Points Upfront' 등으로, 'Fixed Coupon'은 'Running Spread', 'Running Coupon', 혹은 'Running Premium' 등으로 불리기도 한다. 휴우... 근데 'Running Premium'이라고만 하면 이게 예전의 Full Spread를 의미하는 건지 아님 요새의 Fixed Coupon을 의미하는 건지 충분히 헷갈릴 수 있는 부분이다... (Sigh...) 이 세상은 초보자들에게 절대 친절치 않다.*

이러한 「Upfront Payment + Standard Fixed Coupon」 방식의 거래 컨벤션은

비단 북미 CDS뿐만 아니라 유럽과 아시아물들에도 2009년 즈음해서 적용되기 시작하였다. 물론 각 지역마다 차이점들이 존재하긴 한다. 예를 들어 유럽의 경우엔 투자적격등급 CDS의 Fixed Coupon을 25bps와 100bps, 이렇게 두 가지 경우로 세분화시켰고, 하이일드 CDS 또한 500bps와 1,000bps로 더 세분화시킨 바 있다.

이러한 새로운 거래 컨벤션은 물론 CDS 딜러들 사이에서는 오래전부터 스탠더드로 자리매김해왔지만, 예전의 단순한 형식 - Upfront 없이 그냥 CDS (Full) Spread를 그대로 주고받는 형식 - 의 거래들 또한 고객(client)의 요청하에서 여전히 가능은 하다. 다만 이렇게 비표준 형식의 'tailor-made' 거래들의 경우엔 딜러가 헤지(hedge) 포지션과 대고객 거래 사이에서 발생하는 미스매치(mismatch) 리스크를 지는 대신에 그 보상으로 고객에게 추가적인 수수료를 요구할 가능성이 크다 할 수 있겠다... *(물론 그 수수료는 밖으론 안 보이게 딜러의 호가에 자연스레 녹아있을 거다... 세상에 공짜는 없대니,,, There is no free lunch...)*

② 신용사건의 관찰 기간은 오늘의 60일 전(Today - 60)부터 시작한다.

이건 또 뭔 강아지, 아니 고양이 소리냐꼬??? ㅋㅋㅋ ㅋㅋㅋ 세상 참 만만치 않대니... ㅎㅎㅎ ㅎㅎㅎ 놀랍게도 이걸 이해 못 하거나 헷갈려 하는 금융계 마바라들이 오늘날에도 존재한다. 물론 옛날 옛적의 2003년도 ISDA 정의집에 기반한 CDS 거래에서는 신용사건이 'Effective Date' 혹은 그 후에 발생해야만 해당 CDS 거래의 정산을 트리거시킬 수 있었다. 'Effective Date'는 참고로 거래일(Trade Date)의 1일 후*('Business Day' 기준이 아니고 'Calendar Day' 기준임)*로 설정하는 것이 일반적이며, 만약 오늘 CDS 거래를 한다면 준거기업에 신용사건이 오늘 당장이 아니라, 내일 혹은 그 이후의 시점에 발생해야만 보장매입자가 보상을 받을 수 있었다는 뜻이다.

하지만 2009년 빅뱅 프로토콜 발표 이후 시점부터는 싹 바뀌었다: CDS 계약의 거래일(Trade Date)과는 상관없이 신용사건이 오늘부터 60일 전 시점(= Today - 60 Calendar Days) 혹은 그 이후에 발생했기만 하면 CDS 계약의 조기 정산이 트리거될 수 있는 것이다. 따라서 60일보다 전에 발생한 사건은 신용사건으로 간주하지 않는다... 그럼 CDS 계약에서 'Effective Date'의 의미는 뭐냐꼬? Effective Date는 오늘날엔 그냥 이자(coupon) 계산을 시작하는 날짜 정도의 의미밖에는 지니지 않는다. 그럼에도 불구하고 아직도 'Effective Date'가 CDS의 '효력이 발생되는 시점'일 거라 혼자서 정신승리하며 이를 신용사건 관찰의 시작점으로 착각하는, 상태가 좀 많이 심각한 금융계 마바라들이 시장에 우글거리는 중이다... *참 코미디 세상이여... Buyer나 Seller나 깊은 이해 없이 파생상품을 거래하는 경우가 그리 많대니... (-_-;)*

※ 잡담 3: 2009년도 신용사건 관찰 기간의 이러한 변경은 동일한 준거기업에 연계됐지만 각기 다른 날 체결된 CDS 거래들 간의 '대체가능성(fungibility)'을 제고하기 위함이라는 업계 차원의 설명을 들을 수 있다. CDS를 시시각각 사고 파는 것이 주요 업무인 CDS 딜러의 입장에서는 Buy 거래와 Sell 거래 간의 'basis risk'가 부담으로 작용할 수 있기 때문이다... 이는 좀 삐딱하게 말하면 'market making'을 수행하는 딜러들의 '편의'를 도모하기 위해 2009년도에 이를 포함한 많은 변화들이 도입됐다고도 할 수 있겠다. Just my two cents...

③ 신용사건, 승계사건, 경매 개최 여부 등은 신용파생상품 결정위원회(DC)에서
결정한다.

이 또한 2009년 빅뱅 프로토콜이 가져온 주요 변혁 중 하나였다. 그전에는 신용사건 혹은 승계사건의 트리거 및 정산(settlement) 관련 사항들에 관한 결정들은 모두 CDS 계약 당사자들의 몫이었다. 그러나 2009년의 빅뱅 이후 CDS 시장의 주

요 결정들에 대한 권한을 신용파생상품 결정위원회(Credit Derivatives Determinations Committee; CDDC or DC라 부름)가 가져가게 된다. 각 지역별 결정위원회(DC)는 투표권을 가진 'Voting Member'들 기준으로, Sell Side Dealer 최대 10개 기관들과 Buy Side Non-Dealer 최대 5개 기관들로 구성될 수 있다. 참고로, 아래는 2023년 4월 말부터 2024년 4월 말까지의 기간 동안 한국을 포함한 아시아 퍼시픽 지역의 DC를 구성하는, 투표권을 가진 멤버 리스트이다:

Sell Side:

Bank of America N.A.

Barclays Bank plc

BNP Paribas

Citibank, N.A.

Credit Suisse International

Deutsche Bank AG

Goldman Sachs International

JPMorgan Chase Bank, N.A.

Mizuho Securities Co., Ltd.

Buy Side:

Elliott Investment Management L.P.

Citadel Americas LLC

Pacific Investment Management Company LLC

④ CDS의 쿠폰 지급일과 만기일 또한 오늘날엔 정형화되어 거래되고 있다.

오늘날 딜러들 사이에서 거래되는 CDS들은 쿠폰 지급일이 3월 20일, 6월 20일, 9월 20일, 그리고 12월 20일, 이렇게 1년에 4번으로 고정되어 있다. 즉, 이 날짜들은 거래일에 상관없이 변하지 않는다. 스탠더드 만기일 또한 과거에는 쿠폰 지급일 컨벤션을 그대로 따랐으나, 2015년도부터는 매년 3월과 9월에 만기일을 각각 6월 20일과 12월 20일로, 매년 '2번만' 롤(roll)하는 형식으로 바뀌었다. *뭔 소린지 몰겠졍? 당연하다... Please keep reading...*

초보자들의 이해를 돕기 위해 요 'Rolling' 메커니즘을 예시를 들어 설명하자면, 2022년 3월 20일부터 5년 만기 CDS를 시장에서 거래하면 그 거래의 만기일은 2027년 6월 20일이 되며, 이는 향후 6개월간 변하지 않는다. 그러다 시간이 지나 2022년 9월 20일이 도래하면, 그때부터는 5년 만기 CDS를 시장에서 거래할 경우 만기일이 새롭게 2027년 12월 20일이 되는 것이다. *즉, 만기일이 6개월마다 바뀐다는 뜻.* 따라서 9월 20일부터는 2027년 12월 20일을 만기일로 하는 CDS가 5년 만기물의 'on-the-run' 계약으로 간주된다... *(= 만기일이 2027년 6월 20일인 CDS 거래는 이때부터는 'off-the-run'으로 간주된다...)*

⑤ 첫 쿠폰은 Full Coupon이며, Accrual은 업프론트로 정산된다.

편리한 결제를 위해 오늘날 정형화되어 거래되는 CDS 시장의 특성상 첫 쿠폰은 거래일이나 Effective Date에 상관없이 'Full Coupon'이 지급된다. 쿠폰의 분기별 (quarterly) 지급이 스탠더드이기에, 보장매입자는 보장매도자에게 첫 쿠폰 지급일

날 대략 3개월 치의 이자 금액 전체를 지급하게 된다. 따라서 보장매도자는 거의 항상 원래 지급받아야 될 이자보다 더 '큰' 금액을 첫 쿠폰일에 수취하는 셈이다. 물론 세상에 공짜란 없으니 보장매도자는 이를 토해내야 할 것이다. 근데 어떻게 토해내면 될까?

정답: 'Upfront Payment'에 이를 녹이는 것이 현재의 스탠더드이다. 예를 들어 (거래의 Effective Date에 기초한) 첫 이자 계산 기간이 1개월밖에 되지 않는다면, 보장매도자가 2개월 치 쿠폰 금액만큼을 더 받게 되는 셈이므로, 거래 시 [보장매도자가] 수취하는 Upfront Payment에서 이 금액만큼을 차감하게 된다. 혹은 반대로 Upfront Payment가 마이너스일 경우(= 보장매도자 Pay 방향의 경우), 더 받게 되는 쿠폰 금액만큼을 거래 시 Upfront Payment에 추가로 얹어서 보장매입자에게 지급해야만 할 것이다... *채권의 'Dirty/Clean Price' 차이, 'Accrued Interest' 개념들을 떠올려보면 쉽다... 뭔 소리냐고? 고거는 따로 찾아서 공부를... (-_-;)*

⑥ 준거기업이 보장매도자와 합병될 경우, 거래의 조기 종료 사유로 간주된다.

예를 함 들어보자. 모건스탠리가 씨티은행으로부터 골드만삭스에 대한 보장매입을 해 놓았다 치자. 이는 혹시라도 황금양말골드만삭스에 신용사건이 발생했을 경우 씨티은행이 모건스탠리에게 손실액을 보상해 주는 계약이라 할 수 있다. 그런데 말이다... 혹시라도 골드만삭스와 씨티은행이 서로 인수·합병을 한다거나 해서 하나의 개체로 통합되면 어떻게 될까? 그럼 '삭스 앤 더 씨티(?)'라는 새로운 괴물이 탄생하는 거겠다... ㅋㅋㅋ ㅋㅋㅋ 근데 문제는 '삭스 앤 더 씨티'에 대한 보장매입을 '삭스 앤 더 씨티'한테 한 셈이 되는데, 이거가 말이 되는 거래인 건가??? ㅎㅎㅎ

조금만 생각해 보면, 말이 안 되는 상황임을 확실히 알 수 있다: 준거기업과 보장매도자가 같아져 버리면 준거기업이 망했을 때 보상해 줄 이 또한 망했을 테니, 계약의 이행 자체가 불가능해질 가능성이 농후하기 때문이다. 따라서 둘 사이의 합병(merger)은 ISDA 주계약서(ISDA Master Agreement)하의 추가 종료 사건(Additional Termination Event)으로 간주되며, 이 경우 보장매입자가 시장가에 계약을 조기 종료할 수 있게 된다.

이제 거의 다 왔다... 다음 편에서 CDS 베이시스란 놈만 커버해주고 곧 마무리 지으련다. 초보자들은 머리가 깨질 것 같아도 좀만 더 참자. *참는 자에게 복이... 쿨럭.*

References

Boyarchenko, Nina, Anna M. Costello, and Or Shachar. 2020. "The Long and Short of It: The Post-Crisis Corporate CDS Market." *Economic Policy Review*. Federal Reserve Bank of New York. issue 26-3, pages 1-48.

Desai, Umesh. 2009. "New CDS System to Help Volumes, Liquidity in Asia- ISDA." *Reuters*. 21 December.

ICMA. 2018. "The European Corporate Single Name Credit Default Swap Market: A study into the state and evolution of the European corporate SN-CDS market." International Capital Market Association. February.

ISDA. 2010. *2003 ISDA Credit Derivatives Definitions. (incorporating (a) the 2009 ISDA Credit Derivatives Determinations Committees, Auction Settlement and Restructuring Supplement to the 2003 ISDA Credit*

Derivatives Definitions, published on July 14, 2009 and (b) the May 2003 Supplement to the 2003 ISDA Credit Derivatives Definitions). International Swaps and Derivatives Association, Inc.

ISDA. 2014. *2014 ISDA Credit Derivatives Definitions.* International Swaps and Derivatives Association, Inc.

ISDA. 2015. "Frequently Asked Questions: Amending when Single Name CDS roll to new on-the-run contracts: December 20, 2015 Go-Live." International Swaps and Derivatives Association, Inc. 10 December.

Markit. 2009. "The CDS Big Bang: Understanding the Changes to the Global CDS Contract and North American Conventions." Markit Group Limited. 13 March.

신용부도스왑(CDS)

제30편 CDS에도 베이시스가 있다꼬?

금융을 공부하다 보면 수많은 '스프레드' 및 '베이시스'들과 만나게 된다... 그 수가 하도 많아서 가끔씩 이 스프레드는 뭐에다 뭘 더하는 값이고, 저 베이시스는 뭐에서 뭘 뺀 값인지 너무나도 헷갈리다보니 초보자들은 정신이 혼미해지기까지 할 거다... 그런데 정말 미안타, 이번 편에서 또 다른 베이시스를 소개할 거니껜... ㅠㅠ ㅠㅠ

지난 통화스왑 편에서 설명했던 '스왑 베이시스'만큼 이번에 소개할 놈 또한 금융에서 꽤나 중요한 개념이라 마지막 편에 나온다고 해서 절대 무시해서는 안 되겠다. 그럼, 암튼, 'CDS 베이시스'란 놈에 관해 이제 설명을 시작해 보련다. 먼저, 이 용어를 처음 듣는 초보자들도 이게 뭔가 CDS와 어떤 다른 것과의 '차이(difference)'를 뜻하는 거라 어렴풋이 짐작할 수는 있을 거다. 근데 과연 뭐에서 뭘 뺀 걸까? 두둥~ 바로 'CDS의 가격'에서 채권(bond)으로부터 추출한 '크레딧 스프레드(credit spread)'를 뺀 값을 의미한다. 다음과 같이 말이다:

CDS Basis = CDS Spread - Bond (Credit) Spread

일부 독자들에겐 시작부터 좀 어질어질하게 다가오겠지 싶다... 수식에 'Spread'라는 용어가 두 개나 나오고 앞에는 또 'Basis'라... *참 쓸데없이 헷갈리는 세상이래니... ㅠㅠ ㅠㅠ* 친절한 필자가 찬찬히 설명해 주자면, 'CDS Spread'란 놈은 그냥 CDS의 가격, 즉 'CDS Premium'을 뜻한다고 생각하면 되고, 뒤에 빼주는 거는 사실 정답은 없고 각자 정의하기 나름이다; 채권의 크레딧 스프레드에는 참 여러 가지 종류가 있기 때문이다. 대표적인 예를 들자면 'Z 스프레드', 'G 스프레드', '에셋스왑 스프레드' 등등등... 그래도 시장에서 CDS 베이시스를 산출할 때 가장 많이 쓰는 스프레드가 있지 않냐고? 맞다, 맞어... 있다, 있어... 바로 맨 마지막에 언급한, 지난 4편에서 소개했었던 '에셋스왑 스프레드'란 놈 되시겠다. 이에 기초하면 CDS 베이시스를 아래와 같이 다시 정의 내릴 수 있다:*(again, Z 스프레드 같은 다른 스프레드 값 써도 된다. 사실 지 맘이다...)*

CDS Basis = CDS Spread - Asset Swap Spread

참고로 저 'CDS Basis'란 놈은 다음의 이름들로도 불리고 있다. 조금씩 다르게 생겨먹었으나 실질은 다 똑같은 놈들이니 헷갈리지 말자:

CDS-Bond Basis
Bond-CDS Basis
CDS-Cash Basis
Cash-CDS Basis
Credit(or CDS) Basis Spread

ㅋㅋㅋㅋ ㅋㅋㅋ 아이코야... 저렇게나 많이... 필자도 쳐다보다 눈이 어질어질해지려 하는데, 초보자들은 바로 욕 나오겠네, 욕 나오겠어... *쿨럭. 이놈의 중구난방 금융판... 정말 다들 초보자들에게 헷갈림을 극대화시키지 못해 안달난 듯...* '왕'초보자들을 위해 기초적인 설명을 조금만 해주자면, 여기서 'Cash'라는 표현은 '현금'이 아니라 'Cash Bond'를 의미한다. 그런데 'Cash Bond'란 건 또 뭐냐꼬?? ㅎㅎㅎ 금융에서 보통 'Cash Market'이라고 표현하면 그냥 [현금으로] 현물을 바로 사고 파는 'Spot' 시장을 의미한다. 그래서 선물·선도·스왑 같은 파생상품(derivative)이 아니란 걸 강조할 때 쓰는 표현이다. 따라서 'Cash Bond', 'Cash Equity' 이런 용어들이 나오면 쫄지 말고 그냥 쌩으로 현금을 주고받으며 채권·주식을 사고 파는 단순한 거래 타입(= 현물)을 의미한다고 이해하고 넘어가면 되겠다... *요거를 단기 금융 시장을 의미하는 'Money Market'이란 용어와 헷갈리지는 말자. 참 드럽게도 복잡다단한 세상이다...*

이제 본론으로 들어가 보자. 이론상으로 크레딧 시장에서 아비트리지(arbitrage) 기회가 없으려면 CDS 스프레드와 [LIBOR에 기반한] 에셋스왑 스프레드는 서로 비슷해야 하지만(= 'CDS 베이시스'가 '0'에 가까워야 하지만), 사실 CDS 시장과 Cash Bond 시장은 서로 다른 면들이 존재하고 또한 수급 상황도 다르게 돌아가기에 베이시스가 플러스(= Positive Basis) 혹은 마이너스(= Negative Basis)로 되는 게 그리 이상한 일은 아니겠다. 물론 너무 많이 벌어지면 꽤 이상해 보일 수 있겠지만 말이다... 아래는 CDS 베이시스가 제로에 수렴하지 못하고 양의 방향 혹은 음의 방향으로 벌어질 수 있는 이유에 관한 '시장에 떠도는 썰'들이다:*(이놈의 금융 시장은 잘 모르면 이거저거 다 가져다 붙여서 억지 설명을 시전하려는 경향이 있다... (-_-;))*

Positive Basis의 이유(썰)

① CDS에 내재된 'Cheapest-to-Deliver' 옵션

② 채무조정 같은 'Soft' Credit Event 가능성

③ CDS 프리미엄 하단은 0에 막혀있음

④ Par보다 낮은 가격에 거래되는 채권들

Negative Basis의 이유(썰)

① 위기 시 펀딩(funding) 상황의 악화

② Cash Market보다 높은 CDS Market의 유동성

③ 거래상대방(보장매도자) 리스크

④ Par보다 높은 가격에 거래되는 채권들

먼저, 양(positive)의 방향으로 벌어질 수 있는 이유에 관한 썰부터... 지난 27편에서 필자는 CDS 계약의 보장매입자가 'Cheapest-to-Deliver' 옵션을 가진다고 언급했었다. 이는 여러 인도 가능한 '교부대상채무(Deliverable Obligation)'들 중 보장매입자 임의로 가장 저렴한 것을 골라 상대방에게 던져줄 수 있다는 뜻이다. 물론 경매정산(Auction Settlement)이 스탠더드인 오늘날에도 이는 유효하며, 따라서 경매에서 정해지는 채무의 가격은 여러 교부대상채무들 중 가장 저렴한 것에 수렴되는 것이 정상이다. 이는 일반적인 벤치마크물 채권에 대한 투자보다 [보장매도자에게] 더 불리하게 작용하는 요인이므로(= CDS 리스크 〉 현물 투자 리스크) CDS 스프레드가 상대적으로 좀 더 높아야 하는 이유가 된다 할 수 있겠다. CDS 계약은 또한 [북미를 제외하고] 채무조정(Restructuring)처럼 'Soft'한 Credit Event들까지 포함하기에 이는 이미 27편에서 설명한 바와 같이 보장매도자에게 불리하게 작용할 수 있으며, 따라서 CDS 스프레드가 더 높아지는 이유 중 하나로 꼽을 수 있다.

또한 CDS 스프레드는 이론상 '마이너스(-)'가 될 수 없는 관계로 하단이 '0'에 막혀있는 반면, 과거 [LIBOR 커브에 기반한] 에셋스왑 스프레드의 경우엔 충분히 마이너스가 될 가능성이 열려있었다. LIBOR 금리에 자금 조달을 하는 A~AA급 글로벌 은행들보다 더 신용도가 높은 AA~AAA급의 초우량 기업들의 경우 조달 금리가 LIBOR보다 더 낮을 가능성이 존재했기 때문이다. 따라서 이 경우엔 CDS 스프레드가 상대적으로 더 높은 모습이 정상일 수 있다. 물론 무위험 금리(RFR)인 SOFR 커브에 기반해서 산출되는 [오늘날의] 에셋스왑 스프레드의 경우엔 이 설명이 더 이상 유효하지 않겠지만 말이다.

'Positive Basis'가 생길 수 있는 또 다른 이유로 채권 투자의 경우 원금보다 적은 돈으로도 투자가 가능하다는 점을 들 수 있다. 특히나 Par에서 많이 디스카운트되어 거래되는 채권들의 경우, 원금보다 훨씬 적은 금액이 투입되기에 혹시나 투자 직후 부도가 나더라도 잃을 수 있는 금액은 그리 크지 않을 수 있는 반면, CDS 계약의 경우 준거기업 부도 시 보장매도자가 잃을 수 있는 최대 금액은 항상 원금의 100%(= CDS Notional)이므로, CDS에 내재된 리스크가 더 크다는 논리 되겠다. *물론 부도를 이미 코앞에 둔 준거기업 같은 경우는 'Upfront Payment'가 꽤나 클 수 있기에 그런 예외적인 경우는 제외해야 하겠다.*

이번엔 반대로 'Negative Basis'가 생길 수 있는 이유(썰)들을 살펴보겠다. 금융 시장이 전반적으로 불안해지고 위기 상황이 도래하면 시장 참여자들의 자금 조달, 즉 펀딩(funding) 환경이 급속도로 악화되기 마련이다. 이는 채권에 대한 직접적인 투자보다는 펀딩이 필요 없는 CDS 보장매도 거래에 대한 수요를 상대적으로 증가시키는 요인으로 작용하게 된다. 따라서 그러한 수요 증가는 CDS 스프레드가 [채권의 에셋스왑 스프레드보다] 좀 더 낮아지게 되는 결과로 이어질 수 있다.

또 다른 이유로, [지난 25편에서 언급했던 것처럼] CDS 시장이 급속도로 발전하면서 그 규모가 기하급수적으로 커짐에 따라 유동성 면에서 또한 CDS 시장이 상대적으로 우월한 지위에 놓여있다는 점을 들 수 있다. 이는 채권 현물에 대한 직접 투자보다는 CDS를 통한 보장매도 수요를 높이는 요인으로 작용하게 된다. 특히나 채권의 발행량이 낮아 현물 유동성이 떨어지는 준거기업들의 경우, 이런 이유로 인해 CDS 스프레드가 상대적으로 더 낮게 형성될 가능성이 농후함은 두말하면 잔소리겠다.

'Negative Basis'와 관련된 세 번째 썰은 CDS 계약의 '거래상대방' 리스크와 관련되어 있다. 먼저, 현물 직접 투자의 경우에는 '거래상대방' 리스크가 없다. *물론 '결제' 리스크란 게 있기는 하다.* 하지만 CDS 계약의 경우엔 양자 간의 장외(OTC) 거래이므로 거래상대방 리스크가 존재한다. 특히나 준거기업 부도 시 손실을 대신 갚아주게 될 '보장매도자'의 신용 리스크가 제일 중요한 부분인데, 이러한 추가 리스크의 존재는 보장매입자가 상대방에게 지급하는 CDS 스프레드를 좀 더 낮추게 만드는 요인으로 작용한다는 논리 되겠다. *물론 이를 중앙청산소(CCP)를 통해 '청산되는 (cleared)' 파생상품 거래들에까지 적용하기엔 살짝 애매한 부분이라 본다.*

마지막으로, Par보다 더 높게 가격이 형성되어있는 채권들의 경우엔 준거기업에 신용사건 발생 시 잃을 수 있는 최대 금액(= maximum loss)이 채권 투자자 대비 CDS 보장매도자의 경우가 더 적을 수 있기에 이 또한 CDS 스프레드가 상대적으로 더 낮게 형성되는 현상에 대한 설명으로 제시되곤 한다... *아이고야... 참 썰도 많기도 하다... 이놈의 금융판은 그냥 암거나 다 갖다 붙인다는 필자의 농담(?)이 이제 이해 가는교? ㅋㅋㅋ Are you with me? ㅋㅋㅋ*

사실 '08년 금융위기 전에는 대부분의 경우 CDS 베이시스가 제로에 가까웠고, 베이시스가 벌어진다 해도 아비트리지 기회가 그리 크지는 않았었다. 그러나 금융위기 즈음해서 꽤나 큰 폭의 'Negative Basis'들이 시장에서 목격되기 시작했고, 이러한 베이시스의 급락 현상은 그 후로도 시장의 위기 때마다 어김없이 발생해 왔다. 지난 2020년 코로나 사태 때도 물론 포함해서다. 그러면 이렇게 제로에 수렴하지 못하고 엄청난 폭의 'Negative Basis'가 발생한다면 어떤 차익거래 기회가 발생하는 걸까? 초보자들을 위해 아래의 쉬운 예제를 통해 보여주련다;

먼저, LIBOR 금리에 자금을 조달할 수 있는 글로벌 금융기관을 함 상정해 보자. 다음과 같은 가상의 시나리오하에서 이 금융기관은 「채권 매입 + CDS 보장매입」 거래의 컴비네이션을 통해 준거기업의 크레딧 리스크를 제거하고도 꽤 짭짤한 차익을 향유할 수 있다:

<u>가정:</u>

채권 Asset Swap Spread = +7.00%

CDS Spread = 5.00%

∴ CDS Basis = −2.00%

<u>아비트리지 거래 Flow:</u>

금융기관이 LIBOR에 자금을 차입

차입한 자금으로 채권을 매입 (수익률: LIBOR + 7.00%)

동시에 해당 준거기업에 대한 CDS 보장매입 (Pay 5.00%)

<u>아비트리지 거래 Profit:</u>

(LIBOR + 7.00%) − LIBOR − 5.00% = 2.00%

어쨌거나, 위의 예에서처럼 큰 폭의 'Negative Basis' 현상이 포착된다면, LIBOR 수준에 자금을 조달할 수 있는 금융기관 입장에서는 준거기업의 부도 리스크를 제거하고도 200bps 상당의 꽁돈을 얻을 수 있는 그야말로 '개꿀' 기회가 만들어지는 셈이다. ㅎㅎㅎ *물론 실제 수익 분석은 일정 haircut까지 감안한 '레포(Repo) 펀딩 + 일부 쌩 펀딩' 콤보에 기초해야 하겠지만, 예제의 심플함을 위해 편의상 LIBOR 펀딩의 쌩팔년도식 단순 가정을 하였음을 알린다... (-_-;)* 암튼 이러한 'Negative Basis' 현상은 금융위기 이후에도 크레딧 시장에서 심심치 않게 발생되어왔고, 많은 투자은행들이 그런 현상이 포착될 때마다 「채권 매입 + CDS 보장매입」 포지션들을 패키지로 엮어서 '구조화 상품(structured product)' 형태로 전 세계의 기관투자자들한테 판매해 왔음은 잘 알려진 사실이다. 물론 수수료 좀 많이 떼먹고 말이다...

다만 위와 같은 아비트리지 거래들이 많아지면 질수록 CDS 베이시스는 다시 제로 근처로 수렴하게 될 거다. 이는 아비트리지 거래의 방향이 「Cash Bond 매입(⇒ Asset Swap Spread↓) + CDS 보장매입(⇒ CDS Spread↑)」 방향이기 때문이다. 그러나 또 한편으론 위기 상황이 닥치면 전반적으로 기관들의 펀딩 환경이 안 좋아지는 상황으로 치닫게 되고, 시장 유동성 면에서 특히나 펀딩이 들어가야 하는 Cash Bond 시장이 더욱 큰 타격을 입기 때문에 'Negative Basis'가 심화될 가능성이 더 농후함은 물론이다. 그리고 이런 이유에 더해서 뉴욕 Fed 발간 리서치인 Boyarchenko et al. (2018)은 2010년대 중반 이후 강화돼온 각종 규제들로 인해 딜러 은행들의 아비트리지 포지션 구축에 필요한 자본(capital) 비용이 급등하였고, 이는 더 높은 수준의 손익분기점으로 이어져 오늘날 'Negative Basis'가 계속 지속될 가능성이 과거보다 월등히 높아졌다는 분석을 내놓기도 했다.

이렇듯 여러 가지 이유로 파생상품 시장의 구석구석에 심각한 수준의 왜곡 현상(market dislocation)들이 종종 발생하곤 한다. 위기 상황에서 특히나... 앞으로도 국제 금융 시장이 흔들릴 때마다 파생상품 시장을 더욱 면밀히 들여다봐야 할 이유라 할 수 있겠다...

아이고야, 길었다, 길었어... 이번 편까지 빡세게 공부하고 대부분의 내용을 이해한 초보자들은 이제 본인을 'CDS 초보자'라고 칭하지 않아도 되겠다. 타 상품들의 경우처럼 이제 '중급자' 정도는 될 거라 필자가 감히 말해 본다. 물론 필자 같은 사람한테 이 정도의 지식을 가지고 자랑을 한다거나 하면 바로 '마바라'로 전락할 테니 역시나 자만은 금물이다... ㅎㅎㅎ ㅎㅎㅎ 그래도 여기까지 어려운 내용들 소화하느라 다들 참으로 고생 많았다. 앞으로도 계속될 금융 공부의 여정에 있어 모두들 건투를 빈다.

References

Ahmadian, Radin. 2015. "Complications in CDS-Bond Basis Analysis and Modeling." Imperial College London Business School. March.

Boyarchenko, Nina, Pooja Gupta, Nick Steele, and Jacqueline Yen. 2018. "Trends in Credit Basis Spreads." *Economic Policy Review*. vol 24, no. 2. Federal Reserve Bank of New York. October.

ECB. 2009. *Financial Stability Review*. European Central Bank. June.

부록(Appendix)

제31편 생존분석의 기초 개념 정리

이번 부록 편은 통계학의 '생존분석(Survival Analysis)' 분야에 등장하는 몇 가지 기본 개념들을 소개하는 편이다. 근데 웬 난데없이, 뜬금없이 '생존분석'이냐꼬? ㅎㅎㅎ ㅎㅎㅎ 왜냐하면 신용부도스왑(CDS)의 가격결정모형(Pricing Model)을 이해하는 데 있어 필요한 기초 필수 개념들이 이와 매우 밀접하게 연관돼있기 때문이다. 물론 뼛속까지 문과생들은 어쩔 수 없다 치더라도, 이번 편의 내용은 적어도 CDS에 대해 중급 레벨 '이상'으로 본인이 '쫌 안다'라고 하려면 알아두어야 할 기본 지식 중 하나라 할 수 있겠다.

참고로 생존분석은 비단 금융뿐 아니라 경제학의 다른 많은 분야들에서, 그리고 보험계리학과 다른 사회과학들에서, 더 나아가서는 의학, 공학 분야 등등에 이르기까지 정말 여러 가지 다양한 분야들에 널리 응용되어 쓰이고 있는 방법론이라 할 수 있다. 경제학에서는 요놈(?)을 'Duration Analysis'라는 이름으로도 부른다... CDS에 있어서는 준거기업의 생존확률(survival probability)과 부도확률(default probability)이 가격결정의 주요 요인으로 작용하기에 CDS를 정말 '제대로' 이해하고 싶다면 다소 머리 아프더라도 아래에 소개하는 개념들은 꼭 이해하고 넘어가야 한다고 본다. *미안타... 이 부록 섹션은 뼛속까지 문과생을 위한 내용들은 절대 아니*

다... ㅠㅠ ㅠㅠ

그러면 먼저, 준거기업의 부도까지 걸리는 시간 T를 연속확률변수(continuous random variable)로 가정해 보자. T의 누적(확률)분포함수(cumulative distribution function; CDF)인 'F(t)'는 다음과 같이 정의된다:

$$F(t) = \Pr(T \le t), \ t \ge 0 \tag{1}$$

즉, F(t)는 t라는 시점까지(= t라는 시점 혹은 그전에) 준거기업에 부도 사건이 발생할 확률을 나타내는 함수인 것이다. 그렇다면 반대로 준거기업이 t라는 시점까지 '살아있을(= 생존하는)' 확률을 나타내는 '생존함수(survival function)'인 S(t)는 다음과 같이 나타낼 수 있을 것이다:

$$S(t) = 1 - F(t) = \Pr(T > t) \tag{2}$$
$$where \ S(0) = 1$$

그리고 확률밀도함수(probability density function; PDF)인 f(t)는 누적분포함수(cumulative distribution function; CDF) F(t)를 미분한 도함수(derivative)로 정의된다:

$$f(t) = F'(t) = -S'(t) = \lim_{\triangle t \to 0} \frac{F(t + \triangle t) - F(t)}{\triangle t} \tag{3}$$

마지막으로, '위험함수(hazard function)'인 $\lambda(t)$는 t 시점까지 아직 부도가 나지 않았다는 전제하에 $\triangle t$라는 매우 짧은 순간 부도가 날 '조건부' 확률에 관계되어 수학적으로 다음과 같이 정의된다:

$$\lambda(t) = \lim_{\triangle t \to 0} \frac{\Pr(t < T \le t + \triangle t \mid T > t)}{\triangle t} \tag{4}$$

위의 위험함수의 정의에서 분자인 조건부(conditional) 부도확률을 $\triangle t$로 나눠주므로, 위험률(λ)은 '단위 시간당(per unit of time) 조건부 부도 발생률', 더 엄밀히는 조건부 '순간(instantaneous) 부도 발생률'의 의미를 가진다 할 수 있다. 이와 같은 맥락에서 위험률은 'Default Intensity(부도 강도)'라는 또 다른 이름으로도 불리고 있다.

$\triangle t$가 충분히 작은 값이라는 가정하에서, 그리고 t 시점까지 준거기업이 살아있다는 전제하에 't'와 't+$\triangle t$' 사이에 부도가 날 '조건부 확률'은 따라서 다음의 식으로 그 근사치의 계산이 가능할 것이다:

$$\Pr(t < T \le t + \triangle t \mid T > t) \approx \lambda(t) \times \triangle t \tag{5}$$

위험함수 $\lambda(t)$는 또한 다음의 간단한 생각의 과정을 거치면 'f(t)/S(t)'의 형태로 나타낼 수 있음을 알 수 있다:

$$Since \; \Pr(A|B) = \frac{\Pr(A \cap B)}{\Pr(B)}, \tag{6}$$

$$\lambda(t) = \lim_{\triangle t \to 0} \frac{\Pr(t < T \le t + \triangle t \mid T > t)}{\triangle t}$$

$$= \lim_{\triangle t \to 0} \frac{\Pr\{(t < T \le t + \triangle t) \cap (T > t)\}}{\Pr(T > t)\,\triangle t}$$

$$= \lim_{\triangle t \to 0} \frac{\Pr(t < T \le t + \triangle t)}{S(t)\,\triangle t}$$

$$= \lim_{\triangle t \to 0} \frac{F(t + \triangle t) - F(t)}{S(t)\,\triangle t}$$

$$= \frac{f(t)}{S(t)}$$

그리고 생존함수(survival function)인 S(t)는 아래와 같이 위험률(λ)만을 사용해 표현될 수 있다:

$$Since \; \lambda(t) = \frac{f(t)}{S(t)} = -\frac{S'(t)}{S(t)}, \tag{7}$$

$$\int_0^t \lambda(u)\,du = -\int_0^t \frac{S'(u)}{S(u)}\,du$$

$$\Rightarrow \int_0^t \lambda(u)\,du = -[\ln S(t) - \ln S(0)]$$

$$\Rightarrow \int_0^t \lambda(u)\,du = -[\ln S(t) - \ln(1)]$$

$$\Rightarrow \ln S(t) = -\int_0^t \lambda(u)\,du$$

$$\Rightarrow S(t) = \exp\left(-\int_0^t \lambda(u)\,du\right)$$

F(t)는 간단히 1-S(t)이므로 다음과 같다:

$$F(t) = 1 - S(t) = 1 - \exp\left(-\int_0^t \lambda(u)\,du\right) \tag{8}$$

그리고 수식 (6)에 의하면:

$$f(t) = \lambda(t) \times S(t) \tag{9}$$

따라서 심플함을 위해 만약 λ를 단순히 상수(constant)로 가정해버린다면, f(t)를 다음과 같이 나타낼 수 있다:

$$f(t) = \lambda \times \exp(-\lambda t) \tag{10}$$

처음 보는 초보자들은 많이 헷갈렸겠지만, 사실 별 내용은 없었고, F(t), f(t), S(t), $\lambda(t)$가 서로 어떻게 얽혀있는지를 수학적으로 나타내본 것뿐이다. 위험함수만 있으면 다른 모든 함수들의 도출이 가능하다 정리할 수 있겠다.

위의 기본 개념들을 숙지하고 있으면, 다음 편에서 소개할 다소 복잡해 보이는 CDS 가격결정모형 수식들을 이해하는 데 도움이 될 거라 본다. 다소 재미없게 느껴질 수 있는 금융 수학이지만, 수박 겉핥기보다 조금 더 깊이 들어가기 위해선 어쩔 수 없이 필요한 기초 개념들이기에 금융에 관심 있는 젊은이들이라면 시간 내서 차근차근 공부해 나가길 바라 본다.

All errors are my own.

Reference

Wooldridge, Jeffrey M. 2010. *Econometric Analysis of Cross Section and Panel Data*. 2nd ed. The MIT Press. Cambridge, Mass.: MIT Press.

부록(Appendix)

제32편 CDS 가격결정모형

CDS 가격결정모형을 다룬 대표적인 논문들에는 몇 가지가 있는데, 그중에서 필자는 초보자가 이해하기에 가장 잘 써진 게 O'Kane and Turnbull (2003)이라 생각하기에 앞으로 기술할 내용 또한 해당 논문의 설명법(exposition)과 표기법(notation)에 기초함을 알려둔다. 참고로 해당 논문은 O'Kane과 Turnbull이 리먼브라더스(Lehman Brothers)에서 퀀트(quant)로 재직할 당시 리먼의 이름을 걸고 출간했던 페이퍼였다. 현재는 두 명 다 대학에서 교수를 하고 있고... *참 다이내믹하고 찰진 인생이여... 젊을 땐 시끌벅적한 투자은행에서 돈 많이 벌다가 늙어서는 조용한 대학에서... 그야말로 Business Life Cycle 'Optimization'이네그려... ㅎㅎㅎ* 비록 2008년 금융 위기 때 망해서 없어져 버렸지만, 이들이 일했던 리먼브라더스는 왕년에 신용파생상품 분야의 파워하우스(powerhouse) 중 하나였다는 사실을 알려주고 싶다. 신용파생상품 시장의 발전에 많은 공헌을 하기도 했지만 리스크 테이킹을 너무 많이 하다 그만 쪽박... *쿨럭...*

이제 슬슬 본론으로 들어가 볼까... 먼저 여타 스왑 상품들이 그렇듯이 CDS도 두 개의 다리(leg)로 구성된다: 하나는 'Protection Leg'라 불리고, 다른 하나는 'Premium Leg'라 불린다. 뭐, 이름이 말해 주듯 Protection Leg는 혹시라도 신용사건이 발생할 경우 보장매도자가 지급해야 하는 현금 흐름을 뜻하고 Premium Leg는 평상시 보장매입자가 지급하는 CDS Premium(= CDS Spread) 현금 흐름을 지칭한다. *요까지는 쉽다...*

이쯤에서 간단한 예를 통해 안 돌아가는 머리를 한번 굴려보도록 하자: 보장매입자가 5년 만기 CDS 거래를 100bps(= CDS Spread; CDS Premium)에 체결한다. 그리고 1년이 흐른다. 그럼 오늘의 시점에서 보장매입자가 요 CDS 포지션의 막투막(Mark to Market; MtM)을 알고 싶다면 어떻게 해야 할까? 뭐, 당연히 오늘날 시장에서 거래되는 동일한 준거기업의 4년 만기 CDS 스프레드에 대한 정보가 필요할 것이다. 이 4년 만기 CDS 스프레드가 현재 150bps라고 함 가정해 보자.

먼저, 대부분의 스왑 상품이 그렇듯이,,, *(TRS는 제외하고)...* 일반적으로 스왑 가격결정 이론은 받는 것과 주는 것의 가치가 서로 동일하다는 가정에 기초한다. *'거래 시점'에 말이다...* 이는 현재 '시장에서 거래되고 있는' CDS들의 Protection Leg(= 받는 것)의 가치와 Premium Leg(= 주는 것)의 가치가 서로 동일하다는 뜻 되겠다;

앞의 예에서 이는 다음을 의미한다:

4년 만기 Protection Leg의 기대 가치
= 4년 동안 150bps를 Pay하는 Premium Leg의 기대 가치

(물론 Premium Leg의 현금 흐름은 신용사건이 발생하면 중단되므로 '최장' 4년간 발생한다고 해야 더 정확한 표현일 것이다.) 한편, 보장매입자가 1년 전에 체결한 CDS 보장매입 포지션의 현재 MtM은 다음과 같이 나타낼 수 있다:

$$MtM = \text{4년 만기 Protection Leg의 기대 가치}$$
$$- \text{4년 동안 100bps를 Pay하는 Premium Leg의 기대 가치}$$

즉, 보장매입자가 CDS 포지션의 MtM을 구하기 위해선 '기체결된' 계약의 Protection Leg와 Premium Leg의 기대 가치가 오늘 자로 서로 얼마나 차이가 나는지를 파악하면 된다.(스왑 MtM = 받는 것 - 주는 것) 맨 처음에 등장시킨 등식을 다시 한번 살펴보면 (오늘 기준으로) 4년 만기 Protection Leg의 기대 가치는 CDS Spread 150bps 현금 흐름의 기대 가치와 동일함을 알 수 있다. 이는 위의 MtM 수식을 다음과 같이 재표현할 수 있음을 시사한다:

$$MtM = \text{4년 동안 150bps를 Pay하는 Premium Leg의 기대 가치}$$
$$- \text{4년 동안 100bps를 Pay하는 Premium Leg의 기대 가치}$$

만약 우리가 'RPV01(= Risky PV01)'이라는 개념을 [만기 혹은 신용사건 발생 시 점까지 지급되는] CDS 스프레드 '1bp'의 기대 가치, 즉 'Expected PV'를 나타낸다고 정의 내린다면, 위의 MtM 수식을 다음과 같이 재표현할 수 있겠다:

$$MtM = 150bps \times RPV01 - 100bps \times RPV01$$
$$= (150bps - 100bps) \times RPV01$$

이를 좀 더 일반화시켜 표현하면 다음과 같다:

$$MtM(t_v, t_N) = \pm \left[Spread(t_v, t_N) - Spread(t_0, t_N) \right] \times RPV01(t_v, t_N) \qquad (1)$$

위의 수식 (1)에서 '±' 사인은 보장매입 포지션(+)인지 아님 보장매도 포지션(-)인지에 따라 달라질 것이다. 또한 위에서 't_v'는 MtM 평가 시점을 의미하고 't_N'은 만기 시점을, 't_0'은 거래 체결 시점을 의미한다. 따라서 앞의 예에 적용시키자면, 'Spread(t_v, t_N)'는 평가 시점(예: 오늘)에 시장에서 관찰되는 [4년 만기] CDS 스프레드를, 'Spread(t_0, t_N)'은 과거 거래 시점(t_0)의 [5년 만기] 스프레드를, 그리고 'RPV01(t_v, t_N)'은 현재 평가 시점의 [4년 만기 Premium Leg의] Risky PV01을 각각 나타낸다 정리할 수 있겠다.

휴우... 시작만 했는데도 벌써 머리 아파지려 하네... *하지만 벌써부터 포기하면 안 된대니... You guys can do it... 쿨럭...* 암튼 요 'Risky PV01'이란 것을 좀 더 수학적으로 이해하기 위한 여정을 같이 함 떠나보자. 먼저, 지난 31편에서 보여준 바와 같이 'dt'라는 짧은 순간의 '조건부' 부도확률은 '위험률(hazard rate)'을 써서 다음과 같이 나타낼 수 있다:

$$\Pr(t < T \le t + dt \mid T > t) \approx \lambda(t)\,dt \qquad (2)$$

또한 준거기업의 '생존확률(survival probability)'과 '위험률(hazard rate)'의 관계는 다음과 같다:

$$S(t_v, T) = \exp\left(-\int_{t_v}^{T} \lambda(u)\,du \right) \qquad (3)$$

이러한 생존 분석 기본 개념들을 일단 숙지해 놓고, CDS 계약의 양다리(?) 중 한 축인 'Premium Leg'란 것에 대해 먼저 생각해 보자. CDS Spread(= CDS Premium)란 것은 평상시엔 매 분기 지급되지만, 지급이 되려면 각 지급 시점에 준거기업이 아직 살아있어야 한다는 전제가 충족되어야 할 것이다. 이는 미래 현금 흐름이 발생할 확률, 즉 준거기업의 생존확률까지 감안해서 'Expected PV'를 계산해야 한다는 뜻이다:

$$\mathrm{Premium}\, Leg\, PV(t_v, t_N)\, without\, Accrual \qquad (4)$$

$$= Spread(t_0, t_N) \times \sum_{n=1}^{N} \triangle(t_{n-1}, t_n)\, Z(t_v, t_n)\, S(t_v, t_n)$$

$where$

$\triangle(t_{n-1}, t_n)$ = 쿠폰 지급 시점인 t_{n-1}과 t_n 사이의 $Day\, Count\, Fraction$
$Z(t_v, t_n)$ = t_v 시점에 산출된, 각 t_n 시점에 적용될 할인인자
$S(t_v, t_n)$ = t_v 시점에 산출된, 각 t_n 시점까지 준거기업의 생존확률

※ *참고: 위의 표기법(notation) 관련해서... 수식 (4)를 자세히 들여다보면, 평가 시점인 t_v 보다 더 앞선 시점들에 발생하는(= 이미 발생해버린) 현금 흐름들까지 더해버리는 걸로 비춰질 수 있다. 이 같은 헷갈림을 방지하려면 't_v' 시점보다 't_n'이 더 전일 경우 '$Z(t_v, t_n)$' 혹은 '$S(t_v, t_n)$'의 값을 그냥 제로(= 0)로 간주한다는 단순한 추가 가정이 필요할 듯하다. 앞으로 나오는 수식들도 요 가정을 하고 보도록 하자...*

위의 수식 (4)는 '기체결된' CDS 거래의 Premium Leg의 기대 가치를 나타낸다. 근데, 잠깐... 이게 다가 아니다. CDS 계약은 일반적으로 경과이자(accrued interest)까지 지급하는 것이 스탠더드이기 때문이다. 그니깐 만약 쿠폰 지급일이

도래하기 전에 신용사건이 발생한다 해도 그냥 쌩까는(?) 게 아니라, 그 시점까지 축적된(accrued) 이자까지 감안해 준다는 얘기다. ㅎㅎㅎ 물론 그냥 '쌩까도록' 계약을 'tailor-made' 시킬 수도 있다. 그렇게 되면 모델상으로 Premium Leg의 PV가 원래보다 살짝 작아지니 보장매도자한테 지급해야 할 Spread를 인위적으로 높여줄 수 있게 된다... 요거 곁다리지만 중요한 포인트임...

암튼 이 경과 이자 부분 또한 수식 (4)에 더해줘야만 Premium Leg의 수식이 완성되겠다. 꽤 복잡해 보일 수 있지만, 아래의 수식 (5)는 쿠폰 지급일 't_{n-1}'과 't_n' 시점 사이 구간에서 'du'라는 짧은 순간 부도가 나서 경과 이자가 지급되는 경우들의 기대 가치를 나타낸다 할 수 있다. 수식 맨 뒷부분의 「$S(t_v, u) \cdot \lambda(u) \cdot du$」가 바로 du라는 짧은 순간의 '비조건부(unconditional)' 부도 확률을 의미한다: (since $S(t) \cdot \lambda(t) = f(t)$)

$$Accrual\,PV = Spread(t_0, t_N) \times \sum_{n=1}^{N} \int_{t_{n-1}}^{t_n} \triangle(t_{n-1}, u) Z(t_v, u) S(t_v, u) \lambda(u) du \quad (5)$$

O'Kane and Turnbull (2003)에 따르면, 위의 복잡한 'integral'을 대신해 아래의 단순화된 수식으로 그 근사치(approximation)의 계산이 가능하다:

$$Accrual\,PV \qquad\qquad\qquad\qquad\qquad\qquad\qquad\qquad\qquad (6)$$

$$\approx \frac{Spread(t_0, t_N)}{2} \times \sum_{n=1}^{N} \triangle(t_{n-1}, t_n) Z(t_v, t_n) \big(S(t_v, t_{n-1}) - S(t_v, t_n)\big)$$

이에 기초하면, 기체결된 거래의 Premium Leg의 기대 PV를 다음과 같이 나타낼

수 있다:

$$\mathrm{Premium}\, Leg\, PV(t_v, t_N) \approx \tag{7}$$

$$Spread(t_0, t_N) \sum_{n=1}^{N} \triangle(t_{n-1}, t_n) Z(t_v, t_n) \left[S(t_v, t_n) + \frac{1}{2} \big(S(t_v, t_{n-1}) - S(t_v, t_n) \big) \right]$$

그리고 위의 수식 (7)에서 Spread 뒤에 곱하는 부분을 'Risky PV01'으로 간주할 수 있다:

$$RPV01 = \sum_{n=1}^{N} \triangle(t_{n-1}, t_n) Z(t_v, t_n) \left[S(t_v, t_n) + \frac{1}{2} \big(S(t_v, t_{n-1}) - S(t_v, t_n) \big) \right] \tag{8}$$

다음으로 'Protection Leg'를 살펴보자... *여기까지 이해했으면 다음은 쉬울 거다...* [별일 없으면] 정기적으로 Spread를 지급하는 Premium Leg와는 달리, Protection Leg의 특징은 준거기업에 신용사건이 발생해야만 현금 흐름이 트리거 된다는 점 되겠다. 그리고 이때 지급되는 현금 흐름은 「명목금액 × (1 - 회수율)」 상당이다. 회수율(Recovery Rate)을 'R'이라 표현한다면, Protection Leg의 기대 PV는 아래와 같이 나타낼 수 있다:

$$\mathrm{Protection}\, Leg\, PV(t_v, t_N) = (1-R) \int_{t_v}^{t_N} Z(t_v, u) S(t_v, u) \lambda(u) du \tag{9}$$

물론 이 또한 매년을 M개의 작은 구간들로 쪼갠다는 가정하에 '이산 시간(discrete time)' 형식의 아래의 수식으로 그 근사치를 구하는 것이 가능하다:

$$\mathrm{Protection\,Leg\,} PV(t_v, t_N) \approx (1-R) \sum_{m=1}^{M \times t_N} Z(t_v, t_m)\big(S(t_v, t_{m-1}) - S(t_v, t_m)\big) \quad \text{(10)}$$

따라서 시장에서 관찰되는 새로운 CDS 거래들의 Premium Leg와 Protection Leg의 PV가 서로 동일하다는 가정하에서, 'CDS Spread'의 공정가는 아래의 수식으로 표현될 수 있다: (참고로 새로운 거래의 경우 '$t_0 = t_v$'가 됨을 상기하자.)

$$Spread(t_v, t_N) \approx \frac{(1-R) \sum_{m=1}^{M \times t_N} Z(t_v, t_m)\big(S(t_v, t_{m-1}) - S(t_v, t_m)\big)}{RPV01} \quad \text{(11)}$$

휴우... 드디어 끝났다... 이러한 모델링을 통하면 시장에서 관찰되는 Spread 값들을 가지고 각 시점별 위험률 및 생존확률의 부트스트래핑(bootstrapping), 즉 '크레딧 커브(Credit Curve)'의 도출이 가능할 것이다. 물론 모델링 과정에 있어 어떠한 세부 가정들을 하느냐에 따라 결과 값들이 다르게 나올 수 있으며, 참고로 현재 시장은 'ISDA CDS Standard Model'이라는 표준 모형을 사용, 일괄적으로 주요 파라미터들 및 RPV01 값들을 산출 중이다. (참조: https://www.cdsmodel.com/)

비록 본 책에서는 더 깊게 들어가지 않지만, 혹시라도 있을 금융공학(Financial Engineering) 꿈나무들은 CDS 모델에 대한 다양한 논문들과 시장 표준인 'ISDA

Standard Model'의 자세한 스펙 및 기초 가정들에 관해 스스로 찾아보고 더 깊은 공부를 해 나가길 바란다. And best wishes in your pursuit of deeper knowledge. Good luck!

As before, all errors are my own.

Reference

O'Kane, Dominic, and Stuart Turnbull. 2003. "Valuation of Credit Default Swaps." Lehman Brothers Fixed Income Quantitative Credit Research. April.

Epilogue

나름 노력했지만, 쓰고 보니 전편 격인 「'채권'과 '금리스왑'」보다는 훨씬 더 어려운 내용들로 가득 찬 책이 돼버렸다... ㅠㅠㅠ ㅠㅠㅠ 뭐, 파생상품이란 놈(?)이 태생상 쉬운 놈이 아니니깐 어쩔 수 없는 노릇이겠다. 그래도 여느 딱딱한 금융 교재들보다는 훠얼~씬 더 독자 친화적인(reader-friendly) 방식으로 각종 어려운 내용들을 가능한 한 쉽고 재미있게 설명하려 노력한 점을 부디 알아주기를... *뭔가 많이 비굴한 느낌이다... 쿨럭... (-_-;)*

금융파생상품 중 가장 '쉽다는' 선형(linear) 파생상품들마저 파면 팔수록 끝없이 어려워지고 난해해질진대, 금융계의 수많은 마바라들은 이런 선형 파생상품들도 제대로 이해 못 하면서 온갖 비선형(non-linear) 파생상품들 및 복합 구조화상품들(structured products)까지 마구잡이로 손대며 묻지마 투자·매매를 해온 것이 현실이다. 본인들이 자칭 금융 전문가라고 '정신승리'나 해대면서 말이다. 이들 중 대부분은 영문으로 된 계약서 문구 하나도 제대로 읽지 못하는 수준이며, 상품의 구조 및 설계 방식은 물론, 상품 안에 내재되어있는 실질적인 리스크 또한 전혀 이해하지 못하는 이들이 부지기수이다.

이렇게나 '안구에 습기 차버린' 금융판을 젊은 세대들이 주축이 되어 이제는 바꿔나갔으면 하는 바람을 가지고 있기에 두 편에 걸쳐 이렇게 채권 및 선형 파생상품에 관한 책들을 출판하게 되었다. 가깝게는 여의도와 광화문, 조금 멀게는 홍콩, 싱가포르, 도쿄 등 아시아 각 지역에 징그럽게 우글거리는 ~~좀비 떼~~구세대 금융 마바라들은 이제 다들 좀 그만 닮아가길 바라고, 아직 젊고 앞날이 창창한 MZ세대들이 (이 책을 통해) 기초부터 제대로 공부해서 향후 진정한 금융 전문가로 거듭날 수 있길 진심으로 바라 본다.

256

어떤 분야든지 제대로 공부한다면, 정말 배워야할 게 끝이 없다는 사실을 느낄 수 있을 것이다. 따라서 조금씩 지식이 쌓여간다고 해도 절대 자만하지 않고 겸손한 자세로 지속적으로 질문하고 탐구해나가는 노력을 기울이는 것이 중요하다. 그리고 아쉽지만, 아무런 고통 없이 어떤 분야에서 완벽한 이해를 득하는 길이란 없더라; i.e. no pain, no gain. 머리가 굳기 전, 한 살이라도 젊을 적 금융 공부를 해놓아야 나중에 후회할 일 없음 또한 명심하자; i.e. strike while the iron is hot.

모든 금융 초보자들, 아니 이제는 완연히 '중급자가 된' 당신들의 앞날에 행운을 빈다.

Dr. HikiEconomist